ZERO

Ignácio de Loyola Brandão

ZERO

global
editora

© **Ignácio de Loyola Brandão**, 1996
14ª Edição, Global Editora, São Paulo 2019
1ª Reimpressão, 2021

Jefferson L. Alves – diretor editorial
A. P. Quartim de Moraes – editor associado
Flávio Samuel – gerente de produção
Dida Bessana – coordenadora editorial
João Reynaldo de Paiva – assistente editorial
Tatiana F. Souza – revisão
Eduardo Okuno e Mauricio Negro – capa e projeto gráfico
Ary Brandi – fotos das páginas 82 a 87
Luana Alencar – editoração eletrônica

Obra atualizada conforme o
NOVO ACORDO ORTOGRÁFICO DA LÍNGUA PORTUGUESA.

CIP-BRASIL. CATALOGAÇÃO NA PUBLICAÇÃO
SINDICATO NACIONAL DOS EDITORES DE LIVROS, RJ

B817z
    Brandão, Ignácio de Loyola
        Zero / Ignácio de Loyola Brandão. - [14. ed.] - São Paulo : Global, 2019.
        304 p. ; 23 cm.

    ISBN 978-85-260-2490-8

    1. Romance brasileiro. I. Título.

19-58874   CDD: 869.3
                                                  CDU: 82-31(81)

Meri Gleice Rodrigues de Souza – Bibliotecária CRB-7/6439

editora
Direitos Reservados

global editora e distribuidora ltda.
Rua Pirapitingui, 111 — Liberdade
CEP 01508-020 — São Paulo — SP
Tel.: (11) 3277-7999
e-mail: global@globaleditora.com.br

globaleditora.com.br   /globaleditora
blog.globaleditora.com.br   /globaleditora
/globaleditora   /globaleditora
/globaleditora

Colabore com a produção científica e cultural.
Proibida a reprodução total ou parcial desta obra
sem a autorização do editor.

Nº de Catálogo: **1560**

Ignácio de Loyola Brandão

ZERO

Para Bia,
Daniel,
André
e para Luciana Stegagno Picchio,
a quem este romance deve sua sobrevivência.

HÓRREO

As novas gerações nunca ouviram falar da América Latíndia e Alguns Países Africanos. Os livros de história não trazem nenhum registro sobre eles. Os textos foram expurgados.

O que era América Latíndia é hoje o Quinto Mundo, região chamada Hórreo, isolada, autônoma, independente.

Vastas plantações (extensas áreas de maconha e ópio), hortas gigantescas, abastecem o universo.

Destes lugares (considerados insalubres para o mundo desenvolvido) vêm matérias-primas como o carvão, ferro, urânio, petróleo e metais recém-descobertos, além da madeira e alguns animais decorativos, em vias de extinção) e homens destinados a experiências científicas. Acrescente-se a exportação, para os países desenvolvidos, de meninas púberes encaminhadas à prostituição infantil. A pedofilia grassa.

Ali se desenvolveu em extremo grau de tecnologia a tendência filosófica, tornada ação do cotidiano: quanto me custa você mudar seu conceito de vida, sua ideia política, sua maneira de administrar, fechar os olhos para o que faço e a maneira como faço, ignorar minhas ações perniciosas e minha falta de ética?

Esta história se passa pouco antes da Reunião de Divisão, Agrupamento e Isolamento de Áreas que aconteceu daqui a muitos anos.

Com seus 42.142.000 km^2,
a América Latíndia ocupa
28% da área de todas as
terras emersas do globo.
Em extensão é o segundo
dos cinco continentes.

América Latíndia

O medo vai ter tudo
quase tudo
e cada um por seu caminho
havemos todos de chegar
quase todos
a ratos
Sim
a ratos

Alexandre O'Neill
O poema pouco orginal do medo

Num país da América Latíndia, amanhã

Moro num país tropical
abençoado por Deus
e bonito por natureza.
Em fevereiro (em fevereiro)
tem carnaval (tem carnaval)

Jorge Benjor

José mata ratos num cinema poeira. É um homem comum, 28 anos, que come, dorme, mija, anda, corre, ri, chora, se diverte, se entristece, trepa, enxerga bem dos dois olhos, mas toma Melhoral, lê regularmente livros e jornais, vai ao cinema sempre, não usa relógio nem sapato de amarrar, é solteiro e manca um pouco, quando tem emoção forte, boa ou ruim.

Atualmente, José está impressionado com uma declaração do Papa de que o Natal corre perigo de se tornar uma festa profana.

CADA RATO TEM UM PREÇO

Nove horas, José veste o macacão, calça as botas de borracha e instala a aparelhagem de tambores e tubos plásticos. Aciona a manivela e produz uma fumaça amarela que vai para as tocas. Os ratos correm e logo caem. Mortos. Ele os recolhe num saco e vai jogar nos terrenos baldios da Várzea do Glicério.

José tem uma cota diária de ratos. Ele sabe que, no dia em que tiver exterminado todos os bichos, perde o emprego. Um dia, não tinha mais ratos, José foi à Várzea, pagou 50 centavos a dois moleques, cada um trouxe três ratos. Assim, José continuou trabalhando.

NOME: *cosmo ou Universo.*

CARACTERÍSTICAS: *contém os "corpos" celestes e o espaço em que eles se encontram. O seu conjunto contém 10^{76} (10 elevado a 76ª potência) de prótons.*

PESO: *em gramas: 10^{56}*

GRANDEZA: *segundo Einstein, todo o universo deve ter um diâmetro de 8 milhões de anos-luz.*

IDADE: *(presumível) 10 a 12 bilhões de anos-luz.*

FORMAÇÃO: *os "corpos" celestes são principalmente as estrelas, os planetas que giram com seus*

MEMÓRIA AFETIVA

Tinha dez anos, era noite de festa, foi à casa do Chola, fogueira no quintal, tempo de bombas, busca-pés, rodinhas, fósforos de cor, traques, caramurus, mas nenhum menino tinha dinheiro, só faziam fogueiras. Na casa do Chola, todos em frente ao fogo, e Chola segurava um barbante, tinha um rato amarrado nele, e o Chola jogava o rato no fogo, o bichinho chiava, queimando, o Chola dava barbante, o rato fugia das brasas.

LIVRE ASSOCIAÇÃO

O pai defendendo putas pobres e a mãe de escovão na mão com sapólio e limpando as obscenidades escritas nos muros da cidade ela e todo um grupo que colecionava selos para as missões católicas na África e em casa José lia Família Cristã e Pequeno Missionário e as boas famílias da cidade não estavam no escritório do pai nem você mau filho pode ir lá nunca foi

MEXICANOS DA FÁBRICA DE SABÃO

Fazia seis meses que os mexicanos estavam chegando ao bairro. Eram mais de quarenta e dormiam no depósito vazio. José tinha ido ao depósito. Antiga fábrica de sabão, os tachos estavam lá, imensos, massa preta pela metade. Cheiro de gordura. Os primeiros mexicanos tinham aberto uma loja de restauração de poltronas e um conserto de transistores. Conversavam num espanhol inentendível e a meninada, pele escura, oleosa, corria pelas ruas pedindo esmolas, comida e doces. Tinha uma menina de 13 anos que vivia dando (gostava de trepar com as pernas fechadas). Ela ia até a pensão e dava no quarto, mesmo com os outros olhando (eram cinco no quarto da pensão). José tinha pedido para ir no cinema, para treparem lá. Ela não foi. José queria

---

satélites em volta das estrelas, os cometas e matérias que aparecem periodicamente entre as estrelas.

IDADE MÉDIA DE UMA ESTRELA: *dez bilhões de anos.*

QUANTIDADE DE ESTRELAS: *cada galáxia contém em média cem bilhões de estrelas.*

FORMA DE VIDA: *1 planeta em cada grupo de 1.000 parece oferecer condições favoráveis à vida.*

GRANDEZA DA NOSSA GALÁXIA: *comprimento de 100.000 anos-luz; largura de 30.000 anos-luz; espessura de 15.000 anos-luz.*

VELOCIDADE DA NOSSA GALÁXIA: *150 a 330 quilômetros por segundo.*

O SOL: *pesa 330.000 vezes mais que a Terra.*

A TERRA: *pesa 6.000.000.000. 000.000.000.000 de toneladas.*

JOSÉ: *pesa 70 quilos ou quilogramas.*

no cinema porque, na pensão, dormia no beliche de cima e tinha medo de cair.

OLHOS NEGROS

Ao virar a esquina, José viu a preta. Olhava fixamente para ele. Era muito velha, podia-se ver pelas rugas que rodeavam os olhos, formando bolsões. O olhar era vivo e deu mal-estar em José. A rua ficou amarela um segundo (É o meu estômago vazio, a falta de uma cachaça).

APRESENTAÇÃO DE ÁTILA, AMIGO DE JOSÉ

Átila fez o normal na mesma cidade onde nasceu José. Não conseguiu cadeira de professor. Um inspetor pediu a ele uma taxa, assim seria mais fácil passar. Átila cagou no diploma e jogou na porta do departamento de educação.[1] Foi trabalhar como borracheiro. Conheceu Carola no dia em que colocaram um outdoor em frente à borracharia. Ela era o modelo do anúncio. O apelido de Átila vem do costume que ele tem de quebrar tudo, arrasar os lugares quando fica bêbado.

OPERÁRIOS ESQUENTAM MARMITAS

Na pensão, ele se lava no tanque (de manhã, a dona tranca o banheiro para não usarem o chuveiro quente), com sabão de pedra. Café é no bar da esquina. Operários esquentam marmitas num fogão coletivo. Eles têm o olhar parado. Construções: a cidade vedada com tapumes. Linhas telefônicas, água, esgoto, luz. Buracos ao comprido das ruas. Ônibus devagar no trânsito congestionado. A dor de cabeça que José tem todas as manhãs começa a passar. O cinema abria às dez e meia. Os mesmos espectadores, todos os dias. Eles não iam ver o filme. Iam dormir. Tinham passado a noite pelos bares. Gente que vinha dos cortiços, bancos de jardim, parque Dom Pedro, cadeia, bordéis. Cheiro de álcool, maconha, sujeira, desocupação, desprezo. Começavam a dormir, dois filmes seguidos, acordavam três horas depois para o intervalo de cinco minutos. Voltavam a dormir e iam assim até o fim do dia. Átila tem cadeira cativa.

---

1   Depois se arrependeu.

YOU CAME, I WAS ALONE

José sempre quis ser cantor. Americano. Como Ray Charles, Nat King Cole, Paul Anka, Frankie Laine, Billy Eckstine. Desde os quinze anos tinha vontade de ir para os Estados Unidos, cantar, ser famoso, dar autógrafos, ter roupas extravagantes. Ele vive cantando *Temptation, You came, I was alone.*

PARA TIRAR EU DE EU

Átila só fuma maconha quando está na fossa. "Para tirar eu de eu." Ele e a namorada, uma morena chamada Carola, magra demais para o gosto de José. Átila gostava das mulheres magras. Era gamadíssimo em Carola. Ela: tímida, quieta. Tinha um bar deixado pelo ex-marido, morto de tétano. Barzinho pequeno, no pátio de uma escola. Vivia de guaranás, cocas, café com leite, goiabada com queijo, balas, marias-moles, bons-bocados, doce de abóbora, coco e leite, sanduíches. Carola passava lá o dia inteiro. Átila contou para José por que era tão gamado em Carola. Não faziam pela frente, nunca.[1]

A VIDA DOS SERMONEIROS
(AVANT-TRAILER)

. Vamos lá, vai. Ele lê mão que é uma beleza.
. Amanhã.
. É que a polícia está dando em cima, amanhã ele pode ter ido embora.
. Mentira.
. Vamos lá, vai.
? Por que você não vai sozinho.
. Porra, você sabe que não faço nada sozinho.
? (A polícia vai expulsar os sermoneiros.)

O ANEL DE SANTA BÁRBARA

Rosa tinha sete anos. Estava brincando num terreno. No bairro Salinas. Pisou numa pedra preta, cortou fundo o pé. A pedra era

---

1 Carola só existe em fotos de publicidade. Átila inventa tudo.

transparente. O pai de Rosa mandou fazer um anel. Assim que colocou o anel e saiu à rua, Rosa achou dinheiro na calçada. "Nunca mais tira do dedo, isso dá sorte", disse a mãe dela. Todo mundo passou a procurar pedras no terreno. Ali, há 50 anos, tinha sido senzala.

TOQUE DE RECOLHER

Com a repressão que anda por aí, ninguém quer sair de casa, as ruas são vazias, cassaram as licenças para circular depois de 21:34 horas.

O POÇO DA SOLIDÃO

José foi intimado a depor. O dono da pensão se atirara ao poço, alegando miséria. Tinha convidado a mulher, mas ela não quis, disse: Vai sozinho. A polícia suspeitava. Numa só semana, três pessoas tinham se atirado em poços, alegando miséria. Um psicólogo declarou: "Psicose. Normal. Não deve haver crime, afinal os que morreram eram miseráveis mesmo".

O MIRACULOSO

Frankil, o maior faquir do País, tentará trazer para nós o título de campeão mundial do jejum, ficando sem comer 111 dias. Venham incentivar Frankil a nos dar mais um título mundial.

FOLHETO AMARELO

PAGOU I CRUZEIRO (filhodamãe um cruzeiro prele comer depois), ATRAVESSOU UMA CORTINA DE PLÁSTICO VERDE. A URNA ESTAVA NUM SAGUÃO CAIADO. CARTAZES, FOTOGRAFIAS, RECORTES DE JORNAIS, BANDEIROLAS DE PAPEL-CREPOM. UM CINEGRAFISTA DE TELEVISÃO ESTAVA ACOMPANHANDO O RECORDE; UM FOTÓGRAFO GORDO, TERNO SURRADÍSSIMO.

Dias sem comer: 55
Faltam ainda: 56

Discos fanhosos de tango, bolero. O faquir, deitado nos pregos. Faixas azul-amarelo, uma bandeirinha num canto, cobras passeando pelo corpo macerado, a figura imitando Cristo. José raspou as unhas no vidro. O faquir parecia dormir, não se perturbou.

Um sujeito magro, careca, sorriso grande, entrou com o fotógrafo e mais dois que traziam blocos de anotações. Frankil abriu os olhos, pareceu reconhecer o magrinho, deu um sorriso esfomeado, fez ok com o polegar. O magrinho veio conversar com José.

. Olha, eu vou fazer um filme sobre faquir e fome. Gostaria de saber o que você acha disso aqui. Eu vou gravar, hein.

. Pode gravar.

Gilda Valença cantava *Coimbra*. José se arrumou, o fotógrafo estava fotografando.

. Pode começar.

? Como o senhor se chama.

. José Gonçalves.

? Sua profissão.

. Limpo o cinema.

? Por que o senhor vem aqui.

. Queria ver o homem.

? O senhor vem sempre nestas coisas.

. Sempre. Venho todo dia.

? Todo dia.

. Todo.

? Gosta.

. Acho este sujeito uma besta.

? Então, para que vem.

O faquir olhava. O magrinho pediu para filmarem a entrevista. José torceu a boca para o lado, como se fosse cuspir. Tinha uma afta que incomodava. Era crônica, ninguém descobrira remédio. Filmavam, e o alto-falante tocava *Ave Maria Lola*. Chegou um baixinho, de óculos e olhos azuis, junto com uma menina magrinha, também de olhos azuis: Glora, a rainha do striptease do Teatro Santana.

José viu que o faquir observava. Tirou um sanduíche do bolso. Mastigava e olhava, o faquir olhava para ele. José comia, torcia a boca. O diretor foi filmando. Glora reclamou: "Isso não, Fernando, não deixa ele fazer isso". José mostrava o sanduíche ao faquir. Engoliu o último pedaço. Olhou firme para a câmera. E ia virando quando reparou no sinal. No alto da urna havia dois riscos amarelos, formando um triângulo incompleto, com um meio círculo dentro.

O sinal ficou gravado. Mesmo lá fora, ao sol, José continuava vendo os riscos amarelos. Na rua, de um lado para outro, escondidos atrás de janelas, dois homens atiravam com fuzis telescópicos, enquanto o povo passava.

CCCORRRREEEEUUUUUUUUUU, plam

Olha a velha

GRRRRRAAAAAAMMMMMMMMM (o cara tentava acelerar o motor para fugir)

Pega, pega

VRRRROUUUUUUMMMMMMMMMM

Leva a velha pro hospital. Desgraçado.
? Alguém anotou a chapa.
Ah, aaaaaaaaaaaaaaaaaaa.
Ige-sha gemia. Demo, capeta, não quer mesmo que eu tenha o Itá de xangô. Aaaaaaaaaaaa.
Ela se levantou, não sentia nada. Era assim mesmo, os demônios batiam nela, surravam, ela não podia ir à cidade, saía moída de cada vez. Era o medo deles, aaaaaaaaaaa, como dói. As filhas tinham proibido, mas sou mais forte que eles, aaaaaaaaaaaaaaaaaaaaaa.

ADEUS, ADEUS

Depois de ter sua biblioteca inteiramente confiscada e queimada pelo Governo 1, o sociólogo e pesquisador das origens do subdesenvolvimento nacional, Carlos Antunes, aceitou o convite de Yale para lecionar na famosa Universidade Norte-Americana. Deve embarcar dentro de 10 dias, se os advogados liberarem o seu passaporte.

AS PORTAS

Jag, jag, jii, loooco, rorrocola, baby, baby, love me baby, tak, tag, tak, buzina, buzina, meu amor, eu te amo, eu sou um negro gato, senhor juiz, pare, meu bem, la, luuuun, aí, eu, ôoooo, pílulas de vida, do doutor ross, fazem bem ao fígado e a todos nós, xiquitan, bum, bum, I want hold your hand, beatles, porra, esqueci de falar com Átila sobre as ciganas, me dá um quibe frito, limão, uma Caçula, prato do dia: sopa de grão-de-bico, chinês foi preso porque fritava pastel com óleo diesel, grande liquidação de discos, e que tudo mais vá pro inferno, amor, guarda bem este amor, novelas cada dia mais sensacionais no 9, pô, cada comerciária boa tem esta loja, deixa eu voltar, fingir que compro, que pernas a moreninha de sapatos vermelhos (Odete, professora de português, no ginásio, usava sapatos vermelhos, era boa paca, onde será? que ela anda neste mundo, a gente corria atrás dela na escada, e todo mundo ficou com inveja do Quebradinho que dançou com ela num baile do Municipal), larali, grofrgst hgtfyuj, 7869504, bum, bum, vai te. As pernas. A microssaia e as pernas compridas, redondas. No meio do povo. Ela caminhava, os homens se viravam, ela andava em zigue-zague. José, seguindo. Ela dobrou a esquina, ele parou. (Ela volta, tenho certeza que volta, é que eu quero, *quero muito grande aqui em mim*, e ela vai voltar.) Acontecera outras vezes. Ele via uma vez e ficava com a certeza de que veria de novo. E via, sempre. Como agora, com a menina de microssaia de couro e sandálias vermelhas. Ela voltava, olhando distraída, ou pensando por que é que estava voltando. E enquanto ele observava a moça, a velha riu perto dele. A velha riu (como ela deve ser antiga, poa!) e disse *Num, Num, ainda num é a tua!* (Que minha? Minha o quê? Velha doida, nem me conhece.) (Engraçado.) Ele continuava pensando (Este sol, tão amarelo de repente.) (Como tem doente nesta cidade!) Aleijados, cegos, sem braço, sem mão, sem pés, pés para dentro, pés para fora, caolhos, bocas tortas, sem nariz, corcundas — sempre com um monte de crianças correndo para passar a mão nas costas, a fim de ter sorte — anões, sem orelhas, pescoços tortos, mulheres com elefantíase, pernas imensas, seios que pareciam sacos, fazendo com que andassem curvadas para a frente, leprosos, gente cheia de pústulas, de crostas, rostos que eram uma ferida só, rostos manchados, cabeças em carne viva. José correu pela calçada, trombando nas pessoas (Eu não quero ficar aqui, vai me deixar louco!). Terminou num beco de oficinas mecânicas, vazio de gente, cheio de carcaças de automóveis. As carcaças brilhavam ao sol (amarelo). Faltavam para-brisas, os vidros arrebentados, sobravam buracos negros, como bocas desdentadas, ou com todos os dentes, faróis arrancados (olhos), laterais, frente e traseiras amassadas, arrancadas, cofres do motor vazios. Velhos automóveis amontoados uns sobre os outros, formando um edifício de lataria descascada, de várias cores. José entrou num vestíbulo iluminado por lâmpadas de vapor de mercúrio. Havia no vestíbulo portas e portas — portas de carro. Ele foi experimentando uma a uma. Ele abria e fechava. Até a última. (Eu fechava o livro, eu nunca li o final da história, eu não queria que a moça entrasse, não era para ela entrar. Então escrevi outra história em que ela ficava parada na frente da última e morria ali, cheia de vontade, desesperada, mas com medo.) Com a mão no trinco, José se decidia.

> *ELE ABRIRÁ A ÚLTIMA*
> *PORTA?*
> *O QUE EXISTE DENTRO*
> *DELA?*

Mais um banco assaltado em Vila Clemência.
Feridos: 1
Roubados: 14.000 dólares
Total de bancos assaltados até agora: 64
Total de dinheiro roubado: 12.546.786
Total de feridos nas ações: 56
Total de assaltantes presos: 4
Total de mortos: 13

SETE ITENS

1- José não foi ver se o seu emprego de mata-ratos no cinema ainda está de pé. Não tem vontade de nada.

2- Ele acha que não dá pé. Não vale a pena. Tem um pouco de dinheiro para ir vivendo. Amanhã ou depois, talvez ele vá ao cinema.

3- Se for o caso, pede desculpas ao gerente diz que estava doente.

4- Pode descontar (chefes adoram descontar) meus dias. Não falto mais, juro que não, pelo amor de Deus.

5- É só rastejar um pouco. Eles acham que é rastejar. Mas não é. É mentir em cima deles. Ficam babados quando alguém rasteja.

6- O bom é ficar na cama, pensando. Eu não quero é ter a mínima preocupação por nada em minha vida.

7- Hoje de manhã veio a polícia e prendeu o sujeito do quarto da frente. Não era criminoso, nem nada. Estudante. Negócio de política. Estragaram o quarto dele inteirinho, rasgaram roupa, livros, farejaram armários.

O TEMPORA, O MORES

"Ou nos unimos, ou o mundo explode numa onda de desregramento, pecado, imoralidade." O Presidente falava numa praça da capital. Diante dele, milhares de pessoas, atentas. Cada uma trazia na mão uma tocha acesa e o Presidente tinha uma visão fantástica: um fogo que iluminava / mas para ele, o fogo consumia; naquela noite devia começar uma reforma nos costumes e nas leis/. Os microfones levavam a palavra do Presidente a todas as praças do país, a toda as casas. Abaixo do palanque havia um estrado, onde se sentavam os altos dignitários da Igreja, Ministros, Juízes dos Tribunais Superiores, Procuradores-Gerais, o Chefe Supremo das Milícias Repressivas, os Encarregados da Ordem e Moral, os Cruzados, os Templários, os Defensores das Famílias, os Vingadores. Cada um representava centenas de associações e ligas e organizações que estavam sendo formadas no país, em defesa dos bons costumes, da família, da boa conduta, da liberdade, da propriedade. Estas centenas representavam milhões de pessoas. "Vamos nos lançar numa grande campanha, num momento monstro, para que a moda seja mais sóbria, para que as saias desçam aos tornozelos, para que as revistas licenciosas sejam queimadas, para que o palavrão deixe de existir em nossa amada e tão bonita língua, para que os jovens levem uma vida decente e recatada, para que o termo prostituição seja abolido de uma vez de nossa Pátria bem-aventurada, para que não haja pílulas e todos procriemos muito para a grandeza futura. Para isso estamos mudando tudo, mudando nossas leis para proteger a sociedade, e portanto, proteger vocês. Nossos sábios jurisconsultos acabam de redigir uma nova constituição, baseada toda ela em probos documentos de tempos antigos, os grandes tempos da humanidade. Nossas leis repousam nos *Espelhos de Saxe* e de *Suábia*, um grande repositório legislativo da humanidade. Vamos aplicá-los, para que também os nossos tempos fiquem na história como a dignificação do homem e não como o seu fim, o apodrecimento total, a sua negação." O povo aplaudiu e ergueu os braços.

FOLHEANDO MEU CADERNO DE NOTAS

E com José — segundo suas próprias palavras — vai acontecendo que: Hoje, quando fui cagar, a bosta estava clara, bem clara. Você sabe o que isto significa? Quer dizer que estou ficando limpo por dentro. No dia em que ela estiver branca, estarei em estado de graça total. Fui atravessar a rua para pegar o ônibus. Tive que parar na ilha. Jogada no chão, uma rosa amarela, caule comprido. Era bonita, fiquei olhando para ela. Não sei por que, era só uma rosa jogada na ilha da Avenida, às seis e meia da tarde, trânsito congestionado, cartazes de bancas anunciando que esta revista dará grátis uma operação plástica, ganhe uma casa, um guarda-roupa completo, veja quem são as mais elegantes, milionário se atira do décimo andar. O caule da rosa terminava em duas hastezinhas, formando uma forquilha. Perdi o ônibus por causa da rosa. A rosa, rosa, rosa na ilha (fiquei pensando). A gente pensa bobagens, o tempo todo. Eu gosto de pensar, coisas sem sentido. Porque as coisas com sentido não fazem sentido. Cem metros à frente, o ônibus cruzou mal a esquina, foi pego por uma jamanta, capotou. Parecia um elefante rolando. Morreu gente. Não sei se eu morreria, porque não sei onde é que eu ia me sentar. Acho que me salvei. Galáxias, astronautas, astronarta, atronarta. Povo olhando o céu: ? aquilo é estrela, ou é esputinique, aquela será a Apolo oito ou nove. Os ônibus chegando e levando, às sete da noite; levando para a mesa de arroz e feijão, tomate e cebola; levando para a novela de televisão. O povo se esquecendo do céu, dos satélites, dos foguetes, dos astronautas (só as mulheres, deles pensando neles, num certo momento). Agora, eu tenho sempre esta dor de cabeça. Tomara fosse um aneurisma. Outro dia li uma reportagem sobre aneurisma mas, dizem que a gente pode ter e não sabe, ele estoura de repente, a gente embarca. Quem sabe eu tenho, mas não vou consultar o médico, deixa ele estourar, assim não me enche o saco. A mexicaninha não quis me dar. Outra vez. Faz dois meses que não quer, me dar. Disse que é por causa da mãe que anda, doente. Ela não pode fazer nada enquanto a mãe estiver doente. É um costume, deles. Deve ser. Os mexicanos são muito engraçados, a gente fica olhando eles, aqui no bairro. São uns nordestinos que falam espanhol. Estão começando a arranjar empregos nas construções. Eu vou promover no armazém uma reunião do pessoal que comia a menina. Cada um dá um pouco de dinheiro, vem o médico, cura a mãe dela, todo mundo volta a se divertir, novamente. ? Digo. Não digo. É chato. Algo mais... algo maisss... a gente ouve isso o dia inteiro por aí. Algo mais. Digo: desculpem, nunca comi a mexicaninha. Só sozinho. Penso nela, e como. Do jeito que eu quero. Ela me disse:

Se fico grávida, não tiro o filho. E não quero ficar grávida de um cara manco.

Falou tudo na língua dela. Que filhadaputa! 1, 2, 3, 4, 5, 6, 7, 8, 9, 10, 11, 12, 13, 14, 15, 16, 17, 18, 19. Fico contando, contando, pensando por que 1 e 1 são dois. O cara que inventou isso! ? Por que o 1 não se chama 2 e o 2 não se chama 9. Assim eu somava: 2 e 2 são 9. Mas agora não dá, mais. O mundo inteiro pensa igual, aceitou, tem de ser assim. Se vier um cara, como eu por exemplo, e provar que o 1 não é 1, mas sim 3, dá um bode danado. São capazes de me prender, andam prendendo tanta gente. É só ler os jornais para ver. Eu fico puto da gente ir aceitando assim, por aceitar, porque está pronto, não precisa mexer. Na verdade, não é bem puto, eu fico confuso, me atrapalha. Às vezes, para mim, uma coisa é quatro e não sete, como eles estão dizendo, mas eles não podem ver como eu posso, que ela é quatro. Eu sinto dentro de mim a linguagem das coisas me dizendo: eu não sou isso, sou aquilo. E tenho que acreditar nas coisas, sejam pedras, paus, plásticos, ferros, papel, flores, o que for.

E aqui me despeço esperando ter sua atenção nas próximas páginas. Espero tê-lo agradado. Recomende-me a sua família e a todos os seus.

O GIRATÓRIO

Minha terra tem palmeiras, onde canta o sabiá, as aves que aqui gorjeiam, não gorjeiam como lá

(? Será que a mexicaninha vem aqui. ? Será que vem dar pra alguém. Já está na hora. Eu precisava comer uma menina assim, bacaninha, gordinha, bem gostosa. Como ela é gostosa!)

Em nossa cidade, pontualmente, sete horas.

Puratek anuncia: dentro de trinta segundos nossa próxima atração: Noticiário.

(Pra que saber o que acontece por aí. Só acontece besteira. A gente fica de saco cheio. Cheio até as tampas. ? Por que não falaram da minha prisão. Fui reclamar no rádio, os caras nem ligaram. Ficaram me olhando, acharam que eu era louco. Mas já sei o que vou fazer.)

Água fria no banheiro, ele se enfiou debaixo do chuveiro, se esfregou com o sabão de cinza que a tia mandava do interior. Esfregava de arder a pele. No dia em que se rastejou para não perder o emprego, teve necessidade de tomar o maior banho. Ficou horas no banheiro, a viúva foi saber se ele tinha morrido. Quando viu que estava vivo, reclamou da água que gastava. Ela gritou muito. Não adiantava, ele não podia sair, precisava deixar a água no corpo. Dava vontade de viver como o Marat, dentro da banheira, refrescando. Mas o Marat tinha mulher para tomar conta. Ao menos, no filme tinha. Pão, média escura. Os mexicanos bebem pinga e contam casos do México. Um deles jura que é o neto do Pancho Villa. Um dia, vai voltar para sua terra e tomar o poder. É banguela, não se entende o que ele fala, conserta rádio e televisão, entende de transistores, tem freguesia no bairro inteiro. O mexicano passa o dia inteiro sentado num saco de batatas,

A 400 quilômetros daqui, dona Osvaldina está aos berros, dizendo ao marido que qualquer dia chama a polícia, aqueles vizinhos são insuportáveis. Agora andam jogando água suja no seu quintal, mosquitos e mau cheiro. Dona Osvaldina mora num sítio de dois alqueires. O sítio do vizinho tem três alqueires e é cheio de árvores.

fumando cigarro (o dono do empório garante que é maconha, pelo cheiro) e mascando folhas, sem cuspir. Nunca falou com José, mas tem um jeito de quem gosta dele. José tem medo. Se não fosse o único lugar da redondeza para tomar café, de manhã, José não entraria ali. (As pessoas me fazem medo. Penso que alguém vai me agredir. Vivo preparado para me defender. Se alguém levanta o braço, bruscamente, perto de mim, me assusto. Trato bem os outros, mesmo quando não quero tratar, porque acho: ? e se o outro não gosta do meu jeito e parte para cima de mim. Quando chego de noite em casa, espero alguém no corredor, atrás da porta ou alguém deitado na minha cama dizendo que ela não é mais minha.)

REFEIÇÃO COMERCIAL

PRATOS DO DIA:
BACALHAU À PORTUGUESA
BACALHAU AO FORNO
BACALHAU ALHO E ÓLEO
FILÉ COM FRITAS
OMELETE DE VERDURAS
PICADO
FRUTAS
SORVETE
CAFÉ
ENTREM – LIMPEZA E RAPIDEZ –
O MAIS POPULAR
RESTAURANTE DA CIDADE –
NINGUÉM RESISTE
AOS NOSSOS PREÇOS.

José ouvia um pregador. Não tinha ninguém ouvindo, mas ele pregava. Às onze da manhã. Livro na mão, o terno preto sebento, baba na boca, óculos de aros dourados presos em esparadrapo.

? Como é. ? Largou o emprego.

Átila chegando.

. Largaram por mim.

? Por quê.

. Tive que faltar uns dias. Quando voltei, tinha outro cara matando os ratos. ? Sabe de uma coisa engraçada. Prenderam um estudante na pensão. Nem era estudante, a gente desconfia. Dizem que o cara fazia umas reuniões de terroristas. ? Besteira, sabe. ? Que terroristas. E ainda mais, lá. Vê se um cara ia querer derrubar o governo com reunião numa pensão de bosta daquelas.

Sei lá! Hoje, tá fogo. Tão tacando bomba em tudo quanto é lugar. Qualquer dia, a cidade explode. Eu já nem chuto latinhas. Acho que debaixo pode ter meio quilo de pólvora. Vá, vamos embora, você precisa ver o que é de gente indo pra lá. E se a gente for, eles vão embora. Tá em tempo deles levantarem as barracas.

? Quando é tempo.

? Eu é que sei. Eles têm lá uma leis deles. Ficam um tempo, depois vão.

A mesa ia girando e Átila achou que sua cadeira girava mais devagar, porque o prato estava sempre mais para a frente. O bacalhau tinha cheiro forte de óleo e de louro.

? Será que dá para acabar, antes da volta acabar.

Ninguém olha para o companheiro ao lado. Comiam, observando a curva da parede, comparavam com o tanto de comida no prato. Um preto, antes da chegada, puxou um plástico. Jogou dentro o resto do prato.

José chegava ao fundo. Havia um buraco triangular nos azulejos. Ele viu a cozinheira, ou ajudante de cozinha. Ou quem fosse. Menina redonda, braços fortes, apertados na manga do vestido. Era morena e tinha um lenço amarrado na cabeça. José perdeu a fome. Era uma cara comum, o nariz até feio, uma espinha no queixo. Ela se movimentava de um lado para outro e o banco de José passou, ela se recortou no meio do triângulo, José ficou olhando o lenço amarelo, não percebeu nada mais, só aquele amarelo. O banco entrou na reta final.

COME OU NÃO COME

Eu tive lá no faquir. Ele me deu uma ideia. Das boas. Pra se ganhar dinheiro. Lá, perto da urna, tem uma placa. Sabe, o faquir é muito orgulhoso da sua honestidade. E daí, ele promete um dinheirão para quem provar que ele come. Taí, a gente vai lá e prova.

. Prova. ? Como, velhão.

. A gente forja um troço fajuto qualquer.

? É. ? E os amigos dele. ? Tão lá pra quê.

. Passei lá de noite. Só fica um guarda-civil. Toda noite é o mesmo. Porra, velho. Já gastei dez contos numa semana, só pra observar o cara. Esse dinheiro é nosso, você vai ver.

. Quer ver, que nada. Você anda maluco. O cara num come.

. Come.

. Come nada.

. Olha que come.

? E o guarda.

. Dá um dinheiro pro guarda, só pra ver. Ele topa.

A VIDA DOS SERMONEIROS

Na Água Baixa, atrás do Zoológico, por trás da mata, há nas colinas, uma série de patamares, como se fosse uma escada gigante, com degraus de dez metros de altura. Cada degrau tem uma superfície enorme e ninguém sabe por que foram feitos. Um dia, tratores amanheceram trabalhando, ficaram meses, depois se foram, não ficou nem uma placa indicando se era obra do governo, uma nova indústria (há metalúrgicas para aqueles lados) ou um loteamento.

A terra, naquelas colinas, é constituída por faixas de várias cores, de modo que cada um dos degraus é vermelho-claro, marrom-escuro, amarelo ou acinzentado. Para chegar lá, vai-se pela estrada do Zoológico e, na altura de uma venda em que o nome Moraes está escrito com o S ao contrário, entra-se à direita por uma estrada de terra.

Nos primeiros dias dos Sermoneiros era preciso descer na venda e subir a pé. Depois, com o movimento, uma empresa aproveitou carros velhos e fez uma linha clandestina até o acampamento. Átila estava dirigindo um desses ônibus e ganhava por viagem e pelo número de passageiros, enchendo o carro como vagão de gado. Ele e o cobrador faziam dupla e cobravam preço pouco, não precisavam conservação, não pagavam impostos. Átila pegava o serviço ao meio-dia e ia até o fim da noite. Os motoristas dos quatro carros faziam guerras entre eles, tentando sabotar o carro do outro, arrancando velas, puxando fios, roubando gasolina, murchando os pneus. O ônibus sobe. Não há bancos. As janelas não têm vidros, a pintura desapareceu. O ônibus é uma carcaça, levada por um motor semipifado. Mesmo assim, não tem carro que suba sem estar cheio.

O acampamento se divide nos patamares. Nove barracas em cada um, no primeiro de uma cor, no segundo de outra. Até chegar ao último, a grande barraca marrom (cor de terra — a que pretendemos — de dentro da qual viemos (sementes) — única verdade, mãe terra: dizia o folheto explicando; folheto que chamava o povo para a verdade do futuro). As filas são compridas. De um patamar para o outro há escadas de madeira.

A grande barraca marrom tinha um letreiro de lata pintada. Colocaram néon por cima. As palavras tinham vinhetas dentro; as vinhetas eram sinais (Cada sinal tem um significado para nosso povo: disse um cigano falando.).

Olhando cada letra, José tem a impressão de escritos egípcios, hieróglifos, os sinais pequeninos, às dezenas, uns juntos dos outros, formando, no seu amontoado, um outro sinal maior. Imagens acrescentadas a outras imagens para conseguir uma definição. Como se fosse uma escrita chinesa, trabalhada. Ou uma carta enigmática.

? Nosso povo. A origem do nosso povo perde-se nos tempos. ? Africana. ? Chinesa. ? Hindu. ? Russa. ? Quem sabe. Talvez uma mistura de tudo. Nosso povo é errante. Disse o chefe do clã na televisão. Era um homem alto, não muito velho, moreno escuro, cabelo liso, dentes de ouro, roupas coloridas, colares, flores, botas, chicote (a imagem tradicional, normal, do cigano de cinema, da Carmem, da fitas do Hollywood). Ele tinha comparecido a todos os programas de entrevista, gostava de fotografias, cinegrafistas, jornais.

"A gente tem muita coisa dos negros, guardamos um pouco de sua pele, da sabedoria, recebemos ensinamentos e dons e preparação, temos contacto."

Fatias de melancia e abacaxi, docinhos de abóbora, coco, leite, gomas, geleia de mocotó, cachorro-quente, tudo em barraquinhas, em carrinhos ao sol, em cima de caixotes, jornais estendidos no chão, tabuleiros suspensos nos pescoços. Churrascos de carne cheia de sebo, de vaca e de gato e de qualquer outro bicho pego na redondeza do mato.

. Gosto paca dessas coisas, disse José.

? De saber a sorte.

. Da sorte, do futuro, dessas coisas esquisitas que a gente nem entende.

. Olha cada bacana que tem aí! Dá uma olhada, nos carros que tão parados. Me disseram outro dia que a mulher do governador veio aqui. De noite, escondida. Eu ia levar o último ônibus, estava esperando encher. Veio um guarda da Força, recolheu os que estavam espalhados por aí. Enfiou no ônibus e me mandou descer o morro. Num desvio da estrada, tinha um carro chapa oficial, esperando. No dia seguinte, disseram que foi a mulher do governador. Queria saber se ele andava traindo ela. Sabe, a mulher vigia ele que nem tarada. Também, dinheiro é tudo dela, ele era pronto, boa-pinta, mandou uma de casamento. Ela fez a carreira dele. Só que, exige fidelidade.? E sabe, ele é apavorado. E por isso é fiel. ? Sabe o que mais. Me contaram que cada vez que eles vão trepar, ele corre ao banheiro e vomita. Vomita até bílis, de tanto que está de saco cheio.

A placa, na barraca onde Átila tinha levado José:

LÊ-SE:

MÃOS – CORAÇÃO – OLHOS – MENSAGENS NO AZEITE – PLANTA
DOS PÉS – MANCHAS DE CAFÉ – FOLHAS DE CHÁ – DECIFRA-SE
ALGODÃO QUEIMADO –
O FUTURO PELA MARCA DOS PÉS NA AREIA E NO GESSO E NA
LAMA E NA FARINHA DE TRIGO

LÊ-SE TODAS AS LINHAS DO CORPO

DECIFRA-SE A VOZ –
LEITURA CIFRADA DOS SINAIS PARTICULARES: CICATRIZES,
MANCHAS, VERRUGAS, RUGAS, ESPINHAS E PINTAS
ANÁLISE DA SEGUNDA URINA PARA INDICAÇÃO DE DOENÇAS
PRESENTES E FUTURAS, COM RETROSPECTO DAS PASSADAS E
SUAS INFLUÊNCIAS ATUAIS

. Esse cara aí vale mais que um check-up, disse Átila.

. Desconfio, heim.

. Esse cara é o maior. Só que, é humilde. Esse aí, não é como o chefe que vive se promovendo. Ele nunca sai dessa barraca. Nunca, dia ou noite. Ele estuda, medita, conversa. O mundo vem até aí. ? Praque sair. Ele conhece o mundo, através das pessoas. Precisava ver a aula de anatomia que ele deu pruns estudantes de medicina, outro dia! Os caras saíram de queixo caído. Até o catedrático.

? Ele cura.

. Ele não cura. Ele só diz, as coisas. Depois, as pessoas que se curem, ou procurem os médicos para curar. ? Sabe por que as pessoas não se curam. Porque os médicos não acreditam nisto e dizem tudo ao contrário. Só porque são médicos.

. Eu queria que ele falasse do meu pé. ? Será que tem jeito.

. Sei lá! Ah, sabe quem meditou junto com o cara aqui. Os Beatles!

. Conversa, seu!

. Nada, tem fotografia e recorte de jornal. Do maior jornal de Londres. Este cara num mente não.[1]

? Então, por que tem pouca gente aqui procurando ele.

---

1   Átila, apesar de ser um sujeito que cria as namoradas apenas na imaginação, parece ter certa razão quando fala no encontro entre o Homem e os Beatles. Foi pouco antes da morte de Epstein, durante três dias, durante os quais os Beatles desapareceram e ninguém ouviu falar deles. O curioso é que os quatro teriam recebido do Homem o conselho de se separarem para sobreviverem. Depois do encontro, os Beatles perderam a memória de todos os traços do que sucedeu, porque essa é a característica do Homem: o que diz, fala, aconselha, fica diluído no subconsciente, fica atuando, mas a pessoa não se lembra mais com lucidez. Sente apenas uma espécie de angústia quando contraria os preceitos recebidos.

. São só os que ele aceitou. É preciso mandar a carteira de identidade antes. Aí ele escolhe, quem recebe. Me dá, a sua.

Havia bandeiras de papel-crepom panos coloridos alto-falantes irradiando boleros tangos twist entre anúncios dos que tiravam sorte liam cartas mãos e descobriam o futuro de mil maneiras.

Depois do almoço ficou difícil andar pelos patamares era como se fosse uma quermesse e o povo todo da cidade tivesse sido convidado porque as estradas e o mato abaixo e acima dos patamares estava cheio de gente gente que andava comia esperava em filas se reunia em grupos conversava se excitava com o saber que ia conhecer.

Às três, José entrou: a barraca, simples e clara, de pano branco, cheia de luz. Sacos de farinha, emendados, cobriam a terra. José sentiu vontade de tirar o sapato; tirou. O homem, de pé, tinha o olhar tranquilo e bom. O barulho não atravessava o pano da barraca. Dentro da cabeça de José é que havia ruídos: caixotes sendo abertos, tábuas sendo retiradas, pregos arrancados a martelo e todas as divisões transformadas num salão devassado, onde se podia ver com limpidez quase tudo. O homem estava com a mão em sua cabeça.

. Meu afeiçoado. Precisa-se, usar por completo, sua cabeça. É uma cabeça boa, pronta a receber, muito. Você não faz nada, afeiçoado. Nada por você, nada pelos outros.

O ruído começando.

. Nada, por nada, o útil é inútil, o bom é desperdício. Você deve ser você. Há um chamado e você não atende.

Aquele ruído que José conhecia. O ruído mais forte. Dentes.

. Afeiçoado. ? Lembra-se. Naquele salão havia muitas portas cercadas. Você podia entrar em todas, menos uma.

- Ninguém tinha proibido.

. Mas, afeiçoado, você sabia que não podia abrir aquela. Não devia.

? Como podia saber.

. No porta-luvas de um dos carros tinha o comunicado.

. Mas eram tantos carros.

Os dentes batendo uns contra os outros.

? E, o sinal.

? Que sinal.

. Afeiçoado, sua cabeça funciona dez por cento. *Há sinais*, por toda parte e ninguém percebe. Em tudo. Abra a vista, com largueza, para o presente. E você tem o futuro pregado, grudado. Não olhe baixo, como todo mundo. Ao menos, não você.

? Que sinal.

. Quando o carro avançou *para você*, no meio da rua, os números do centro, na placa, eram de cor diferente. Ele tinha pintado a chapa.

? Era uma brincadeira de rapaz. Aparentemente. Era o número, que era o primeiro número, do carro onde, dentro do porta luvas, havia o comunicado para você não abrir a porta que abriu entrando onde devia sair.

. Eu não me lembro, depois que, entrei.

. Na hora precisa, se lembrará, afeiçoado.

? Quem mandou o sinal.

? Quem.

O homem retirou as mãos da cabeça de José. No fundo do cérebro dele, ficaram compartimentos lacrados, com letreiros luminosos, cujas letras José não conseguia ler.

A CRIAÇÃO DE JOSÉ SEGUNDO O HOMEM

Dez dias se passaram.

Dez dias José passou com o homem.

No primeiro, aprendeu que o corpo deve ser livre e satisfeito.

No segundo, que a mente deve dominar e que o pensamento cheio de vontade consegue.

No terceiro, conheceu cada músculo do corpo.

No quarto, conheceu o céu e as estrelas, o nome de cada uma, as visíveis, e as não, o poder delas, como elas influenciam o homem; conheceu o sol e a lua, os planetas, as etapas, os signos, os ciclos.

No quinto, o homem reproduziu-o gigante, projetando-o no teto da barraca branca, transformando em tela infinita. José se viu: o homem abrindo seu corpo, como um professor de anatomia, e mostrando-o por dentro. Ele era constituído de corredores dando para outros corredores, um dentro do outro, um quarto dentro do corredor, claro, límpido, iluminado. Labirintos e zigue-zague, salas, salinhas, salões. (Como é monótono um homem por dentro, não tem nada.) A reprodução tomava toda a barraca e era como se ele estivesse por dentro dele (mas eu não me sinto dentro de mim, não sinto mesmo, estou sempre fora). E o homem apontava a lanterna e mostrava seu corpo, as passagens, artérias (mesentéricas, hipogástricas, carótidas), veias (cavas, porta, pulmonares), aortas, vielas, ossos, alçapões, sistema linfático, claraboia, vísceras, escotilhas, ventrículos, sistema nervoso. José sentiu vontade de correr nele mesmo, livre por campos que partiam do estômago, subindo em colinas de rins, recebendo dentro dos olhos aquela luz branca (relâmpago branco, aquele relâmpago branco que me bateu nos olhos). Então, olhando, ele viu uma abertura triangular, vazia por trás e sentiu um prazer tão grande que teve um orgasmo. Sentiu fome mas não tinha vontade de comer: fome, mas ficava enjoado ao se lembrar de comer. Às vinte e quatro horas do quinto dia se viu por dentro. Era o prazo que tinha. Sem proibições. À meia-noite precisava sair (não perca o sapato, ao sair. Ninguém irá te procurar). Mas faltavam coisas a percorrer; coisas que ele precisava. (Como posso contar ao homem que não me vi todo?) Ficou quieto, nada disse ao sair.

No sexto, conheceu as sensações do tato e suas explorações, o paladar, o olfato, a vista, a audição e os efeitos a se tirar de todos.
Toque-se.
Ouça-se.
Veja-se.
Prove-se.
Cheire-se.
E saiba quem você é, disse o homem.
E José, agradecido, beijou o homem na boca. Não sensualmente, não apaixonadamente, não emocionalmente. Agradecidamente apenas. E o homem agradeceu o beijo com um murro na orelha de José, que o tornou surdo.

No sétimo, ficou nu enquanto o homem fazia entrar as pessoas: homens, mulheres, crianças. José não sentiu vergonha. As pessoas não se importaram.

No oitavo, José ficou de pé vinte e quatro horas. Ora num pé, ora noutro. Três vezes, ergueu-se meia-hora, apoiando-se na ponta do calcanhar. Foi picado com agulhas, batido com palmatória, andou em brasas, mergulhou em água quente. Dominou-se. Tinha aprendido.

No nono, José foi erguido por uma corda pelos braços, com a cabeça para cima, a fim de ouvir o diabo; depois amarrado pelos pés, com a cabeça para baixo, a fim de falar com Deus; depois pela cintura, com a cabeça no meio a fim de ouvir as divindades medianas. Ele não ouviu nada. ? Será que não tinham nada a dizer para ele, ou será que não existem.

No décimo dia, o homem descansou.

E então, na manhã seguinte, chamou José e tirou a roupa. Amou José e se deixou amar por ele, odiou José e se deixou odiar por ele, desejou José e se deixou desprezar por ele, desprezou José e se fez desejar por ele. Rolaram pelo chão / se bateram e gritaram / como animais / urraram / e uivaram, querendo se encontrar.

JACULATÓRIA: *Jesus, Maria, José, expire em paz entre voz a minha alma.*

INSCRIÇÃO DE PRIVADA
(Grafite)

> Cagar é lei deste mundo
> Cagar é lei do universo
> Cagou dom jorge segundo
> Cagou quem fez este verso

No seu sítio, dona Osvaldina quer que o marido vá tomar satisfações com os vizinhos. Tem certeza de que andam roubando os ovos da galinha legorne.

ARAME FARPADO NA GARGANTA

José andava com Átila pelos patamares. Os sermoneiros iam. Faltava desmontar apenas uma barraca. O povo não vinha, mais. Alguns churrasqueiros / de gato / insistiam em vender. José ficou parado no lugar da barraca branca.

(Sei quem sou e o que posso. Só queria que ele tivesse levado essa raiva. Que ele tirasse o arame farpado que tenho na garganta. Me ajudou, mas o arame continua)

Era um dia de nuvens baixas e ele percebeu que atrás das nuvens o céu era amarelo/ ovo/. Sentiu que estava sendo olhado e enfiou as mãos no bolso, sem jeito.

Didu

O passarinho piou no mato. Duas vezes.

Didu

Era um pássaro amarelo parecido com papagaio. Numa árvore, muito perto.

. Pera aí, que pego ele! disse Átila.

Didu

O passáro voou, voltou, chegou até José, soltou o seu grito, voou de novo.

Naquele dia, às quatro da tarde, Átila levou o último ônibus. Dos sermoneiros, ou o que quer que aquele povo fosse, sobraram a marca das barracas e todo o tipo de detritos. Nas proximidades do mato, havia um terrível mau cheiro onde o povo tinha excrementado. Começavam a chegar crianças que remexiam a sujeirada. Cachorros sarnentos acompanhavam seus donos, ou agiam isoladamente. Brigavam as crianças, os cachorros e também as mulheres que tinham vindo buscar papel. Os aproveitadores do lixo estavam pondo fogo nos montes e a fumaça era fedida.

? E agora, Átila. Eu sem emprego, você também.

. A gente se vira. Calma, que se vira. O negócio é esse, hoje em dia. Emprego, emprego, nem tem, nem eu quero.

. Mas eu quero. Fico nervoso, sem emprego. Me dá uma coisa, esquisita.

PERIGO

No dia seguinte, na pensão, José acordou com o barulho de dois companheiros que comiam a mexicaninha. Ela gemia alto, um tentava tapar a boca, enquanto o outro entrava dentro. Depois que ela terminou, José perguntou se tinha vez.

. No, no tiene, no.

? Por causa do filho.

. Si, lo hijo, no lo quiero como tu.

. você é uma filhadaputa. Se o filho nascer como o pai, nasce manco. ? E se nascer como a mãe.

. La madre es bela!

. La madra es puta. ? Não é pior nascer puta.

. No es mejor. Mucho mejor. Hoy es mejor ser puta.

Foi o que respondeu, ele que desaprendia o espanhol, sem aprender o português.

(Essa mulher, eu matava. O Homem me ensinou a não ter ódio, mas ainda não aprendi. Sem ódio, não faço nada. Ninguém faz nada. Com essa mulher, eu me sinto manco. E eu não sou, mais)

A luz amarela na bandeira da porta, incomodava. Ele saltou da cama, correu para a mexicaninha, começou a bater. Ela apanhou sem dar um gemido, mordendo o travesseiro. José parou, quando os companheiros de quarto voltaram do banheiro. Pularam em cima dele. Caído na cama, seguro, ele viu a mexicaninha jogar o travesseiro em seu rosto, apertando. Para sufocar. Apertando e o ar faltando.

? JOSÉ VAI MORRER

PS: José continuou na pensão, porque tendo sido sempre pontual nos pagamentos, tinha a consideração do dono. ("Ainda há gente boa no mundo")

? Alguém duvida.

. Não, ninguém.

. Se duvidassem, ia porrada.

DRAMA, QUASE DRAMALHÃO

(Para ser lido ao som do bolero *Angustia*)

O pai de Rosa Maria Lopes, morena, cabelos pretos, era fanático pelo Taquariti Esporte Clube. Levava Rosa Maria ao jogo, todos os domingos. A mãe tinha feito para ela um vestido especial, com as cores do clube e dois distintivos no peito. No campo, Rosa Maria gritava, quando o pai gritava. Ria quando o pai ria. Xingava, quando o pai xingava. Ela gostava dele, do colo, do cheiro: suor, cigarro, pinga. Grama, quando ele voltava do estádio, em dias de treino. Naquela época, o TEC disputava a segunda divisão, sustentado por

SENSACIONAL

A dentadura salva José, retirando-o das mãos malditas dos médicos

Levaram a maca até o pátio da clínica. Deixaram lá. Passavam enfermeiros, enfermeiras. Homens muito elegantes entravam em carros último tipo / eram os médicos, riquíssimos, todos / homens que nem olhavam a maca de José, largada ao sol, no pátio. No começo da noite, um velhinho começou a empurrar a maca por um corredor. Atravessou uma porta, outro corredor, uma sala enorme cheia de camas, outro corredor, entrou num quarto, saiu pelo outro lado, subiu num elevador, enfiou

fazendeiros. Na finalíssima, contra o Catandu, o time da casa não podia perder. O Catandu começou a distribuir pancada, o pessoal do Taquariti fechou os portões, passou ao massacre. Rosa Maria guardou um vestidinho manchado com o sangue do pai, trinchando com cacos de garrafa de cerveja. Ela tinha sete anos. E não ficou traumatizada.

a maca de José num aposento verde, com uma cama branca, uma claraboia no teto, um quadro de Rembrandt mostrando a aula de anatomia. José inconsciente. O velhinho desceu. Procurou entre as pessoas do hall.

? Alguém é parente do moço da maca 13.

Ficaram todos perguntando, que diabo de maca 13 era essa. O velhinho repetiu a pergunta, andando pelo hall. Achou o moço que tinha trazido José.

? O que ele tem, perguntou o velho.

? Eu é qui sei. Por isso que eu trusse ele aqui!

? Trouxe assim. ? Sem mais, nem menos.

? Qui sem mais, nem menos. ? Num é hospital.

. É uma clínica, meu rapaz. É muito diferente!

. Bom, ele taí, deixa ele aí.

? Por que trouxe ele aqui.

. Olha, negão! Trusse ele porque faz dois dia qui tô andando com ele por aí, assim. Hospital de governo num quis ele. Andei com o cara por São Paulo inteiro. No Municipal, enfiei ele à força numa maca, os caras de lá tiraram ele e jogaram na calçada. Disseram que ele tava morto e num adiantava mais. Aí encostei o ouvido no coração dele, e batia. Andei, andei. Num tem vaga, disse um médico. O povo tá ficando doente demais. É até exagero, o governo devia tomar uma providência. Que os médicos num têm nada com isso, eles num foram feitos pressas coisas. Foi aí que passei aqui em frente, entrei e deixei ele aí.

? Ele tem dinheiro.

. Olha, negão! Num sei di nada. Vi o cara sê atropelado, o carro fugiu. Ninguém ligô prele. Esperei um poco, peguei ele e saí por aí. Se o senhor qué cuidá, cuida. Se num qué, descuida. Tô cagando, tô de saco cheio! Já gastei de táxi um dinheiro que num tinha. Agora é por sua conta! Tá!

. Isso é uma responsabilidade. E eu, não assumo! Saiba disso, não assumo! Sou médico e não posso assumir responsabilidade nenhuma pela vida ou morte de pessoas.

. Azá! Tiau!

O velho reuniu a diretoria da clínica. Conversaram. Decidiram: Tratamos dele. Se se salvar, depois, trabalha pra pagar o tratamento.

"Façam o tratamento médio, mas registrem o mais caro", disse o diretor da clínica. Assim ele trabalha mais tempo para a gente. Disso é que precisamos. Uma dúzia de casos desse e estávamos feitos, não gastaríamos com a folha de pagamento.

José tinha levado um pancada violenta na cabeça, estava inconsciente, tinha entrado em coma. De vez em quando mostrava uma reação, movia um pé, um dedo, a perna estremecia. Estava sendo alimentado por sonda. E pra lavagem, com líquidos, misturas de chás diversos, suco de carne, leite e ovos batidos. Recebia por dia 2 mil calorias.

Injeções, uma trepanagem, massagem no coração.

A espera de uma reação. As notas se amontoando. Exames de sangue, soro, plasma, demais medicamentos, remédios americanos e japoneses.

"Também não exagerem muito", disse o diretor.

José reagiu. "Esse sujeito é um monstro de vontade de viver", disse uma enfermeira, enquanto aplicava água destilada e anotava medicamento japonês.

Viveu, se levantou. Se lembrou de uma porta se abrindo. Se lembrou do carro vindo em sua direção. (Eu podia, mas não quis me desviar. Eu acho que queria morrer naquela hora. A porta: era uma porta de Ford 51, cor de leite. O trinco estava difícil de ser aberto. Mas eu entrei. O carro estava lá dentro. A roda passou perto da minha testa, estava muito frio naquele chão.)

Exame de sangue, de urina, raio X. O senhor teve muita sorte, o acidente não deixou nenhuma marca. Não afetou nada. Além disso, que saúde de ferro!

Uma porta, um corredor dando para dois corredores. O corredor da direita formando um quadrado e saindo num corredor (o mesmo?). Uma porta, dando para um quarto com duas portas. Janelas altas, seria preciso escadas para ver através delas. Corredores em zigue--zague, salas de operação, laboratório, um cofre forte aberto, cheio de dinheiro, macas com pacientes cobertos.

? Por onde posso sair.

. O senhor não teve alta. É preciso mais um exame de sangue.

. Mais um exame só.

. Descobriram nova técnica. Façamos outro exame.

. Uma radiografia.

. Uma radiografia do lado esquerdo.

. Do lado direito.

. De cima.

. De baixo.

. Por dentro.

. Pela boca.

1 + 1 + 2 + 4 + 7 + 6 + 4 + 2 + 1 + 3 + 1 + 5 + 2 = Total:

Discando o telefone, a telefonista entrando na linha: ? Com quem o senhor quer falar.

. Queria falar com Átila.

? Qual o número.

? A senhora pode descobrir para mim.

? Qual é o sobrenome.

. Não sei. Olha, Átila é o apelido dele.

Um corredor dentro do outro, um quarto dentro do corredor, tudo branco, os médicos, as enfermeiras, tudo branco. Crucifixos pela parede. Santa-ceia.

. Façamos uma biopsia.

. Uma peritonioscopia.

. Imunofluorescência.

. Fezes.

. Urina.

. Wasserman.

. O senhor está doente, muito doente.

? O que eu tenho.

. Nada.

. Então, não estou doente.

. Está doente quem não tem nada. Estamos preocupados. Não conseguimos descobrir por que o senhor não tem nada.

. Não tenho, porque não tenho. E a minha saúde é de ferro. Meu pai era forte.

? Seu pai, forte. Ora essa, meu amigo! Decobrimos que ele tinha sífilis.

? Sífilis? Meu pai! Só se fosse a tua mãe. Meu pai é um touro.

. Era. Teu pai morreu.

? Meu pai, morreu ? O senhor tá louco ? Verificaram se é meu pai mesmo.

. Já.

? O José Gonçalves.

. Isso. O advogado. Boa-praça. Boemião. Grande sujeito, é o que todo mundo dizia!

. Era meu pai. ? Mas morreu ? Quando ? Eu estava aqui.

. Faz um ano que morreu. O senhor herdou a sífilis dele. Mas o senhor não tem nada. Isso é que deixa o corpo de médicos intrigados.

? Posso ir embora.

. Não, você precisa trabalhar para pagar seu tratamento. Nós te salvamos a vida, rapaz. Você estava morto. Agora está aí!

Um dia, José arranjou um novelo de linha. Era manhã, tarde da noite, ele não sabia. Os corredores estavam iluminados com lâmpadas fluorescentes, anônimas. Amarrou a linha na porta do seu quarto, começou a andar. O novelo terminou, ele não chegou a lugar nenhum. Voltou, seguindo a linha. Sempre que tentava fugir, saindo do seu andar, deixando os limites que a enfermeira-chefe tinha imposto, José se perdia. Era preciso que o levassem de volta ao seu quarto.

Um dia, manhã, tarde, ou noite, ele ouviu barulho, atrás de sua cama. Cavavam a parede. Era um raspado ritmado. Um buraco se abriu. Lá fora era dia e a dentadura gigante comia os tijolos, abrindo o buraco. Ele não esperou, saiu correndo, saltou de três metros de altura, correu mais, olhou para trás (ainda com medo de se transformar numa estátua de sal). A clínica era um prédio em construção e havia uma placa:

```
O MAIOR HOSPITAL DA AMÉRICA
            LATÍNDIA
```

JOSÉ ACORDOU

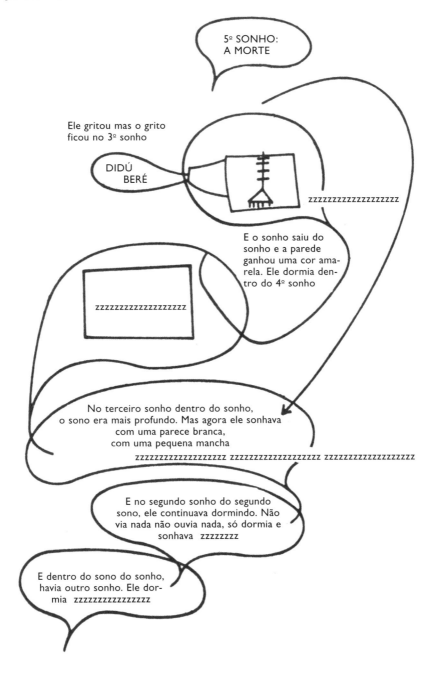

JOSÉ SONHOU QUE, DORMIA

APRESENTAMOS O ESQUELETO: VOCÊ VAI OUVIR FALAR DELE

Esqueleto vai sair para nova missão. Esmaga Pervitin, mistura com Dexamyl, joga dentro de uma xícara de água destilada. Esqueleto pica a veia.

E está pronto: 1,50 de altura, 47 quilos, desdentado, ruim da vista. Mas agora, é o Superesqueleto atacando, o homem bravo, mais corajoso do Esquadrão.

Lá vai ele. Ao lado de seu chefe, o gordo e bem nutrido e inteligente, o superdelegado que criou e comanda com alegria e prazer o Esquadrão Punitivo.

Esqueleto nunca soube quem foi Al Capone. Mas para ele Al Capone são todos. Não interessa que sejam pés de chinelo, pobres coitados armados de garrucha assaltando gente no escuro, esfomeados de peixeira na mão, homens cheios de maconha e pinga e bolinhas e tudo que tomam para ter coragem e para fugir à fome e à mistura e à vida que levam.

Esqueleto gosta de matar, recebe uma 45 e ordem para atirar. O sonho de Esqueleto é apanhar Gê, o líder dos Comuns, esse de que falam tanto, e que é bom de briga e que, morto, vai dar promoção.

No dia que souber onde está Gê, Esqueleto vai encher a cara com trezentas bolinhas e sair disposto a enfrentar um batalhão. Gê é dele, ele prometeu.

$$\boxed{\text{AGUARDEM}}$$

A CRIAÇÃO DE JOSÉ SEGUNDO SUA MÃE OU A FORMAÇÃO MORAL DE UM HOMEM

Vamos comungar meu filho Venha com a mamãe para a missa Pegue o seu missalzinho Se confessou direito ontem A gente precisa ser um bom católico Você vai ser um bom católico Você é bom é piedoso. Eu desejo Jesus em meu coração. (Cara séria, cabeça abaixada, respeito: disse a catequista: a primeira comunhão é o momento mais importante na vida de um católico: depois, só a morte). A mão trazendo a hóstia (? Será que tem chocolate, depois). A patena por baixo refletindo o lustre, a luz atravessando a hóstia. Um relâmpago branco de luz e hóstia, engolido por José, prazer, eternidade, os gelos do céu, Jesus descendo para o estômago para depois tomar os canais certos e ir ao coração. Missas, rezas, ave-marias, ladainhas, credos, terços, horas santas, bênção vespertina, santos nos altares, cheiro morto de igrejas pela madrugada, à tarde, à noite, sacrários abertos e fechados, ostensórios, a hóstia consagrada, sermão das sete palavras, missões, crucifixos, velas, flores, campainhas, glória in excelsis deo, gló ó ó ó ó ó ó ó ó ó ó ó ó ria, in excelsis deee-eeooo, o turíbulo queimando incenso, ora pro nobis, ora pro nobis, tantum ergum sacramentum veneremur cernui. *Meus irmãos, o nosso é um país católico Somos a maior nação católica do mundo Por isso o nosso é um povo bom, piedoso.* Púlpitos, padres, freiras, associações. *Os Marianos formarão uma legião para dominar o mundo — levando a bondade e palavra de Deus a todos os lares — afastando os perigos do demônio.* Hoje é meu aniversário, mãe, não quero ir na escola, não quero fazer nada hoje. *Nós vamos agradecer a Deus, filho, por você estar com tão boa saúde, tão crescido, ser bonzinho e piedoso.* Mas o meu pé, mãe, Deus entortou ele. ? Por quê. *Para te provar meu filho Aceite sempre a vontade de Deus ele sabe o que faz.* Padres de batinas negras, ameaçadores nos púlpitos, vozes soturnas com órgão no fundo. *Deus castiga — olhem o inferno ao seu lado — irmãos em Nosso Senhor Jesus Cristo. O nosso país se salvará do castigo final — é a nação mais católica da América Não somos protestantes como os americanos — nem como os ingleses Louvado seja o Senhor.* Crisma, Mariano, distintivos, fitas azuis, medalhas, terços, santinhos, imagens, *traga seu filho para ser coroinha, assim Deus olhará seu lar, uma vez que seu marido não olha direito, não digo no aspecto material que isto ele supre bem, mas o que interessa o aspecto material, se Deus provê tudo?* Procissões, Corpus Christi, semana santa, santos, dia de Nossa Senhora, do sagrado coração de Jesus, persignar-se diante das igrejas e do cemitério, fazer genuflexão no centro da nave, porque o Santíssimo está lá naquele sacrário, *rezar sempre uma jaculatória, para ganhar indulgências para ganhar o céu.* Meninos, milhares de meninos vestidos de branco, velas na mão, atrás do andor, caminhando devagar, Cristo morreu, vai lá na frente naquele caixão, catequistas passando. *Vocês, meninos, o futuro da pátria Meninos bons e piedosos Laudáte Dóminum omnes gentes: et collaudáte eum omnes pópuli. Quóniam confirmata est super nos misericordia ejus: et veritas Dómini manet in aeternum.* Corram, corram, corram todos para o senhor. Aglomerado, padres de preto, freiras de preto e branco, os irmãos do Santíssimo com suas opas vermelhas, as mulheres com fitas amarelas (São José), vermelhas (Coração de Jesus), azuis (Filhas de Maria), desembestando pela rua abaixo, fechando os olhos e gritando. E sua mãe, caída ao chão, morta de vergonha, gemendo, gemendo, *filho meu, filhinho, venha, desça daí*, e as crianças de branco gritavam e riam, e corriam para ele, sem olhar para trás, porque se olhassem *seriam transformadas em estátua de sal*. Ele, José, glorioso, nu, em cima do andor que os homens carregavam, a cidade inteira olhando. Viva José, bom, piedoso, bom, puro, nu como Deus tinha posto no mundo, *nu, antes da expulsão*. Out, Go Home José!

ADEUS, ADEUS

O cientista Marcondes Reis conseguiu sair do país, ajudado por amigos. Vai para a Universidade Patrice Lumumbà, onde lhe prometeram as condições necessárias para continuar suas pesquisas. Aqui, o professor Marcondes Reis começou perdendo a cátedra, teve sua casa invadida duas vezes pela polícia, confiscaram todos os livros de sua biblioteca, ameaçaram seus filhos.

O presidente deu uma declaração: "Quando a ciência subverte o homem e corrompe, é melhor ter um país sem ciência, atrasado".

O FIM DO PERIGO

No penúltimo capítulo, José tentou comer a mexicaninha, ela recusou, mais uma vez, pensando que ele ainda era manco. Ele começou a agredi-la. Só parou quando os dois companheiros de quarto voltaram do banheiro e pularam em cima dele. Caído na cama, seguro, ele viu a mexicaninha jogar o travesseiro em seu rosto, apertando para sufocar. Apertando e o ar faltando.

(Quando a gente está morrendo, a gente se lembra da vida inteira, tudo. Sempre me disseram isto. ? Estou lembrando porque estou morrendo, ou porque acho que estou morrendo e me forço a lembrar. Eu podia deixar eles me matarem, acabava tudo agora mesmo, e acabava o meu sonho de cadeira elétrica, de câmara de gás, da guilhotina. Mas eu não quero morrer mixamente.)

A mexicaninha estava cansando de apertar o travesseiro, os outros dois olhavam as pernas de José que ainda debatiam. Duvidavam.

(A morte é amarela e é ruim.) O ar faltava, parecia que estava tudo machucado por dentro. Ele desmaiou e entrou

entrou, depois de ter pensado para abrir a porta. Era uma porta de Volkswagem, velha (? Alguém proibira de entrar ali. O Barba Azul tinha dito à mulher: não entre).

A luz era de farol de neblina, ainda que não houvesse nenhuma neblina. José caminhou. ? Acordado ? Dormindo ? Sonhando ? Pisando real.

(Quando entrei, vi que eu caminhava em minha direção. Era eu mesmo tentando sair, pela porta por onde eu entrara. Ao mesmo tempo, eu estava me vendo entrar. Então, o eu que entrava queria dizer ao eu que saía que ele devia ficar. E o eu que saía tentava dizer ao eu que entrava que ele devia sair. Mas nenhum dos dois conseguia falar. Era como se tivesse um vidro no meio de nós dois. O eu que entrava passou por dentro do eu que saía, de modo que eu não soube mais se estava entrando ou saindo e se formou na minha cabeça uma grande confusão. Não havia ninguém para me ajudar e naquele momento eu precisava muito de uma pessoa. A sala estava vazia e demorou para eu perceber um corpo pendurado no teto por cordas. O corpo baixou, eu vi a menina. Linda, linda, meio gordinha, como eu gosto. Nua, inteirinha. Dormia, ou estava desmaiada. No chão, havia uma rosa e quando peguei a rosa, vi uma pétala no rosto da velha. Uma velha que devia ter uns trezentos anos. Estou sonhando, isto é uma besteira, esta bobagem toda não tem sentido, não é verdade: fiquei pensando).

. Ah, que me voy!

A mexicaninha largou o travesseiro, olhou José desmaiado. Os dois que seguravam, largaram José. A menina desabotoou a calça de José, olhou seu pinto e riu:

. Bueno, muito bueno.

. Qui vaca qui você é, hein negona.

Ela deu um soco, com toda força, no pinto de José.

> *Estava no quarto, antes do banheiro.*
> *E a prima veio correndo, aprestada.*

JOSÉ NO DEPÓSITO

José deixou a pensão, foi morar com Átila num apartamento perto do campo do Estrela Verde, o mais famoso time de várzea. Todos os domingos, ele via os jogos. O apartamento era um depósito provisório de livros, de uma editora fechada pelo governo.

José passava o dia todo lendo.

70 DIAS E NINGUÉM PROVOU AINDA QUE O FAQUIR COME

2001: a odisseia de Carlos Lopes: no dia 21 de abril de 1964, o filho de Carlos Lopes, um operário têxtil, sentiu-se mal. Tossia muito e respirava com dificuldade.

PEDRA NO INTESTINO

O táxi parou. Eles ouviam os tiros. O motorista disse: deve ser algum assalto a banco, ou terrorista. ? Quem sabe, são os Comuns. Os tiros, cada vez mais perto. Um homem surgiu com uma espingarda de dois canos, na mão. Sangrava na perna, nos dois braços e no ombro. Correu de um lado para o outro e o povo se escondeu. Ele atirou numa janela, vidros se despedaçaram. O motorista deu marcha a ré: "senão a gente se fode com esse doido aí". Apareceu um bando de guardas-civis, atirando. O homem caiu. O povo foi rodeando. O homem gritava: "agora tá tudo bom. Dei muito tiro. Precisava dá. Precisava dá tiro, seu guarda! Num tinha outro jeito. Só atirando nessa merda de vida. Se matei uns, tá tudo bom. Agora saiu aquela pedra que puxava meu intestino pra baixo. Eu tinha uma pedra na barriga. Tava ficando doido coela. Depois dos tiro, caguei a pedra por aí. Olha só quanto sangue! Dos intestino machucado. Agora tá bom. Se soubesse, tinha dado os tiro antes".

90 DIAS E NINGUÉM AINDA PROVOU QUE O FAQUIR COME

> **PENSAMENTO DO DIA**
> *Hoje mocinho, amanhã bandido, graças a Deus.*

JACULATÓRIA: *Jesus, Maria, José, minha alma vossa é.*

MEMÓRIA AFETIVA

tinha 16, disse que tinha 18 anos: Rosa Maria ganhou o concurso de Miss Armando Prestes. A mãe fez vestido branco cetim com rendas, cinto dourado, sapatos vermelhos de verniz. Penteado de laquê, alto, o prefeito entregou a faixa. Ela tinha pernas grossas e curtas. O sonho da mãe de Rosa, uma viúva, era que a filha fosse estudar na Escola de Comércio. Pensava até que Rosa bem podia casar com o filho mais velho do dono da escola. E ser menina rica, honesta, boa dona de casa, de carro, conta no Banco Nacional, sócia do Tênis e / não, não, isso seria sonhar demais, nem quero pensar / conseguir com que o marido fosse presidente do Rotary.

ACOMPANHA COMPLEMENTO NACIONAL

José pegou um pacote de livros. Vendeu, num sebo. Foi comer. Vivia de misto, iogurte, laranjas. Estava louco para brigar. Fazia dez dias que não brigava. Andava apático, se estranhava. Precisava roubar um sapato, o seu ia furar. Parou numa casa de discos, ficou hora e meia ouvindo. O vendedor, incomodado. A música da loja se confundia–apitos–brecadas–guinchos–martelos–música–bater de porta–frases de camelôs–burburinho de passos–máquinhas de escrever–mudanças de marchas–bate estacas–xingos–vidros quebrados–vozes: ? Pra onde ir ? Procurar emprego. Vou pra zona. Entrou no cinema, gongo, tela se abrindo. Na minha terra, tocava suíte quebra-nozes antes do filme começar. O complemento, o treiler, a atualidade francesa, o jornal colorido, o filme. Luzes acesas, o complemento, o treiler, a atualidade francesa, o jornal colorido mostrando por que o país se desenvolvia, o filme com Raquel Welch. Luzes acesas, o complemento cheio de inaugurações, o treiler, a atualidade francesa mostrando a visita de Rockefeller à América Latíndia, o jornal colorido contando como o governo resolvia os problemas de educação, e o clima de produção em todos os setores, e como cientistas que tinham emigrado iam voltar com grandes salários e possibilidades de pesquisa, o filme com Raquel Welch abrindo a blusa e o começo dos seios duros aparecendo. Luzes acesas, complemento fora de foco, o treiler, a atualidade francesa mostrando cartazes contra Rockefeller, polícia massacrando, e Rockefeller noutro país e a polícia massacrando, e Rockefeller no terceiro país, Go Home, América Latíndia não quer esmolas, e a polícia massacrando, o jornal falando na excelente ajuda dos Estados Unidos à América Latíndia e elogiando o sucesso da missão Rockefeller que em nossos país foi recebido com ordem e tranquilidade, evidenciando o alto grau de civilização do nosso povo, e Rockefeller entrando num carro fechado, atravessando filas de guardas — filas de guardas — cordões de exército, helicópteros sobrevoando ruas, tanques escondidos — Polícia Militar — tropas de choque da Força Pública e o filme com Raquel Welch com os seios de fora, e aquela boca de raiva que Raquel tem (essa boca me dá um tesão desgraçado), as luzes acesas, o cinema se enchendo de homens — caras cansadas — apagadas — esperando ansiosas Raquel Welch e vendo o complemento de inaugurações, o treiler de stripteases incompletos (ah, num corta), a atualidade francesa, o jornal colorido. Até chegar em Raquel Welch e eles colocarem a mão.

THE END, os olhos de José ardiam, a dor de cabeça, o cinema cheirava mal. Passou num bar, água com açúcar / Levei um bruta susto, quase fui atropelado, preciso me acalmar um pouco /. Água com açúcar mata fome, já dava para dormir, se ele fosse correndo para casa. Pegou o ônibus, fez que se lembrou, estou sem dinheiro, posso descer aqui, já tinham passado três pontos, o cobrador abriu a porta de trás. José esperou outro ônibus, estou sem dinheiro, posso descer aqui. Esperou mais um; quatro pontos adiante, um novo; e depois conseguiu passar cinco sem descer; quando faltavam dois para o apartamento, caminhou. Se acomodou no acolchoado em cima de pilhas de livros. Aí percebeu a revista que tinha apanhado no cinema. A moça do lado, ao sair, deixara a revista. Não era revista, era um folheto grosso:

SÓ NÃO CASA QUEM NÃO QUER. OPERAÇÃO ENCONTRO. MAIS DE 100.000 SE CASARAM POR NOSSO INTERMÉDIO. NÃO SEJA SOLITÁRIO, NÃO FIQUE SOLTEIRO POR TIMIDEZ. HÁ ALGUÉM NO MUNDO QUE TE ESPERA. NÃO FAÇA ESSE ALGUÉM ESPERAR. AGÊNCIA MATRIMONIAL "O CORAÇÃO FELIZ"

José lia um livro, por dia. Cada dois ou três dias, procurava um pacote empoeirado, ia vender no sebo. E lia os romances, ensaios, gramáticas, didáticos, livros políticos. Arranjou um emprego. Numa firma de representações comerciais, exportação e importação. Na rua das Flores, de ferros e ferramentas, tornos e máquinas, ferragens, aços.

UMA SEMANA COM JOSÉ GONÇALVES

funcionário, paletó e gravata, sapatos engrax(ç)ados.

Segunda-feira:

Eu me levanto às sete. Escovo os dentes, lavo o rosto e faço a barba. Átila trouxe um balde de plástico, toda noite enchemos de água no bar. A privada do depósito está sem água. Vou ao bar tomar média, pão com manteiga. Ando dois quarteirões, espero o ônibus. Desço no Largo. Subo ao escritório e bato o ponto, 8:30 exato. Vou à minha mesa, tiro a capa da máquina, abro as gavetas, começo a trabalhar. Os rostos no elevador, no escritório, na rua, são os mesmos, trabalho sozinho, com um milhão de espelhos.

Terça-feira:

Eu me levanto às sete horas. Escovo os dentes, lavo o rosto e faço a barba. Vou ao bar tomar café, média, pão com manteiga. Ando dois quarteirões, espero o ônibus. Desço no Largo. Subo ao escritório e bato o ponto, 8:30 exato. Vou à minha mesa, tiro a capa da máquina, abro as gavetas, pego os cartões começo a trabalhar.

Quarta-feira:

Eu me levanto. Ando dois quarteirões. Subo ao escritório. Tiro a capa da máquina. Começo a trabalhar.

Quinta-feira:

Eu me levanto, ando, entro no escritório, trabalho.

Sexta-feira:

Levanto, ando, entro, trabalho, saio, durmo.

Sábado:

Todo sábado eu pego uma puta.

*Sonhei que
tu estavas
tão linda*

VÔMITOS E VÔMITOS

Carlos Lopes desceu do primeiro ônibus. Tomou o segundo. O filho no colo gemia. Babava. Carlos Lopes desceu do terceiro ônibus. Andou, dez quarteirões. Chegou ao ambulatório do Instituto Nacional de Previdência. Fechado. O menino chorava. Carlos Lopes foi ao bar da esquina. Café com leite. O menino vomitou tudo na roupa. O dono do bar perguntou: "Será que o menino num tem sede". Deram água, o menino vomitou. Faltava ainda meia hora para o ambulatório abrir.

ANOTAÇÕES NA ORELHA DO LIVRO

Bancos, postos de gasolina, motéis, bares, lojas: ninguém escapa aos assaltos. Generais morrem na Rússia. Negros dizem que há racismo em Cuba. França no caminho da extrema direita. Manifestações estudantis reprimidas violentamente nos EUA. Negros morrem em Biafra. Índia não quer matar as vacas sagradas. Nordeste continua emigrando para o sul. Fuzilamentos a quem for preso por subversão.

> *JOSÉ, ALGUMA COISA ACONTECE NO MUNDO E VOCÊ NÃO SABE O QUE É.*

Tangos, dia e noite, filmes de Valentino e Theda Bara na Cinemateca, Clara Bow, Gloria Swanson, o depósito se enchendo de velhos discos 78, de sebos.

BRAVOS SOLDADOS DE FOGO NÃO EVITARAM A CATÁSTROFE

Na terça, de manhã, assaltaram um banco. Com metralhadora. Um japonês comandava. À tarde, assaltaram outro banco. Com revólveres e um fuzil carabina. Na quarta, três assaltos. Dois comandados por um japonês. Na quinta, um pequeno assalto, na hora do almoço, numa agência central. Na sexta, para compensar o fim de semana, cinco assaltos em lugares diferentes e distantes. Os assaltados juram que havia um japonês. Milhões levados. A polícia tem certeza que o dinheiro é para fins políticos. Os bancos não têm proteção.

. Não sei de nada, não conhecia ele. Ele morava lá no quarto dele, e eu no meu, a gente nem se encontrava.

. Tinha seu nome numa lista.

. Não sei de nada juro.

. Acho que você precisa é apanhar mais.

O tira bateu em José durante cinco minutos.

O tira bateu em José durante cinco minutos.

O tira bateu em José durante cinco minutos.

1. Sem dar importância aos gracejos dos homens, nem ao desdém das mulheres, mas apreciando os interesses das garotas, Alberto Junior voltou a desfilar ontem de minissaia masculina. Ele só teve uma preocupação. Não ir além da Rua do Chão Parado, porque o delegado da 12ª Jurisdição o advertiu de que vai prendê-lo. Alberto está convicto de duas coisas: a calça não é símbolo de masculinidade e a moda vai pegar.

Deram amoníaco para José cheirar. Ele acordou.

. Se não dé esse serviço logo, vai ficá aqui muito tempo.

. Então, vou ficar, porque não sei de nada.

. Sua cara num mié estranha não!? Você já num foi preso, não.

. Não. Nunca.

O tira bateu um pouco em José, para não se desacostumar. Saiu e voltou.

. É, ficha num tem não. Pelo menos aqui. Vô mandá verificá.

Saiu e voltou.

. Eu já fui depor, uma vez.

? Depô, por quê.

. O dono da pensão se matou, se jogando no poço. Vim falar sobre ele.

. Vô verificá.

Saiu, demorou e voltou. Uma luz cinza, de madrugada, apareceu na fresta da janela. A sala ficou amarela, um décimo de segundo; um amarelão vivo. (Deve ser alguma coisa com meu olho esses amarelos. Ou a fome)

. Vem comigo.

. Nome.

. José Gonçalves.

? Profissão.

. Trabalho no cinema.

? Artista.

. Não. Mato rato.

? O que é. ? Gozando coa cara da gente.

. Mato rato de verdade, no cinema.

? Faz tempo que mora naquela pensão.

. Dois anos.

? Conhecia o Walter.

. Mais ou menos.

. Me dissero que você era amigo dele.

. Conhecia de vista.

. Acho que você conhecia bem.

. Conhecia de vista.

? E se eu te prová o contrário.

. Num tem jeito, conhecia ele de vista.

2. Apesar das afirmações do engenheiro responsável (que foi demitido), o governo não está investigando o desvio de ferro e cimento das obras faraônicas do Kolys Heum. Fontes oficiosas afirmam que esse desvio é normal em obras do porte do estádio. Como se sabe, o Kolys Heum é a maior estrutura em concreto do mundo (apesar de não constar do mapa de abertura deste volume), podendo abrigar duzentas mil pessoas. Lá haverá espetáculo com qualquer tempo, devido ao teto de acrílico que cobrirá o estádio.
O governo promete que o povo vai se divertir muito ali. O local será dedicado aos Martírios. Subversivos serão entregues às garras dos leões, apesar dos protestos da igreja que disse serem os artírios prerrogativas dos mártires cristãos.

3. Foi descoberto ouro em um dos rios do norte do país. Uma jazida com 23

? Qué apanhá.

. Pelo amor de Deus, num me bate não. Num tenho nada, com isso.

O tira bateu em José durante cinco minutos.

. Você era do grupo deles. Ia às reuniões no quarto dele. ? Ia ou não ia, seu desgraçado. ? Ia ou não ia, seu comunista de merda.

. Não ia. Não sou comunista. Num tenho nada, com isso. Me solta. Não me bate mais, não. Pelo amor de Deus, não me bate.

. Confessa, então!

. Não tenho o que confessar. Não tenho nada, não sei de nada.

O tira bateu em José durante cinco minutos.

? E, agora. ? Confessa.

quilômetros. Porta-Voz declarou: Podem ficar certos que desses 23 quilômetros, só uns 10 entímetros vão ficar em nosso país. *A língua do Porta-Voz foi cortada em praça pública, em São Paulo.*

Saíram. O prédio da Organização Política e Social era feito de tijolos vermelhos, castelo inglês de mau gosto jogado perto da estrada de ferro. Numa perua branca e preta foram até o Departamento de Investigações. José algemado, puto da vida, as pessoas olhando para ele, as pessoas não olhando para ele. Na sala dos fichários, o tira olhou fotografias, fichas, chamou gente para ver se alguém conhecia José. Pegaram a carteira de identidade dele, fizeram verificações. Olharam o processo do homem que se jogara no poço.

. Já vi esse cara nalgum lugar, disse um tira das Investigações.

Era o tira que tinha melhor olho pra reconhecer gente e lembrar coisas. Ele olhava diariamente todos os jornais, as revistas, olhava bem as fotografias de crimes, as pessoas que apareciam nas fotografias olhando cadáveres, curiosos. Registrava tudo; o apelido dele era *Fotógrafo.*

. Bom, mas não precisa segurá ele aqui. É só não sair da cidade. A semana que vem, você vem aqui, para constá. Podimbora.

? Ahn.

. Pode i embora.

? E minhas coisas.

? Que coisa.

. O relógio, a carteira, uns papéis que eu tinha.

. Você não tinha nada.

? Como não tinha. Ficou com vocês lá.

. Não ficou nada. E vai andando, vai antes que fique de uma vez. Comunistinha de merda. Nós vamos te pegar. Vamos, mesmo, ah, se vamos!

> **PENSAMENTO DO DIA**
> *A cidade se humaniza. Meninas curradas em plena luz do dia. Ladrões assaltam mulheres que saem às tardes para fazer compras. Ladrões brigam com ladrões e se matam, se assassinam. Estaria sendo formado em Esquadrão Punitivo. Já tinha existido um, anos atrás. Nos tempos heroicos.*

O AMIGO DESINTERESSADO (TRIBALIZAÇÃO)

José lendo, os romances terminados, sobrando os livros políticos. Chatos, ele não entende todos, mas lê, gosta de ver as palavras. José começa a se cansar das palavras, letras somadas, ? por que estas letras juntas querem dizer alguma coisa. ? E se eu ajuntar letras, assim: çlutgrf. ? Isso é uma palavra. Cansado de ficar sentado em cima dos livros. Queria alguém que explicasse os livros políticos. Átila não queria saber, não se importava, vivia fumando, comendo ovos quentes e ouvindo tangos. Um dia, Átila sumiu. Deixou os discos, uma dúzia de ovos, o fogareiro, maconha. Nesse dia, da janela, José viu três malandros assaltando um sujeito, batendo nele, enquanto a vitrola tocava El Choclo. Logo depois, passou uma Radiopatrulha, mandou José descer. José disse que viu um sujeito armado assaltando três e que os três tinham reagido. O sujeito estava no fundo da Radiopatrulha e começou a chorar, enquanto os guardas riam / Dando a sua de vivo, né. Pois vai dar uma de vivo lá na delegacia com o pau em cima /. Ligou o transistor que tinha roubado (É facil roubar quando a gente não pretende roubar. Quando não tem medo de ser pego, quando não importa se vai dar certo ou não). Ele pensava em roubar uma televisão, assim ficaria com gente que podia ver. Era incomodante só ouvir o rádio, não exergar quem estava falando, não se sabia nunca o que esperar. Viriam todos. Amigos que estariam fazendo aquilo desinteressadamente.

Enquanto esperava a televisão, tinha o seu rádio. Antigamente, ouvia o rádio, o grande rádio na caixa quadrada de madeira envernizada: sua mãe não deixava, isso é coisa de gente grande. Ela ficava ouvindo a Rádio Nacional, e havia aquele anúncio cantado pausado pelas moças P-A-L-M-O-L-I-V-E, letra por letra e os conselhos sentimentais. Ela ao lado do rádio — o dia todo folheando sem pressa revistas e jornais de moda e vida dos artistas — e nunca tinha comida na hora, ela nem arrumava a casa, era tudo uma bagunça, uma porcaria, cuide dos filhos, ao menos. ? Mas que filhos. José não se lembra de ter irmão, mas se lembrava de que o pai dizia sempre, cuide dos meninos. Então devia haver algum outro. ? Mas onde estaria, onde estaria seu pai.

Fotos que saíam na capa de revistas, mãe colecionando, José rasgou o álbum, pôs fogo em foto por foto, aqueles artistas eram amigos de sua mãe; queimando Tyrone Power, Linda Darnel, Douglas Fairbanks Jr., Maureen O'Hara, John Hall, Maria Montez, James Cagney, Xavier Cugat, José

> *Carlos Lopes esperou toda a noite que o filho melhorasse. Ele não melhorou. Logo que o dia clareou, pegou o menino e foi para o ponto de ônibus. Era muito cedo, não havia ônibus ainda. Carlos Lopes começou a andar, pela estradinha que ia dar no asfalto, dois quilômetros abaixo, onde havia mais condução.*

Iturbi, Cary Grant, George Sanders, Laraine Day, Robert Young, Susan Hayward, Bette Davis, Joan Fontaine, Olivia de Havilland, Clark Gable, Jane Powel, Ricardo Montalban, Loreta Young, Judy Garland. Queimados, retorcidos, todos cinza preta que ele foi assoprando na privada, dando a descarga. Afogando.

O rádio, colado ao seu ouvido trazia o mundo, *Reach Out I'll Be There*, Herp Albert, Aretha Franklin. Vestiu uma camisa listrada e saiu por aí e as notícias, o futebol, os gols, 30 segundos para o próximo programa, a Hora do País, o aviso aos navegantes (não há aviso aos navegantes), a hora exata, os melhores e piores discos, Merilee Rush, o guarda-chuva da proteção financeira. Gente boa que oferecia dinheiro, oportunidade para comprar casas, carros, móveis, eletrodomésticos, roupas, gente que indicava aonde ir e como ir, o que comer, beber, que remédio tomar para se curar (Já, adeus gripes, 700 laranjas num saquinho só). O sonho vinha, ele beijava seu radinho, agradecido pelo companheirismo, fidelidade, ajuda. Beijava a antena, a caixa, o dial e os botões. Desligava e dormia, contente. Mais um dia, contente por não ter feito nada, absolutamente nada, na vida.

NO PRINCÍPIO

Degraus apodrecidos, janelas com vidros faltando, a pintura ressecada. O chão de buracos.

. Pois não. Às suas ordens.

Sorriso de funcionário, ponte de metal enegrecido, o hábito fedorento.

. Vi o anúncio. Vim aqui, saber.

. Pois não. Sente-se. Um minuto. Trago todos os papéis. ? O senhor sabe como funciona a nossa agência.

. Não.

PRECIZASE:
CARPINTEROS. FERREROS. SERVENTIS DE PEDRERO.

. Soy carpinteiro.

? Argentino.

. No, de Costa Rica.

? Tem prática.

. Si.

Costa Rica: superfície de 50.000 km², população de 1.500.000 habitantes, aproximadamente. Banana (United Fruit), Café, Cacau, Algodão, Arroz. Moeda: o colón.

Todos os dias chegam trabalhadores à procura de emprego. Sempre há vagas nas obras dos Monumentos Nacionais. Dizem (não se confirma) que quase todos os dias morrem operários em acidente, pela falta de segurança e pela pressa com que o governo pretende terminar a obra, a fim de comemorar o Décimo Aniversário da Revolução que tirou o país das mãos dos comunistas.

O costa-riquenho conseguiu o emprego, porque aceitou o Terçomínimo.

É isso, meu caro, se quiser. É o salário para estrangeiro. Está baixando muito em nosso país, ultimamente. ? O que é que há por lá.

Terçomínimo: uma das três partes do salário mínimo.

VISÃO

a águia gigantesca a levar José para o seu ninho, na cabeça da América.

ESTA AGÊNCIA TEM A FINALIDADE DE SELECIONAR AS PESSOAS QUE REALMENTE PRETENDEM CONSTRUIR UM LAR, COM BASES SÓLIDAS E QUE POR DIVERSOS MOTIVOS, FALTA DE TEMPO OU OPORTUNIDADE NÃO CONSEGUIRAM.

Uma revista mimeografada ensinando o que é o casamento, a sua necessidade, a base da família, o alicerce da sociedade constituída, a base da felicidade, o futuro. Um concurso: o noivo mais elegante e a noiva mais linda com prêmio de viagem a Lindoia e Poços de Caldas. Artigos sobre doenças venéreas.

PROPOSTAS: Anúncios, de tamanho igual: número, idade, cor, religião, altura, peso, profissão, aparência. Deseja se corresponder com. Quer manter contato com. Para se casar. Sem compromisso.

. O senhor, primeiro deve fazer um anúncio.
? Desses aqui.
. É. Desses, ou com fotografia.
? Como é.
. Com fotografia custa o dobro. Cada mês que sai o senhor paga um tanto.

> **789786**
> 35 anos, pardo, católico, 1,56 m, 62 quilos, comerciário, boa aparência, quer se corresponder com mulata de 20 anos, boa aparência, católica. Para futuro compromisso.

. Eu vou fazer um. Pra ver o que dá.
. Vai dar certo. Às vezes, um anúncio só é suficiente. Nossa agência é a mais eficiente. Já fizemos sete mil casamentos em dois anos.
? Devo dizer no anúncio que sou manco.
? Manco.
. Um pouco.
. Deixa eu vê.
José andou.
. Não, não precisa não. Nem se percebe. Depois, o senhor, tem cara boa, bom físico. Deve ser inteligente. É, tem jeito. ? Vai com fotografia.
. Este, não. Depois, a gente vê.
O funcionário redigiu o anúncio.
? Você já leu Scott Fitzgerald.
. Não entendi bem.
O funcionário, ansioso por responder a José.

> **8765789**
> 60 anos, branco, católico, bons princípios morais, 1,60 m, 75 quilos, aposentado, quer se corresponder com viúvas de estrangeiros, em boa situação financeira. Sem compromissos. Troco foto.

. Scott Fitzgerald. ? Você já leu.
. Não, não tive a honra. ? É bom. Gostaria muito.
. Bom paca.
. Ah! Bem, se o senhor gosta de ler, temos aqui bons livros editados pela nossa agência. Tudo sobre casamento. Gente boa escreveu. Professores, padres, advogados, psicólogos. ? Quer dar uma espiada no catálogo.

Sucata

JOSÉ CHEGA DE LER ESSES LIVROS / VOCÊ JÁ LEU MAIS DE MIL VOCÊ NÃO É MAIS AQUELE JOSÉ QUE ENTROU NESSE DEPÓSITO / BESTEIRA LER ESSAS COISAS SÓ COMPLICA A VIDA

/ NÃO DEIXE AS MILÍCIAS REPRESSIVAS SABEREM QUE ESTES LIVROS EXISTEM AQUI / VOCÊ JÁ ESTEVE UMA VEZ NAS INVESTIGAÇÕES / SE FOR OUTRA VAI SER O SEU FIM / VOCÊ DESAPARECE COMO TANTA GENTE ANDA DESAPARECENDO / MAS VOCÊ NÃO SABE ESTAS COISAS ELAS NÃO SÃO PUBLICADAS ELES NÃO DEIXAM PUBLICAR / PARA JOSÉ / PARA DE LER ESSES LIVROS: sucata

TU ÉS PEDRO

Abriram uma boate, em frente ao depósito. Letreiro de néon verde e amarelo ilumina o quarteirão inteiro.

? Qué uísque.

. Querê, eu quero.

. Manda lá.

. É caro.

. Porra, velho, tu nem paga nada.

Pedro,[1] 42 anos, curvado, moreno, a pele seca enrugada, começando a ser coberto por escamas, um enrugamento que não é de velhice,[2] os braços com feridas, os cabelos caindo aos poucos, dentes cariados, gengivas vermelhas que costumam sangrar, vendo a sua volta um mundo sombrio porque só consegue distinguir duas cores: o cinza mais claro e o mais escuro, ouvindo mal, exergando mal, indiferente a tudo. Pedro: herdeiro de doenças e fome e escravidão desde tempos imemoriais,[3] sol castigando caatingas, terra seca / verificar coincidência da observação com diagnóstico médico no final do capítulo do Astrônomo /.

José e Pedro :

? Maquêe. Cê qué sê operário. ? Purquê.

. Preciso de emprego, amigo. Qualquer emprego.

? E operário é emprego. Tutalôco, chapa.

. Todo emprego, é emprego, velhão. Quero um. Não encontro.

. Mais, tu estudô. Sabe coisa. Lê e escreve. Tem estudo, filho. Num entra em fria.

. Tenho estudo, não tenho emprego. ? Que adianta.

---

1   Tu és pedra e sobre ti edificarei minha igreja.
2   Em certas regiões do norte e nordeste existe a velhice precoce, causada pela fome, sub-nutrição, anquilostomose, anemia profunda e vermes, avitaminose.
3   Imemoriais: além de 474 anos atinge-se os índios nos meios das tabas de amenos verdores.

Átila e José:

. Pedro é genial. Pedro trabalha numa construção. Um prédio de 178 andares. ? Sabe para que o prédio: vão fabricar a bomba atômica aqui. Ninguém sabe disso ainda. É o maior segredo. Por isso estão querendo trazer os cientistas que foram... fugiram... pro estrangeiro. Ô Pedro, tira esse chapéu.

. Não, deixa, tô acostumado, lá em cima du prédio fais um sol danado.

Fumava cigarro de palha, mata-rato e ficava olhando as meninas de minissaias, coxas de fora.

? Seu nome.

. Pedro Rodrigues.

? Onde nasceu.

. Norte.[1]

? Quando veio para cá.

. Fais dez anos.

? Casado.

. Casado. Com oito filhos.

? Salário.

. Mínimo.

? Faz horas extras.

. Sempre que dá.

? E dá.

. Dá para consegui mais meio mínimo. Mais tem muito desconto.

? Seus filhos trabalham.

. Três trabaia.

? Onde você trabalhou antes.

. Metalúrgico. Sempre.

? Qual seu serviço.

. Politriz.

? Participa do Sindicato.

. Participo. De tudo. Na última eleição fui votado conselheiro.

? De quantas greves o senhor participou.

. Cinco.

? Por quê.

---

1 Continua sem parar a migração do norte e nordeste para o sul, em busca de melhores condições de vida. A maioria se destina à lavoura, mas termina ficando na cidade mesmo, onde a mão de obra é cada vez maior e a procura menor. A construção civil tem atraído grande parte destes migrantes, mas o ritmo de construções decaiu verticalmente a partir de 1965, ocasionando o início de uma onda de desemprego.

. Eu queria aumento de salário e aumento a gente só consegue fazendo greve. Mais agora as greves estão proibida, num interessa se a razão tá cos operário eles taca a polícia e a polícia prende. No último ano nois tentamo fazê greve e ficô muita gente presa perdeu emprego e tudo. E esses cara que fôro sorto num conseguiro mais emprego em lugar nenhum. Tá fogo, seu!

? O senhor lê jornais.

. De veis em quando. Num tem nada que lê neles.

? Como o senhor toma conhecimento das coisas.

. Pela televisão. Vem tudo lá.

? O senhor se interessa por política.

. Não. ? Praquê.

/Fim da entrevista/

O SACRIFÍCIO AO GRANDE DITADOR

Nenhum se lembra como chegaram à casa do Astrônomo. Estavam bêbados. Nem quantos dias ficaram, porque não sabiam quando tinham chegado. Quando saíram, a casa começava a ser demolida. Todas as áreas laterais, avarandados que corriam até o fundo, cheios de portas de vidro dando para o jardim, estavam no chão, os canteiros, gramados e arvoredos pareciam abandonados há cem anos.

? E o Astrônomo, onde estaria.

Placas:

VENDE-SE MATERIAL DE DEMOLIÇÃO. FONE: 34567289
COMPRAM-SE CASAS PARA DEMOLIR

E novas placas:

FUTURO PRÉDIO MARQUESA DE TUPI: APARTAMENTOS LUXUOSOS: I POR ANDAR: FACILIDADE: APROVEITE.

? O Astrônomo teria ido embora, teria morrido sozinho no seu quartinho, no alto da torre.

José estava com muita fome. Tinha ido à cozinha procurar coisa para comer, mas a cozinha era empoeirada, cheia de cadernos e livros apodrecidos. Uma geladeira carcomida, aberta, era ninho de ratos e no congelador havia aranhas. Ele andara pela casa, tentando olhar os quartos e salas, mas todas as portas estavam trancadas, menos uma no fundo do corredor: saleta cheia de vitrôs amarelos e com as paredes cobertas de espelhos. De modo que José se viu abrindo a porta e entrando, e depois caminhando em sua própria direção. Só que o outro José era apagado, os espelhos eram velhos, a prata se descascava. Os vitrôs tinham títulos: Intimidades de Dona Joana com Helena; Volúpia do Amor na Floresta Virgem (e das Virgens); o Paraíso; Mamãe, eu te amo; O Encontro de Sátiro com a Casta Donzela. Os vitrôs estavam quebrados ou arrancados: os homens não tinham membros, as mulheres eram sem peito, figuras esquisitas, deformadas.

O Astrônomo dissera, ao mostrar a estrela Atik: Eles vieram apedrejar dona Mocinha. Rodearam a casa durante muitos dias, escondidos no jardim. Não pelo que dona Mocinha fazia, mas pelo que eles pensavam que ela fazia. Sem saberem que ela era pura e virgem e doente. Era virgem, apesar de ser avó.

ANOTAÇÃO QUE SE FAZ NECESSÁRIA

A verdade, segundo os que conheceram dona Mocinha / e foram muitos / é que ela era uma puta que fazia as maiores sacanagens no jardim da casa. Os vitrôs tinham sido feitos com o rosto dela, o mesmo para todas as mulheres. E foi dona Mocinha que apedrejou os vitrôs, vindos de Bruges. Pura raiva do pai.[1]

MAS OS BONDES JÁ ACABARAM HÁ TANTO TEMPO

El Matador saiu sem camisa, não conseguia se lembrar onde tinha deixado, nem por que tinha tirado. Não queria voltar para dentro daquela casa, cheia de cômodos, ele ia se perder outra vez. E Átila queria correr para a rua, ver se tinha mudado o outdoor da esquina. Na noite em que eles tinham chegado / ? quando tinha sido / com o astrônomo, os homens estavam em cima do andaime, papel e cola. Talvez viesse uma manequim bonita e nova, para ele se apaixonar. Átila já estava cansado da moça de biquíni preto que promovia a Feira do Couro. Mas quando ele saiu para a rua e encontrou Átila e José, viu que não conhecia aquela rua, jamais tinha passado nela. E não havia nenhum outdoor na esquina, o que existia era outra vila em ruínas e bosques (cheios de pés de café) e bondes passando / ? mas os bondes já se acabaram há tantos anos nesta cidade /. José achou que não estavam nesta cidade e sim numa outra e que deviam se orientar. Voltaram para dentro, talvez tivessem entrado por um outro portão. Perderam-se pelo jardim, se espalharam. Entraram numa estu-

---

1   Um toque romântico de história, um leve sabor de coisas quatrocentonas.

fa, não era estufa, era uma enorme construção de vidro, com o teto transformado em mapa de estrelas. Mas eu estive aqui ontem à noite, pensou José. As estrelas de primeira grandeza: Sírus, Canopus, Tolimanos, Vega, Capela, Arcturus, Rigel, Procyon, Achernar, Altair, e mais 10. O Astrônomo tinha dito todas, e explicado as constelações e trazido um mapa, querendo que eles aprendessem: o homem só vai ser grande no dia em que conquistar as estrelas. O que Átila achou uma bobagem, porque o homem já ia à Lua e daqui a pouco estaria nas estrelas e nem por isso seria grande, só ia ser no dia em que acabasse com a fome na Terra, o que não deixava de se festividade.

A HISTÓRIA DE UM MATADOR

El Matador quer ser toureiro. E ir para a Espanha. Não tem dinheiro, nem emprego. De vez em quando participa do rodeio dominical promovido por uma televisão. Enfrenta vacas de rabo amarrado que não querem saber de nada. El Matador veio do interior, onde aprendeu a lidar com boi no pasto. Um dia, ele seguiu com um circo e foi parar em Jacó, onde se apaixonou por uma das filhas de dona Tininha, moças famosas na cidade. Não deu certo, El Matador seguiu à procura de outros circos, outras touradas, querendo morrer nos chifres de uma novilha.

O SACRIFÍCIO AO GRANDE DITADOR (Continuação)

José saiu andando pela casa, passou por uma grande estufa, os vidros do telhado tão sujos que a claridade parecia de crepúsculo. As plantas dos vasos cresciam selvagemente, tinham se emaranhado umas nas outras. Num canto, um tanque de lama verde. José chegou à cozinha, ladrilhada em vermelho, com um fogão a lenha funcionando, panelas de ferro. Nas paredes, prateleiras de tábua com doces em conserva: banana, laranja, abacaxi, manga, goiaba, jaca, abio, caju, amora, mamão, moranga, abóbora, figo, sapoti, cajá-manga. Cada vidro com uma etiqueta escrita à mão, em letra redonda e benfeita. O Astrônomo estava na varanda dos fundos que dava para o parque cheio de grama e plantas que cresciam selvagemente, emaranhadas umas nas outras. Num canto do muro havia um tanque de lama verde. José via o parque terminar num muro alto. Então, José viu o túmulo, ou o que parecia ser um túmulo no meio do quintal. Havia um lago de água, podre. No meio do lago, uma ilha de pedras.

Na ilha, uma construção de retângulos de granito preto. Em cima dos retângulos, cilindros, triângulos pontiagudos, esferas. Sobre o cilindro, um retrato em tamanho natural, dentro de uma caixa de vidro. Era uma fotografia oficial do Grande Ditador, o primeiro do país, que muitos veneravam, esquecidos da tirania, da prepotência, do egoísmo e do legado que deixara ao país: a sua própria família que sempre procurava se encarapitar nos cargos governamentais / adesivos /. Diante do túmulo, velas acesas em cima de uma montanha de cera derretida.

. Contempla o meu mestre.

O Astrônomo, com uma faca na mão. Quando José olhou, o homem se atirou sobre ele. José pulou para o lado.

. O mestre espera um sacrifício. Faz meses que não sacrifico ninguém para ele.

? Sacrifício.

O Astrônomo sentou-se na beira do lago, fumando um cigarro de palha.

. Eu acho, eu penso, eu julgo, eu acredito que ele precise de sangue. Dizem, eu não sei, eu não vi, eu não sofri debaixo do regime dele, mas dizem que ele precisava de sangue. Não garanto. Se me apertarem, eu desminto. Mas eu acho que se ele precisava de sangue, continua precisando. Ele não morre. Morreu o corpo, a alma continua. Eu sou católico, meu amigo. Apostólico, romano. Obedeço à Santa Sé, vou à missa todos os domingos, comungo ao menos uma vez cada ano, tenho minhas devoções. O Grande Ditador continua precisando do sangue. Daqueles que acreditavam nele, que o seguiam. Eu segui. Orgulhosamente pertenci aos seus quadros da polícia. Uma organização perfeita, amigo. Ali era: escreveu, não leu, pau comeu. Tudo andava nos Eixos. Eu fiquei sabendo, mas não tenho certeza, não posso assegurar nada, que quando ele morreu, pediu que fizessem sacrifícios em sua homenagem. Ele era um deus, meu amigo. Um deus bondoso, paternal, que gostava dos pobres. Era quase um pai para eles. Deixou muita coisa para os pobres. Tudo que tinha. Se foi entregue, eu não sei, parece que sua família meteu a mão em tudo. Sabe como são as famílias.

ALTO-FALANTES[1] DISFARÇADOS NAS FOLHAGENS DO PARQUE COMEÇAM A TRANSMITIR TRECHOS DOS DISCURSOS DO GRANDE DITADOR:

---

1 Alto-falantes ou altifalantes. Há quem use alto e quem use alti. Os clássicos da língua não trazem a palavra.

Temos que nos preocupar com a segurança do país. Só os países muito pobres que nada têm a perder é que não se preocupam com a sua segurança. Vamos reformular as leis e dar grande força ao Exército, vamos aumentar o alistamento obrigatório, vamos aumentar os efetivos, vamos honrar as fardas e as cores da bandeira.

O Astrônomo ouvia, de cabeça baixa, como se estivesse rezando. Como se recebesse a voz de Deus. Quando ergueu a cabeça, tinha os olhos cheios de água.

. Era um homem maravilhoso. Ele não tinha o mínimo respeito pela condição humana. Para ele, nenhum homem tinha direitos. Só deveres. Não existiam coisas tolas, era tudo no pau da goiaba. Ferro em todo mundo. Era um homem, meu amigo. Era um macho que desprezou as convenções. Era maravilhoso viver sob o seu regime, pois não havia liberdade, nem licenciosidade, nem amoralidade. Dizem, eu não sei, eu não posso dizer nada, não conheço o mundo lá fora, conheço os que vêm de fora me visitar. Dizem que há um novo regime, bom, duro, cruel. Se não for cruel, não fizer sofrer, não arrebentar com o que o homem tenha de bom por dentro, não é um regime que se deva levar em consideração.

OUTRO TRECHO DOS DISCURSOS:

O ciclo de desenvolvimento está começando. O passado ainda está dentro de nós e é um obstáculo a esse progresso. Pode-se dizer que temos tanta, mas tanta força mesmo, que essas forças se transformam em fraqueza. No dia em que dominarmos essas forças, elas serão energia e por isso, meu povo, não podemos, nem um instante, um minuto, um só segundo, desacreditar de nós mesmos, nem duvidar dos destinos a que estamos sendo elevados.

O Astrônomo soluçava. As lágrimas corriam pelo seu rosto envelhecido. Com seu robe prateado, pantufas nos pés, olheiras profundas, José tinha a impressão de que o homem estava saindo de um concurso de fantasias que durara séculos, onde ele se engalfinhara com os travestis emplumados, disputando o primeiro lugar a dentadas e puxar de cabelos. Ao sair da passarela, o homem parecia cansado, esgotado / animado ? quem sabe seu motivo para viver /. Os alto-falantes espalhados pelo parque tocavam valsas antigas e o Astrônomo olhava para José, com a faca na mão.

DECLARAÇÕES DO MÉDICO SOBRE O OPERÁRIO PEDRO

Ele tem falta de proteínas, vitaminas, sais minerais e remédios contra infecção. Precisa ao menos de 1.300 a 2.000 calorias por dia. Sem isso tudo a pessoa torna-se indiferente,

. Eu preciso te sacrificar.

? Por que eu.

. Alguém deve ser sacrificado.

(José teve uma ideia)

? Pode ser outro.

. Pode ser qualquer um.

? O Grande Ditador era uma espécie de pai dos pobres.

. Era, era.

. Acho, então, que ele prefere um pobre.

(? Que ideia é essa José.)

. Talvez. Pode ser. Quem sabe.

. Tem um da minha turma que é operário. É o cara ideal para ser sacrificado.

(José, José)

. Quem sabe. Pode ser. Talvez.

. Claro que o Grande Ditador prefere o sacrifício de um operário.

. É, deve preferir. Aceito.

(Que mau-caráter esse José)[1]

José voltou pelo jardim, havia ossadas humanas disfarçadas entre as folhagens. Costelas, fêmures, crânios. Os alto-falantes estavam quietos, agora e passarinhos de plástico com disquinhos na barriga cantavam nos galhos de plástico das árvores artificiais.

(*Gloomy Sunday*: dizem que essa música provocou mais de trinta suicídios só em Nova York: gente se atirava dos prédios: é uma foda de música)

Havia bandeiras e retratos do Grande Ditador, por toda a parte. Nas portas, janelas, no banheiro, nos bules de café. José foi procurar o quarto do operário. Acontece que Pedro estava olhando uma estrela, enquanto o Astrônomo explicava: essa é a Kaiten, da constelação de Peixes. E desmaiou. O Astrônomo

recusa qualquer espécie de sensação. Os filhos deste homem são piores, e os seus netos, bisnetos e outros mais ainda. Vão morrer aos poucos, eficientes, física e mentalmente. A vitamina A que lhes falta vai torná-los cegos. Sem a vitamina D ficarão paralíticos, raquíticos, sem cálcio. Sem a vitamina B, os nervos não reagem. A falta de ferro vai dificultar a formação de glóbulos vermelhos do sangue, diminuindo o transporte de oxigênio ao coração: morrerão sufocados. A pele será branca e enrugada, os ossos fracos, os cabelos vão cair. Ficarão imóveis, sem rir nem chorar, com olhos fixos e espantados.

soprou, bateu no rosto, passou água fria. Pedro nada. José achou que o homem tinha bebido, não estava acostumado. Deitaram o homem na cama. Agora, estavam com ele, na rua. Continuava desmaiado. Vai ver, morreu, disse Átila, e é melhor largar ele aí. Vai ver, não morreu e é melhor tentar salvá-lo. Levaram Pedro ao médico.

---

1 Na hora do aperto, não existe bom caráter, a não ser nas histórias cívicas e morais.

GRÁFICO DO OPERÁRIO PEDRO

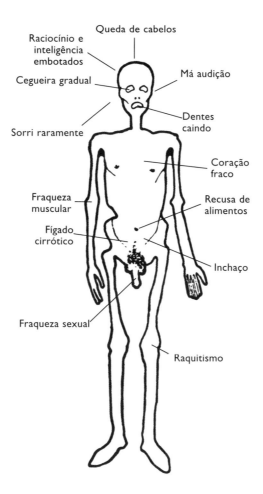

A CULTURA NA TAMPA

José, contemple a colocação desses alto-falantes. De hoje em diante, eles vão transmitir os ditos do seu governo. E todos ouvirão. Não será possível desligar, José, como todo mundo fazia, das sete às oito. Agora, esses alto-falantes, em alta potência, falarão e o povo ouvirá, nem que ponha algodão, cera, tapa-ouvidos. Saiba, José, que eles estão instalados em todas as cidades, até nas vilas de duas e três casas. Serão instalados nas tabas dos índios, onde haja índios, nesta terra.

José se prepare.

Locutores de vozes monótonas e graves discorrerão sobre os atos do governo, que você terá a cumprir amanhã.

Saiba, José, que os cinemas vão parar nessa hora, as igrejas, teatros, televisões.

His Master's Voice.

Marque: vamos conferir nossos relógios, José:

Às oito.

> José, moreno, 28 anos, cabelos pretos, católico, situação financeira razoável, procura moça para futuro compromisso.

ESPETACULAR / ASSOMBROSO / SENSACIONAL / NUNCA VISTA ANTES NAS TELAS / UMA SUPERPRODUÇÃO EM CINERAMA / EM 70 MM / NOVAS CÓPIAS / NOVAS CORES / UM ELENCO FABULOSO / O MAIOR CAST JÁ REUNIDO NA TELA DESDE O NASCIMENTO DO CINEMA / CENAS AUDACIOSAS / LIBERADO SEM CORTES PELA CENSURA / FANTÁSTICA CONCEPÇÃO CINEMATOGRÁFICA / JAMAIS PERDOOU UM INIMIGO/ A MAIS DIVERTIDA COMÉDIA DO ANO / MASTROIANI E URSULA NA BATALHA DOS SEXOS EM PLENO SÉCULO XXI / TARZAN VIVE UMA NOVA E ESPETACULAR AVENTURA / UM BRADO CONTRA A ACOMODAÇÃO / SE VOCÊ PENSA QUE JÁ VIU TUDO, ASSISTA / SUSPENSE, VIOLÊNCIA E AMOR /,

Rosa está quase encontrando José.
José está quase encontrando Rosa.

. Zé, tenho um emprego procê.

? Bom.

. Fácil paca. Você que anda lendo tanto, pode usar essas coisas.

. Vamos lá.

. Na Coca-cola estão precisando de gente pra fazer as tampinhas.

? Tampinhas.

? Você já tomou Coca-cola, não.

. Tomei. Bem gelada.

? Então. ? Na tampa não vem um negócio qualquer. ? Assim: quem descobriu a lâmpada foi Edson, em não sei que ano.

. Vem.

. É aquilo que você vai fazer.

. Topo. ? Olha, você já leu Scott Fitzgerald.

. Não. Nunca li um livro na puta da minha vida, nem vou ler.

VEJA O QUE DIZ A TAMPA DE COCA-COLA:

o país foi descoberto em 1400 • a Independência foi em 1748 • a largura do Canal de Suez, Suez, Gaza, pracinhas, Onu, por mais terras que eu percorra, não permita Deus que eu morra, assim, ingênuo, calado, parado.

Parainca:

uma tampa com prêmio, outra com a cultura,
mais cultura que prêmio,
esta Coca-cola foi mesmo bebemorada.
Detergente KCL, Casas Biancamana, onde todos compram, Aron dá muitos prêmios, roupas e prêmios, roupas, e as vitrinas das lojas que vendem a crédito, ternos, camisas, cuecas coloridas

/última novidade/
oooooooonnnoonnnnooonnnooonnnnooonnnnooonnnnnnnnooon
bi,bi,bi,bi,bi,bi,bi,bi,bi,bi,bi,bi,bi fonnnnn
blem, blem, blem, blem, blem, blem
buuuuuuuuuuuuuuuuruuuuuuuuuuuuuuummmm

polícia não prendeu nenhum terrorista ainda moscas voavam, ventiladores parados, olhares pesados olhando. Tinham vindo ver o Homem. A televisão trouxera o Homem. Mas a Igreja tinha proibido seus programas e a televisão para não perder

Carlos Lopes esperou o ambulatório abrir. Braços doloridos de segurar o menino. O funcionário puxou as portas, Carlos Lopes foi entrando. O que é isso, o homem perguntou. Vou esperar o médico, respondeu Carlos. É, mas tem de esperar eu abrir primeiro. Mas se esta porta está aberta, por que não posso entrar, perguntou Carlos Lopes. Porque só está aberto depois de eu abrir todas as portas. Mas esta porta está aberta, disse Carlos Lopes. É, confirmou o homem. Está aberta, mas está fechada. ? O senhor não vê que está fechada.

dinheiro, tinha alugado uma esquina e exibia o Homem. Nos primeiros dias, ali só iam os que saíam do teatro de stripteases e queriam alguma coisa mais.

> **PENSAMENTO DO DIA**
> *É horrível ser pobre*
> *Compre hoje mesmo letras de câmbio Idem,*
> *as que duplicam dia a dia o seu dinheiro.*

O DESMAIO (Preparatório à conversão)

Fora do depósito havia barulho como se mil carros estivessem dando trombadas. José, numa pilha de livros, não podia (ou queria) se mexer. Deixava-se ficar, olhando a luz amarela que entrava. O luminoso amarelo (do cabaré) tinha um milhão de volts. Por dentro dele corriam ratos, baratas, formigas saúvas, comendo tudo, dilacerando. Sem dor nenhuma. Apenas a sensação (desagradável) de ser roído, sentir a própria carne picada, estraçalhada. José percebia que acontecia alguma coisa mais, porque as partes roídas eram substituídas por novas, num transplante. Até que ele desmaiou percebendo apenas a luz amarela (tão forte) que atravessava as paredes de seu corpo, concentrando-se num ponto do estômago.

AUXÍLIO AO PRÓXIMO:

SE VOCÊ QUER RENDA PROTEGIDA PARA SEU INVESTIMENTO, PENSE NO SPI: LETRAS DE CÂMBIO, LETRAS DE CÂMBIO COM RENDA MENSAL, FUNDO DE INVESTIMENTO.

CURIOSIDADES DA VIDA

A igreja resolveu intervir a segunda vez, querendo que prendessem o Homem por assassinato. Não consegui e só deu fama para ele. O dia inteiro era uma fila que se estendia pela avenida afora. Foi preciso organizar entradas – saídas – duração de cada visita – bilheterias – alto-falantes – música – locutores – refeições para os funcionários – horários de descanso para o Homem – organizações – discursos – aniversários. A polícia isolou dois quarteirões, a prefeitura exigiu que mudassem o Homem para a entrada da cidade, os promotores não quiseram. Era uma festa permanente – com pipoqueiros – vendedores de souvenirs plásticos – fotografias do Homem – medalhas – terços – correntes – pedaços de sua roupa – postais – biografias – ABC com sua história.

No fim do primeiro mês, o bar do lado alugou os fundos para a *Moça Que Se Transformou em Gorila*. Uma semana depois veio o *Museu de Cera Científico*, mostrando sífilis – gonorreia – hemorroidas – os perigos do fumo no pulmão – câncer em diversas partes do corpo – doenças dos olhos – da boca – gente morta a faca – tiro – explosão – queimaduras.

Em seguida, o *Museu das Selvas*, um ônibus cheio de bichos empalhados.

E vieram pela ordem

Os *Monstros da Natureza*: galinhas com três pés – porcos com duas cabeças – cabritos com cabeça de cachorro – criança com cabeça de peixe – cobra com pelos – mulher com três seios – homens com patas – elefantes com cabeça de sagui.

Raridades da Vida: a mulher barbada – o homem que só tem o tronco e passa o dia numa bandeja em cima de uma coluna – homem com órgão de mulher e homem juntos e todos funcionando – mulher sem bunda – criança sem rosto só com dois buraquinhos de boca e nariz – o homem com olhos nas pontas dos dedos – o braço vivo com cabecinha e tudo – o homem-bola todo enrolado nele mesmo.

Museu da Esmola.

Exposição das curiosidades da vida da minhoca.

Um formigueiro vivo dentro de vidros.

O cachorro trepador.

A mulher e a mula.

O homem que goza sozinho sem pôr a mão no pinto e sem ter mulher.

Brigas de galos.

Brigas entre pombos e bezerros.

Eles vinham, alugavam salas, cantos de bares, terrenos. Colocavam alto-falantes, tocavam discos, um barulho infernal. Em um ano, não havia mais nenhum dos antigos moradores. Os que tinham casa alugavam a preços altíssimos. No fim do ano, eram dez quarteirões com todas as curiosidades do mundo – trens fantasmas – salão de espelhos – cabarés – bordéis clandestinos – e uma multidão, vinte e quatro horas por dia. O Homem ainda era o sucesso da vila. As filas cresciam, havia publicidade no estrangeiro, folhetos em várias línguas.

José, Átila e o Herói caminham. José leva a mala com os livros que salvou do depósito, antes da polícia política dar batida e levar tudo. São livros que ele precisa como redator de tampas de coca-cola. Tem também o *Diário de Guevara*, as *Citações de Mao*, *O Capital explicado*, *A China no ano 2001*, de Han Suyin.

No fundo do bar, eles descansam. Há gente se escondendo do aguaceiro, o chão é uma barreira, o mictório fede fedor que corta o nariz da gente e dá doença.

> ESTE É O HOMEM QUE DEVOROU UMA EXPEDIÇÃO INTEIRA
> DE PADRES MISSIONÁRIOS NAS SELVAS.
> SÓ COME CARNE HUMANA FRESCA.
> – VENHAM –
> A MAIOR CURIOSIDADE DA AMÉRICA LATÍNDIA
> O HOMEM QUE COME HOMENS

Inscrições de privada:

> Neste lugar solitário
> Toda valentia se apaga
> O mais forte só geme
> O mais corajoso se caga.

EM BUSCA

. Meu senhor, o computador é perfeito, nunca se engana. Nunca falou. Traz mesmo a felicidade matrimonial. É a ciência a serviço do coração, dos sentimentos.

E então, diante de José, o funcionário de ponte nos dentes jogou todos os dados estatísticos. Quantos tinham se casado, quantos continuavam, quantos filhos tinham.

100, 345678, 768590, 13456278, 176895, 1456.°789, 123456H-89u

Meu coração, não sei por que, bate feliz, quando te vê, parallalla, lá tuque tique tuque tutuque gorogogó gorogogá um elefante atrapalha muita gente, dois elefantes atrapalham muito mais, uuuuuu pum tatatatatatata tatatata gostosa, ô gostosa, festival de stripteases.

SETEMBRO

. Repete o anúncio este mês.

. Pois não. O senhor, não perde por esperar. Acho, que o computador reserva alguma coisa muito boa para o senhor.

OUTUBRO

. Repete este mês.

A DESCOBERTA

Quando estendeu a mão, José percebeu o amarelo estourando. E sentiu-se girando, enquanto olhava o triângulo na parede. Do lado de lá era uma cozinha e recortada no triângulo havia a menina morena de braços fortes, apertados na manga do vestido. Uma cara comum, de nariz feio. Ela tinha um lenço amarelo na cabeça. Era a mesma, a menina do Giratório. Ele tinha perdido a fome.

You are my destiny, cantava Paul Anka suavemente nos alto-falantes da agência.[1]

(Eu tinha querido essa menina aquele dia. Faz tanto tempo)[2]

NA AGÊNCIA

. Esta é dona Rosa Maria, disse o funcionário de ponte nos dentes.
. Muito prazer, disse José.
. O prazer é meu, disse Rosa.
? Vamos tomar um café.
. Vamos.
. Que bom te encontrar.
. Eu também acho.
Silêncio.
Silêncio.
Silêncio.
(Porra, eu preciso dizer alguma coisa)
. É.

---

1   O funcionário de ponte nos dentes sempre colocava aquele disco, para dar atmosfera.
2   Que coincidência. Parece coisa de ficção de literatura, de fotonovela.

. É mesmo.

Silêncio.

ELA:

Morena, um pouco baixa, rosto cheio, corpo cheio, coxas redondinhas, o corpo todo empinado para a frente (pronta para ser trepada, ele pensa).

ÁTILA E JOSÉ

? Você gosta mesmo dessa Rosa.

. Muito.

. Gozado. Ela é gordinha, cafona, cara de puta. ? Viu os vestidos dela.

? E daí.

/ "Quem ama fica cego, nada vê. Escuta mil verdades, mas não crê. Vê na pessoa amada a imagem pura da bondade": canta Dulce Garcia /

JACULATÓRIA: *Meu Deus, guardai-me em seu coração para toda eternidade.*

CONVERSA AO PÉ DO FOGO

1

. Idade.

. 18 anos.

. Especialidade.

? An.

? O que você tem de diferente.

. An, tenhu 18 e parece qui tenhu 90.

. Ô, meu amigo, da tua região tem uns vinte por aí. Tudo assim. Já escolhemos um menino de 8 que parece ter 100.

2

. Idade.

. 14.

. Especialidade.

? Especialidade do quê.

? O que você tem pra mostrar.

. Olha aí, num tenho zoio. Nasci sem, mas posso andá e fazê coisas tão bem quanto os otro. Posso até lê.

. Bom, entra aí pro grupo dos Cegos Ledores.

3

. Moço, me ajuda.

? O que é.

. Preciso ganhá dinheiro. Fais vinte e oito dias que ando a pé pra chegá aqui.

? E daí. ? Qual é teu número.

. Num tenho pé, nem perna, mas corro. Posso ganhá de quarqué corredô bom que o senhor tivé, só cos meus pulinho.

? Donde você veio.

. Do sul.

4

. Você. ? O que faz.

. Leio.

. Qualquer um pode ler.

. Mas sou analfabeto.

? De onde veio.

. Norte.

5

? Você aqui mexicano.

? Me conoce.

. Lá do Santana. Você consertava rádios.

. Si, si. Ahhhh, amigo.

? O que quer.

. Trabajo.

? O que você faz.

. Puedo ficar hasta dos meses sin beber água.

6

? Vocês quatro, o que fazem.

. Não somos quatro, somos uma só.

? Vieram do leste.

. É.

. De lá tem muito grupo de quatro num. Entra aí. Tem uma fábrica de doces que patrocina vocês.

7

? Do sertão.

? Como sabe.

. Já vieram oito bolas rolantes de lá.

O homem tinha as plantas dos pés grudadas na cabeça. Seu corpo formava um círculo. Foi contratado.

. A Firestone patrocina o show. Construíram um caminhão e vocês serão as rodas.

. Obrigado, moço. Obrigado. Até que enfim arranjei um emprego e posso sustentar minha família, meus filhos.

? Você tem mulher.

. E sete filhos.

José teve uma ideia, nessa hora.

> ? QUAL SERIA A IDEIA DE JOSÉ.

Fila de quilômetros. José tinha dois bancos, ao lado de sua mesa. Um com fichas vazias, o outro com as fichas cheias. Duas secretárias vinham, apanhavam as que tinham um carimbo vermelho, levavam para a seleção de espetáculos. Gente de todos os estados. Gente da Argentina, Bolívia, Peru, Guatemala, Colômbia, Venezuela, Chile, Uruguai, Brasil.

No fim do dia, o sol amarelo bateu na saleta cheia de barro, tocos de cigarro, papéis, serragem e José sentiu a tontura. E viu uma tarde, na cidade, quando caminhava, quando a mulher de minissaia curtíssima e as pernas compridas passou, pernas brancas, redondas. Ele gelou. Num, num, ainda num é. A preta tinha passado hoje pela sua mesa. Com o seu cheiro de coisa mofada, cheiro de ervas – arruda – losna – hortelã – erva-cidreira. Aquela tarde tinha visto a verdade: aleijados, cegos, bocas tortas, doentes, caolhos, leprosos. Mas aquele era o povo por dentro e agora, diante dele, passava o povo por fora e ele não pudera ver por dentro. Só que agora, era o povo do país inteiro e de toda América Latíndia desfilando ali. Já estava se acostumando, falava portunhol, todo mundo entendia, era uma língua só.

```
A dentadura gigante continua a roer edifícios —
A polícia não investiga: disse que é problema dos
dentistas — Os dentistas dizem que é por causa da poluição
do ar, segundo informações de Mara — a cientista — que
continua a pesquisar sobre as estranhas aparições que vêm
surgindo no país inteiro.
```

. Não, meu amor, só depois de casar.

. Que besteira.

. Besteira nada. Não fica pondo a mão assim, não.

? Onde você achou isso.

. Em lugar nenhum, benzinho. De você, eu gosto. Se eu gosto de você, com você tem que ser diferente. Tem que ser, direitinho.

. Besteira, que besteira.

? Senão, o que você vai pensar de mim. Agora, vai ser direitinho. E se você gosta de mim, vai aceitar assim.

POR CAUSA DA TOALHINHA PARA O FILTRO

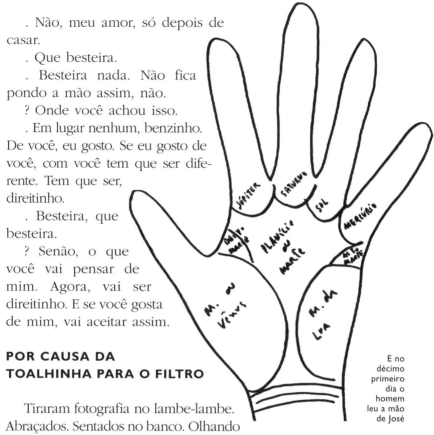

E no décimo primeiro dia o homem leu a mão de José

Tiraram fotografia no lambe-lambe. Abraçados. Sentados no banco. Olhando duro para a máquina. José beijando o rosto de Rosa. O lambe-lambe desolado: "Não tenho mais papel aqui. Mas amanhã está pronto. Pode buscar aqui ou lá em casa". Na casa, a mulher do lambe-lambe deu um envelope. Rosa nem olhou, ia para a costureira fazer o vestido de noiva. Depois passou na casa de uma amiga. Depois foi comprar entretelas, linhas, agulha de crochê / pretendia fazer toalhinhas para o filtro /. Quando chegou em casa ficou copiando receitas. Abriu a bolsa, viu o envelope. O homem tinha se enganado, o que havia lá eram fotos de um homem de cara chupada, vagamente parecido com José. Deixou dentro de um livro para reclamar quando fosse para aquele lado.

HORA OFICIAL

O arauto subiu no palanque: De hoje em diante, cartórios só registrarão crianças cujos nomes estejam de acordo com a lista for-

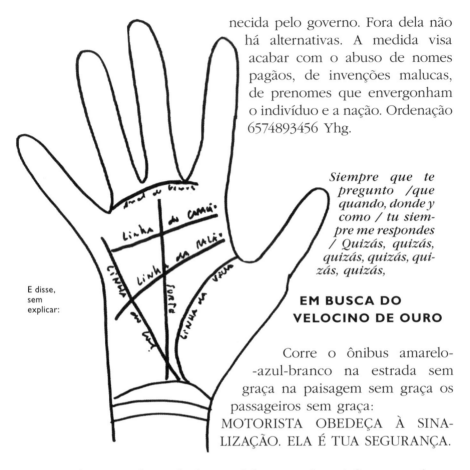

necida pelo governo. Fora dela não há alternativas. A medida visa acabar com o abuso de nomes pagãos, de invenções malucas, de prenomes que envergonham o indivíduo e a nação. Ordenação 6574893456 Yhg.

Siempre que te pregunto /que quando, donde y como / tu siempre me respondes / Quizás, quizás, quizás, quizás, quizás, quizás,

E disse, sem explicar:

EM BUSCA DO VELOCINO DE OURO

Corre o ônibus amarelo-azul-branco na estrada sem graça na paisagem sem graça os passageiros sem graça: MOTORISTA OBEDEÇA À SINALIZAÇÃO. ELA É TUA SEGURANÇA.

Nos domingos havia baile no clube e você José ficava em frente sentado nos bancos de granito vendo as meninas na janela do clube nos intervalos de dança e você não podia entrar e por isso você se lembra da cidade e das noites vazias de domingo e sente a bunda fria.

Não ultrapasse nas curvas e lombadas.

? Lembra-se José do décimo dia na barraca branca do Homem.

Rosa conversa com o sujeito do outro banco porque não gosta de viajar sem conversar e José não gosta de viajar conversando.[1] Ela trouxe vitrola portátil e colocou o disco de Connie Francis e um passageiro reclamou[2] ela emburrou e Rosa tem bóbis nos cabelos lenço cara lavada e uma sandália havaiana para maior comodidade.[3]

---

1 Para a boa vida conjugal, deve haver entendimento mútuo, dizia minha tia-avó.
2 A sua liberdade vai até onde começa a do outro.
3 Não soltam tiras, não têm cheiro.

Obedeça à sinalização e viaje tranquilo.[1]

José e Rosa estão viajando para o interior, para que José peça a mão de sua noiva. Segundo normas estabelecidas de nossa sociedade.

LIMITE DO MUNICÍPIO DE FILHODA EM FILHODA CONSULTE O SEU REVENDEDOR FORD AUTORIZADO O MELHOR RESTAURANTE DA REGIÃO: JECA TATU OFERECE O MELHOR VIRADO VOCÊ ESTÁ ENTRANDO EM FILHODA: O MUNICÍPIO MAIS PROGRESSISTA DO PAÍS SEIS **FILHODA CENTRO ▶** PRESIDENTES NASCERAM NESTA CIDADE AS MELHORES FACULDADES DE MEDICINA E DIREITO SEJA BEM-VINDO – SEJA UM DOS NOSSOS VOLKS 1.600 PONTO DE CHARRETES DA ESTAÇÃO VISITE A COLOSSAL QUERMESSE PRÓ-OBRAS DA IGREJA SANTO ANJO DO SENHOR

Na sala cadeiras de palhinha trançada porta-chapéus com espelhos o pai e a mãe sentados retratos dos avós que morreram de Rosa vestida de primeira-comunhão foto colorida à mão. Rosa de maiô, a faixa de Miss Armando Prestes. Cristo e Nossa Senhora entronizados.

O pai de paletó e gravata, a mãe no vestido de domingo.

O pai quis

nome completo, idade, profissão, salário, reserva bancária, posses (casa, carro, marca do carro, Volks 1600, Corcel, Galaxie, terrenos), sua família como é, de onde é, do que morreu sua mãe, fuma, bebe, a saúde, a política, deixaria minha filha tomar a pílula, pretendem ter filhos, estudou, participou de passeatas, o que acha do governo, do comunismo, é católico.

José disse a verdade.

José mentiu.

O velho abraçou José.

A mãe abençoou José e Rosa.

"Meu genro, logo vamos ter netinhos pela casa."

Os olhos da mãe, alegria. O pai: "os filhos são a alegria do lar".

Então, o pai explicou: somos daqui, moramos nesta cidade há 150 anos, quero dizer, a minha família está aqui há muitos e muitos anos, sou do Rotary, do Lions, da Associação Comercial, do Tênis, do Náutico, tenho casas alugadas,[2] organizamos festas de caridade.

---

1   Frase de Rosa para José, no ônibus: "Querido, era bom ter sinalização na vida da gente. Era mais fácil e sossegado. Era só seguir."

2   A realidade da família de Rosa é outra. O pai morreu há muitos anos e a viúva se mudou e se casou com um turco-italiano ateu dono de um bar. A cidade cresceu para o lado do bar, ali se tornou bairro classe média, o bar virou restaurante frequentado. O turco-italiano comprou duas lojas de tecidos, abriu uma Kibelanche, ganhou a concessão de hambúrgueres no colégio / onde explorava os estudantes /, conseguiu ser admitido no Tênis. Depois disso, ele se tornou católico, respeitado e com crédito na praça.

ME TELEFONE, BENZINHO

A cidade cheira a sexo. No ar, nas paredes, nas pessoas. Sei disso. Não sei como, mas sei. Rosa me disse que tenho a sensilibidade estranha, descobridora, premonitória. Sensibilidade. Sensibilidade que avança para dentro das coisas. E também para o futuro.

À noite, principalmente, o sexo está no ar, acima das casas, das pedras ainda quentes, nos grupos que conversam nas calçadas, que andam na rua. Talvez. Ele está ali, grudado nas meninas de minissaias, de pantalonas, nos corpos cheirando Gessy, Lux, Palmolive, Phebo, Eucalol, OK, Carnaval, corpos soltos dentro dos vestidos de verão. Elas passam pelos rapazes e querem e os rapazes também querem e se estabelece uma corrente e as meninas ficam arrepiadas de pensar atrás do grupo, do cemitério, nas salas de jogo do Tênis, nos atalhos em volta da cidade, nas beiras de estradas. Pegando e se deixando pegar. E os rapazes excitados apertam os aceleradores e os Volks roncam e os que não têm carro colocam as mãos nos bolsos.

Faz dias que estou aqui e não faço mais nada senão olhar, sentir, cheirar o sexo, o perfume, o suor, a terra quente. Observar o jogo de todas as noites, o nervosismo, a ânsia de contato o pega, o desejo aumentando, os gemidos que circundam a cidade, cidade rodeada de trepadas histéricas, as meninas se enterrando nos paus dos rapazes, enquanto suas (felizes) mães veem televisão, novelas, vão à reza e sonham com o futuro, casinhas, carros, netos, igreja aos domingos. Minha filha com o filho do doutor / grande médico / minha filha com o filho do engenheiro / grande engenheiro /. E elas, as filhas, fodem no mato, nos carros, de pé nos muros. Mordem — se mordem — gemem — gritam e se arrojam ao chão.

Nas noites quentes, desta cidade

Ruas planas, quadradas, árvores, igreja feíssima em construção, hotel em construção, clube branco no meio da praça, rodoviária de concreto aparente, ao lado do mercado, torre alta, branca, feia, com um relógio quadrado, estação ferroviária velha, ônibus elétricos silenciosos, comércio, parado, vazio, caixeiros tristes, lojas acabadas, vestígios de cidade decadente, como os rostos das pessoas que passam, se cumprimentam, cidade que viveu da lavoura e hoje não é nada, não tem indústrias, não entendeu a industrialização.

? Bancos, bancos, bancos, um atrás do outro, são dezenas e dezenas, de onde virá tanto dinheiro.

? A senhora viu. Aquele moço andava escrevendo pra minha filha. Telefonei pra ele, e mandei parar. Pedi, educadamente: o senhor faça o favor de parar de escrever, pra ela. A menina é nova, ele escrevia coisas, esquisitas. Coisas, ruins. Dizia que não era muito importante se casar. Isso, era só, uma das coisas. A menina estava gostando. Parei, parei com isso. ? Afinal as mães foram feitas, pra quê. Pra dar felicidade, às filhas. Telefonei e disse: o senhor faça o favor de não escrever mais, pra minha filha. Olha, esses moços que se dizem inteligentes e desenvolvidos são, uns cagões. Ele parou. Na hora. Tem cabimento. A gente, quieta na terra da gente, e esses depravados colocando besteiras nas cabeças, de nossas filhas. Querer que ela fosse embora, daqui, um dia. Ora essa, minha filha, tem quinze anos, namora um rapaz ótimo, filho do diretor da faculdade, vai se casar bem, vai ser, feliz. E, de vez em quando ela escreve umas coisas. Um dia, disse que ia escrever. Mas eu acabo logo, com essa bobagem, estou vigiando bem, pra felicidade, dela.

A mulher com a mãe de Rosa. Devia ter sido bonita quando moça, mas como todas as mulheres desta cidade, não sei por que, se o ar seco, se o sol, se esse ficar parado, na espera do nada que vai acontecer amanhã, ela tinha a pele repuxada, tensa, expectatosa. Os olhos brilhavam e era um brilho de maldade. Ela, para mim, era não somente ela, mas todo o povo, cheio de hábitos, odiando ser incomodado, perturbado, não querendo que nada mudasse. Eu não conhecia esta mulher, mas sabia que ela tinha feito alguma coisa reuim contra sua filha e contra o moço que escrevia. Ela tinha jeito de espalhar infelicidade[1] e procurar fazer sempre um prejuízo à sua volta, contente com isso. Ela se foi, a mãe de Rosa virou:

. Essa aí. Tão boa gente. É dessa família que mora em cima do posto. Você sempre passa em frente. Engraçado. Não que eu queira falar mal da vida alheia. ? Mas sabe o que aconteceu. Ela não se lembra mais que não pôde se casar de véu e grinalda. Estava esperando.

Deixei ela falando, eu quero é ir embora, Rosa não deixa, vamos ficar mais um pouco, meu pai está gostando de você.

José passou a tarde na Biblioteca Municipal, cheia de livros com lombadas vermelhas. Estudantes copiavam de uma enciclopédia. Havia

---

1   Uma cantora, certa noite, dedicou a música *Maria, Maria*, dizendo: "Mais uma história para o ócio dos que falam do amor das pessoas como um terrível vício. A minha contribuição para quem, com a infelicidade alheia, compensa a própria infelicidade".

três bibliotecárias, ele ficou olhando a que chegara quando ele entrou. Ela desceu de um Interlagos e tinha um óculos enorme, de lentes azuis. Era cheia de corpo / de vez em quando, ela subia as escadas, José via suas pernas redondas /, pequena e por causa disso ele passou a tarde toda, excitado, sem desgrudar da cadeira, sem olhar para o Jack London que tinha nas mãos.

? Você já leu algum livro do Scott Fitzgerald.

. Já.

? Tem aqui.

. Não nenhum, disse a moreninha que descera do Interlagos.

A pele do rosto dela era um pouco machucada. José queria ficar ali, quem sabe um dia saísse com a moreninha. Chamava-se Sílvia.

JOSÉ RECEBE UM TELEFONEMA

Quatro da tarde, árvores imóveis, casas fechadas, uma torneira aberta, uma mulher cantando, uma buzina, uma tosse, um galo. O telefone tocou.

? É o noivo da Rosa.

. É.

. Escuta, tem umas coisas que você precisa saber. ? Quer.

. Depende.

? Depende do quê.

. Não sei. ? Quem fala, quem é, o que você quer, me conhece.

. Sou teu amigo. Escuta, pergunta uma coisa pra Rosa. Pergunta se ela conhece a cabaninha perto dos Britos. Ou a curva do Bezerro, no caminho de Matão. Pergunta para ela do sítio do Alberto. Ou da privada do jardim público, à meia-noite... Alô, alô.

. Fala.

. Pergunta da tourada na casa do Betinho. Ou dos dois turcos bicha que iam dançar com ela, pelados no asfalto. Vê se ela sabe alguma coisa dos stripteases no stand de tiro de guerra. Alô, alô, alô...

. Pode falar.

? Por que você não desliga.

. Quero ouvir.

. Pergunta se ela se lembra, quando o esgoto do Tênis entupiu. Estava cheio de camisinha. Foi o festival da foda. Eram quarenta homens e quatro mulheres. Ela, a mulher do bicheiro, a mulher do dono da livraria, a mulher de cima do posto.

86 ZERO

. Manda.

. Vê se ela se lembra do porão do Colégio, quando estudava lá e as meninas todas ficavam lendo livros, de sacanagem. Vê se ela lembra, como gostava de beijar na boca as outras meninas.

. Vou perguntar.

. Seu corno de bosta. Você precisa é levar umas porradas.

? Por que você não tenta.

. Ei, aqui é a Olguinha. A Rosa me conhece. Dos camarim do Municipal. No tempo da escola de balê. Agora, derrubaro o teatro por causa de uma negociata e o senhor não conhece o casarão sinistro. A gente entrava por baixo, ia prum camarim, ficava lá puxando maconha e pegando no pinto dos rapaz. Depois, a Rosa dava pra todo mundo na frente de todo mundo. Ela adorava essa farrinha e quanto maior o pinto, mais gritava. Um dia — ? quer saber, quer mesmo — fizemos um espetáculo, de madrugada. Encheu o teatro. Os homens sairo das camas de madrugada e foram pra lá, pagaram uma nota. Puta show, seu corno de merda. Que puta show. Teve tudo. Desafio de palavrão entre as meninas, foda, striptease, mijada, cagada, chupada, enrabada, punheta. O teatro ficô cheirando a porra. Logo depois, teve lá um encontro das Cruzadas Eucarística e o que eles achavam que era chero de mofo, era de porra. Porra de quinhentos homens. Sabe. ? Sabe o que mais. ? Sabe que quase dez homens descobriram as filhas deles, lá. ? Sabe que estourô o maior escândalo do mundo nos 150 anos desta cidade. Uma foda, o bafafá que deu. Falaram tanto, falaram mais do que quando lincharam os homens.

? Lincharam.

. Faz tempo. Nego, o povo daqui é foda. Não brinca com a gente não.

. Não brinco.

. Cornuto / A voz tinha mudado /. Oi, toda noite a gente pulava o muro do clube e ia nadá pelado na piscina. Uma noite, a Rosa tirou toda a roupa e atravessô o jardim inteirinha pelada.

? Corninho, sabe que ela só ia no balcão do cinema sentá nos colo dos moços.

? Ou, sabe que ela nunca usou calça.

? E daí.

? Vai se casá com ela.

. Vou

. Viado. Corno. Bicha. Vai embora desta cidade, vai.

JOSÉ CONTA PARA ROSA O TELEFONEMA

? E agora.
? Agora o quê.
? Vai brigar comigo. É tudo verdade.
? Não muda nada.[1]

JOSÉ COMPREENDE

Eles me pararam antes de chegar à esquina, debaixo de uma árvore copada, no escuro, perto da Funerária.

Desceram de quatro Volks e me cercaram. Meninos ainda, nenhum de vinte anos, eu bem que podia apostar.

Me encostei no muro, eles ficaram à minha volta e nervosos. Olharam, uns para os outros.

Olharam para a rua vazia. Um deles se adiantou. Desconfiado.

? Você é a bicha, hein.
? Que bicha.
? A que vai se casá com a Rosa.
. Vou me casar, mas não sou bicha.
. Nego, nós te contamos tudo. Só uma bicha não ia ligar.
? E, se eu não acreditei.
. Não acreditou. Turma, ele não acreditou em nós. Eu, o filho do juiz, aquele ali, o sobrinho do prefeito. E o outro, o filho do promotor. O baixinho ali, o pai dele é delegado. O primo do calça Lee é o padre. A mãe daquele lá, é a presidente das Domadoras. E esse aí, o tortinho, é não sei o que do fundador desta bosta inteira. Turma, ele não sabe que a gente manda aqui.

(Porra, ainda tem disso. Parece filme americano, romance)

? Por que vocês se preocupam comigo.
. Não gostamos de você. Por isso.
. Você tem 24 horas para deixar a cidade.[2]
. Olha, você pode mandar nesses bostinhas dos teus amigos, em mim não.[3]
. Mando em tudo. Eu e eles, nós fazemos o que nós queremos. Pra se divertir. Você é a nossa diversão.[4]

---

1   ? Que explicação pode ser dada: beleza de alma, neurose, tara ou desvio sexual, desvio sexual.
2   Como dizem os xerifes em far-west. Ou os bandidos de Al Capone ao mocinho.
3   Reposta típica do mocinho.
4   A vida no interior é monótona, pobre em divertimentos. Tem o cinema, a televisão, algumas festinhas, o clube aos domingos.

. Vamos fazer como fizemos com aqueles comunistinhas da faculdade.

? Sabe o que fizemos.

. Batemos em todos. Um deles, um negrinho baixote, andava pregando reforma agrária. E nós fizemos uma reforma agrária nele. Pegamos ele e levamos pra fazenda do Diabo Loiro.[1]

. Era de noite. Amarramos ele no chão do pomar, perto das laranjeiras. Passamos ketchup no corpo inteiro dele e esperamos. De manhã, estava cheio de saúvas comendo ele, aaaaaaaaahhhhh, aha, ah, h, h, aha.[2]

. Ah, ah, ah, ah, ah, aaaaaaaaaaaa

. Aha, aha, hahahahaaaaahahahaha

. Oh, ooooooooooo, oh, ohoho, hohoohoooi

. Iuiuiuiuiuiuuuuuuuuuu, uhuhii

Riam, enchendo a rua. Sem fechar os olhos, me desliguei, segundo os ensinamentos do Homem no segundo dia, e pensei: se eles me baterem não vou sentir dor. Era a primeira vez que tentaria a prova, sabia que teria força para vencer. Eu precisava unir os ensinamentos do segundo e do nono dia e aquela turma podia fazer o que quisesse. Era a oportunidade de me experimentar.

Então, mandei pontapé no saco do Diabo Loiro, com o bico do sapato. Eles pularam, me seguraram, me deram socos, pontapés, me amassaram a cara, o peito, eu tentava segurar as pernas, dar socos, caí ao chão, rolei, rolaram em cima de mim, eles me soltavam, eu tentava levantar, eles me agarravam de novo, sua bicha louca, o que está pensando, vai embora da nossa cidade, vai na marra, e havia um amarelão imenso no céu, uma amarelo ovo, ? mas como se ainda era uma da madrugada, havia um amarelo dentro da minha boca.

Eu odiava estes sujeitos, odiava o que eles eram, e eles não eram a cidade, eram o país, e eu odiava porque o ódio é o amor e é preciso odiar e não amar, é preciso romper e violentar o mundo, se a gente quiser começar de novo alguma coisa boa, melhor. Se é que existe coisa boa, melhor. Só sei que pior não pode haver. Eu me

---

1   O Diabo Loiro era moreno. Um grandão que tinha mania de só comer meninas loiras. Além disso, ele oxigenava os pelos de baixo dizendo que era sexy e as meninas loiras gostavam assim.
2   O negrinho era filho de um pastor protestante muito estimado na cidade (claro). Seus colegas de faculdade diziam que ele era o Negrinho do Pastor Velho.

deixava socar e não sentia nada, nada. Eu percebi então que estava preparado. Localizei o sujeito do soco inglês e quis partir para cima dele, mas não me deixavam, me batiam, batiam, sentaram na minha barriga.

> OS FILHODENSES ESPERAM
> QUE VOCÊ TENHA TIDO
> ESTADA AGRADÁVEL E DESEJAM
> SUA VOLTA BREVEMENTE
>
> Com. Munic. de Turismo

POLÍCIA ASSEGURA:
"Ninguém ficará em liberdade até o fim do século". ("É preciso", comentou o secretário da Segurança)

UMA ODISSEIA NO ESPAÇO

Carlos Lopes esperou uma hora. Quando um guichê se abriu:
. Meu filho está doente.
. É necessário provar que ele está doente.
? E o médico.
? O senhor contribui para o Instituto Nacional.
. Sou obrigado.
. Então, faz o seguinte: traz sua carteira, sua matrícula, seu registro na firma, o CPI, os avisos de pagamentos dos últimos seis meses, a identidade, fotografias 3 x 4 com data, título de eleitor provando que o senhor votou na última eleição,[1] ficha corrida na polícia, atestado de antecedentes, residência, declaração de boa conduta conjugal, certidão de casamento, de batismo, registro do filho, imposto do filho / *What's this thing called love* /, quitação do imposto de renda, quitação do serviço militar.

A EMIGRAÇÃO

. Mi nombre es José, soy colombiano.
. Eu também sou José.

---

1 Há vinte anos não havia eleições no país, o título de José era branco, guardado num plástico, com a bandeira desenhada na capa.

. Mucho gusto.
? O que você sabe fazer de diferente.
. Nada. Yo era lavrador.
? Como posso te dar emprego.
. No lo se.
José, o colombiano, saiu sem emprego.

LIÇÃO DE GEOGRAFIA (Elementar)

Colômbia: 1.283.400 km², café, algodão e cana-de-açúcar, trigo e milho, United Fruit, petróleo, moeda oficial: o peso.

ADEUS, ADEUS

Acaba de embarcar, de mudança para a University of Michigan, o cientista Carlos Correia, a maior autoridade do país em comunicações eletrônicas. Ganhando aqui um salário pouco acima do mínimo e sem condições de pesquisa, o sr. Carlos Correia preferiu se retirar por uns tempos até que a situação melhore.

LIVRE ASSOCIAÇÃO

Cine odeon, paratodos, robinhood com errol flynn, perfume canoe (dana), balas de hortelã, pegar nos peitos das meninas, tim holt, hopalong cassidy, bill elliot, roy rogers, ken maynard, zorro, bang--bang, clelia.

pam, tapam, rataplam, crééééééééééééééééééé, puuuuuuuuuu-uuu(peido) when begin the beguine, bandera rossa, pim, pim, pim, pim, pim, clap, clap, clop

VIVER COMO LOUCO

José e os amigos dele: (reflexões)

(antes, PENSAMENTO DO DIA: Ruim com ela, pior sem ela)

José:
(Eu queria viver, louco irremediável, sem ligar para a minha vida, viver sem parar, morrer de tanto viver,[1] não levar essa vida que levo,

---

1   Frase feita.

deslizando, sem fazer nada, sem saber o que sonhei um dia, se sonhei, nem sei o que quero)

José bêbado.[1]

Proclamação do Governo 1:

> *POVO! CUIDADO COM OS COMUNS!*
> *ACABA DE SER DESCOBERTA UMA NOVA SEITA TERRORISTA:*
>
> *OS COMUNS.*
>
> *PROCURAM CONFUNDIR O POVO, PERTURBAR A ORDEM PÚBLICA,*
> *DERRUBAR O GOVERNO, ESPALHAR A ANARQUIA.*
> *SE UM COMUM SE APROXIMAR DE VOCÊ: DENUNCIE-O*

O Correio entregou o folheto, em cada casa. Cada jornal, revista, fascículo, livro, trazia uma proclamação oficial dentro. Todos os dias, na Hora Oficial, o Governo fazia um aviso.

De repente, os Comuns faziam parte da vida da população.

(Lenda) Seriam comandados por um guerrilheiro magro, barbudo, que fumava charuto. Era chamado Gê, pelo seu provo: O nome verdadeiro era Geraldo. Seu pai tinha sido carpinteiro, ele se formara em medicina e depois largara tudo.

AS AMÉRICAS UNIDAS, UNIDAS VENCERÃO

Civis e militares de todos os países americanos reuniram-se em Genebra com os europeus fundando a LIVREG (Liga Internacional de Verificação e Repressão à Guerrilha). Decidiu-se que é necessário este esforço aliado para combater as guerrilhas que se organizam nos campos da América Latíndia e nas cidades da América do Norte e em alguns países europeus (há um início de movimento na Espanha; na Grécia é forte; na Iugoslávia e Tchecoslováquia também). A LIVREG será uma organização paramilitar, a qual está subordinada à LIVRE (Liga Internacional de Verificação e Repressão aos Estudantes) cuja ação maior será nos Estados Unidos, França, Itália, Polônia, Hungria, Brasil e em nosso país.

---

1   José não toma atitude, porque não quer. O mal dele é não se definir, é de se deixar atravessar, é não gritar. Tenho raiva de José.

LIVRE ASSOCIAÇÃO

Depois do jantar, na sala aquela gente conversava, a gente toda que já morreu, tios tias padres que frequentavam a casa primos grandes a mãe. Criança não ouve conversa de gente grande. Criança deve brincar lá fora. Ficou no quartinho de despejo antes do banheiro e viu a prima vir correndo, correndo, o quartinho estava na penumbra, ela cresceu na luz. Ele ficou de boca aberta sem respiração.

O DESMAIO

. Caiu duro, desmaiado.

. Cansaço, só pode ser cansaço. A gente dá um duro danado nesta merda.

. Que cansaço, ontem o Zé folgou.

. Eu estou achando o Zé muito nervoso.

. Domingo, explodiu com um sujeito que procurava emprego.

. Não entendo. Ele é tão bonzinho tão quieto. Todo mundo gosta dele.

? Chamaram o médico.

? Pra quê. É só um desmaio.

. Mas é o segundo este mês.

. É o cansaço só isso. Ele precisa de férias. Precisa se casar. Ficou muito nervoso depois que arranjou aquela noiva.

No dia seguinte, José continuava desmaiado. Levaram ao hospital das clínicas. Internado. Colocaram balão de oxigênio. Voltou a si depois de três dias. São. Levantou-se da cama, despediu-se das enfermeiras. Voltou à sua mesa de seleção.

Havia um branco na cabeça. De tempos em tempos, José tinha a impressão de que estava relampagueando.

Havia uma grande paz, dentro dele. Tinha estado lá. Era uma desolação azulada.

Crac, crec, croc

Once upon a time, those were the days, taquetaiuqueg, frigndhtg, 67859, caracaracaracaracara, trunfosnsns, mulheres peladas, bosta, merda, bunda. José rolava na cama, sacudia os braços, repuxava as pernas, cantava para um auditório de milhares de pessoas, em inglês, autografava milhares de discos, recebia os discos de ouro, 1,2,3,4,5, 6,7,8,9, 23456789, 98765432, 543276789, e ouvia o som, de uma mijada, como se fosse uma cachoeira. E o som deixava José excitado, ele sentia o gozo vir, e ouvia a mijada cada vez mais alto, intoleravelmente, intoleravelmente excitado.

José deprimido. Pensa:

Eu disse a ela que não fazia mal, eu não acreditava naquilo que a molecada me disse. Mas eu acho que acredito e faz mal para mim. eu tenho raiva dessa besteira, fico pensando: é bobagem, Zé. Bobagem mesmo. Tem drama maior na vida. Não posso fazer nada, eu queria que fosse mentira. Também, não interessa, não gosto dela, não sei por que estou me casando. Só sei que tenho de me casar, me juntar com ela, ficar com essa gorda para sempre. Gosto de suas coxas, de sua cintura grossa, daquele peito duro. Depois, tem qualquer coisa que me faz ficar com Rosa. Tem sim. Ou não tem, estou fazendo bobagem, devia largar dela. Não largo, não tenho coragem.

IMITANDO A VIÚVA ESPIRITUAL DE VALENTINO

Ninguém apareceu para carregar o caixão do marginal. Polícia usou um carro para levá-lo ao cemitério. Contam que todas as noites alguém deposita uma rosa amarela em seu túmulo: o bandido da rosa amarela.

DELILAH

Um pouco do seu sangue, caricaraica, romances policiais lidos em cachoeira, ia para a casa da avó, a avó tinha comprado uma caneca verde de ágate, big, big, big, chovia só até o meio do quarteirão, do meio para o fim era sol bonito aaaaaaaaaa, ele corria do sol para a chuva / casamento de viúva /, da chuva para o sol / casamento de espanhol/, sai da chuva menino. Pum, pum, pum, pum, pum, pum, pum, pum, tá, tá, tá, tá, tá, você morreu, não brinca mais, você é grande José, grfthryu, grtsugfrdf, rerer, laguaraleri, A é 1, B é 2, C é 3, D é 4, bregtd, gregft, bregft rfegrt, a caneca verde existe até hoje, amassada, naquela noite saíram todos, foram assistir ao jangadeiro no teatro, fiquei no quarto da frente, esperando meu pai voltar, tom jones canta, my, my, my delilah, todo mundo dançava no clube, mas josé tinha a bunda fria, a mãe tinha a bunda fria.

A MESA PARA O EBÓ

A velha atropelada foi levada para a mesa de operações e os médicos descobriram que nada havia sido atingido por dentro.

Ela estava inteira, acordou no meio da cirurgia, sem sentir nenhuma dor e falou com eles, misturando as palavras e dizendo coisas que ninguém entendeu. Ela levantou-se e olhou a mesa e as luzes acima da mesa e olhou para os médicos surpresos.

A velha queria saber se também ela podia ter uma mesa branca e prática como aquela. Os médicos disseram que era só comprar. A preta disse que a mesa era boa para o ebó, porque tinha correias para prender a pessoa e a pessoa-paciente ficava muito confortável. E foi embora com as filhas, amassando na mão a rosa amarela que não largara um minuto. Uma rosa do túmulo do bandido: os médicos conheciam a história e não acreditavam.

DETERMINAÇÕES SAGRADAS

Cinco novas proibições:

1) Nenhum trabalhador poderá fazer hora-extra, para não sobrecarregar a empresa.
2) Nenhum órgão da imprensa poderá estampar mulheres nuas ou seminuas.

3) Ninguém poderá usar as cores do pavilhão nacional[1] em vestidos, casas, autos e demais.
4) Ninguém poderá, em público, pegar na mão das mulheres, sejam namoradas, noivas ou esposas. Beijos, abraços e demais manifestações serão punidas com cadeia de 6 a 12 meses.
5) Ninguém poderá usar tipo mocassim. O calçado oficial terá amarrilhos e as cores permitidas são o marrom e o preto.

Com estas sobem a 114 as proibições oficiais: de grão em grão a galinha enche o papo.

TURISMO CONJUGAL

. Assim que me casar, deixo o emprego.

. Não deixa, não. É sempre um dinheirinho a mais.

? Mas, mulher casada em emprego.

? O que tem.

. Não é direito, não é, não.

. Rosa, olha aqui. Bobagem é a gente perder esse ordenado seu. Eu não ganho tanto assim.

---

1   É a bandeira.

. Pois devia ganhar. Se quer se casar.

Fazia três dias que José mostrava o Boqueirão[1] para Rosa. Ela tinha ouvido falar, como todo mundo na cidade e no país, mas nunca se arriscara ir sozinha.[2] Naquela altura, o governo tinha resolvido dar apoio oficial, construindo pavilhões, pintando casas, fazendo cartazes[3] anunciado pela televisão, encomendando curta-metragens publicitários para os cinemas.[4] O Boqueirão se organizava, abandonava o caos do início, a sujeira das ruas era limpa diariamente, previam-se desapropriações para o seu aumento. Ele ocupava uma área enorme do centro da cidade e era / ainda / um lugar que as famílias evitavam.[5]

Rosa corria, vendo o bezerro de sete cabeças, a mula de ouro, o automóvel com pés de homem, a tartaruga que expelia fogo pela boca, o dinossauro,[6] o esqueleto do pirata, a mulher mais pobre da terra,[7] a mulher mais rica do mundo,[8] as pinturas falantes, a mula de asas brancas,[9] o jogo de basquete dos homens sem braço, o garoto que tinha uma faca no lugar do pinto, os feijões marchadores, as pulgas amestradas, a corrida de paraplégicos.

Pararam diante do Pavilhão da Bienal. Do mundo inteiro viriam as maiores deformações da natureza, as aberrações humanas, as curiosidades zoológicas, as doenças mais estranhas. O país possuía oito andares e era a maior representação. De todas as partes havia inscrições e começara uma briga política. Corcundas de olho só acusavam o governo de proteger os Sem-Bunda, apenas porque o governo considerava que a representação dos corcundas era subversiva. Algumas das maiores aberrações estavam se recusando a comparecer e isto poderia tirar o prestígio da Bienal.

José e Rosa subiram.

. Quero te mostrar uma sala. Tremenda.

---

1   Como havia a Boca do Lixo (baixo meretrício) e a Boca do Luxo (alto meretrício), o povo apelidara o bairro de Boqueirão. O apelido ficou, pegou, o nome oficializou.
2   Essa Rosa me dá vontade de bater.
3   Welcome, Bienvenu, Bienvenido.
4   Fez a fortuna dos aventureiros dos jornais noticiosos.
5   Evidente, as famílias evitam tudo.
6   Acharam um, vivo, na região mais primitiva do país. Estava dentro da cabeça de um padre, num ovo. Quebrado o ovo, o dinossauro cresceu imediatamente e ficou enorme. Calcula-se que haja outros, porque há muitos padres na região, catequizando índios, ensinando civilização, pecado, moral, levando roupas, alimentos e remédios e organizando a Tradicional Família Indígena.
7   Era tão pobre, tão pobre, que não tinha casa, nem roupas, nem corpo, nem nada.
8   Ia ficando mais rica, exibindo-se ali e isto a deixava contente.
9   Quando olhei a terra ardendo, qual fogueira de São João.

. E eu queria falar no nosso casamento.

. Já está tudo certo.

? Quando vai ser.

? Andei pensando. Daí a uns dois meses.

? Dois meses, ainda.

. Eu ando ocupado, quase não tenho tempo. E pra me casar preciso resolver certas coisas.

. Precisa é arranjar casa, mobília, roupas, tratar dos papéis, comprar uns ternos pra você. Olha só, como você anda. Fica dois meses com essa calça Lee e essa camisa. Você precisa de alguém que cuide de você, benzinho.

Chegaram ao último andar, pronto, inteirinho branco. Entraram por um corredor dando para dois corredores. O corredor da direita formando um quadrado e saindo num corredor (? o mesmo). Uma porta, dando para uma sala com mais duas portas. Janelas altas, largas. Corredores em zigue-zague, mesas cobertas com lençóis brancos.

. Esquisito, não gosto desse lugar. Parece hospital. Tem até, o cheiro.

. Aqui vai ser o lugar mais importante da Bienal. As coisas mais célebres vão ficar aqui.

Rosa contava as saletas, todas iguais.

$$1+ 1 + 2 + 4 + 7 + 6 + 4 + 2 + 1 + 3 + 1 + 5=$$

somava na cabeça: ? quem consegue somar.

Andaram em linha reta, voltaram, ela não sabia se estavam voltando pelo mesmo lugar, se era um lugar diferente, vamos sair daqui benzinho, não tem nada para ver, vamos embora, quero ver o resto lá embaixo, mas José parecia hipnotizado, andando, um corredor dentro do outro, uma sala dentro do corredor, as mesas cobertas, tudo branco.

. Eu queria que você lesse o Scott Fitzgerald.

. Eu vou ler, meu bem, vou ler tudo que você quiser. Pra ser assim como você é.

. Sério, o cara é bacana.

. Vem embora.

? Não tá bom aqui. Olha que coisa calma.

? Calma. Isso é uma merda, se você quiser ficar, fica.

. Então, vai.

. Não sei sair.

? Aí é que está, o difícil é sair. Querer, a gente quer. ? Mas como.

O HOMEM RODA

José mandou chamar o homem que tinha o pé grudado na cabeça, formando uma roda.

. Tenho uma ideia. Um show só para você, sua mulher e os dois filhos maiores.

? Só nóis.

. É, só vocês no palco. Olha, mandei fabricar um caminhão de madeira leve, especial. Nos lugares das rodas, coloco vocês. E vocês dão uma volta pelo palco. Vai ser um sucessão.[1]

ROSA SE QUEIXA

. Meu bem isto não é emprego de gente. Eu me sinto mal, vindo nesse lugar. Você precisa de um emprego decente, de futuro. Onde possa fazer carreira e a gente tenha segurança.

. Ann.

. Sai por aí, procura alguma coisa boa, que ganhe bem. Isto tudo aqui é de gentinha, é uma coisa baixa.

? É.

. Meu bem, você não gosta de mim, mais. Sei.

Uma preta velha olhava os dois. José teve uma tontura ligeira, sentiu um clarão amarelo. (Conheço esta velha, não sei de onde.) Ele puxou Rosa. Deu um abraço. Ela começou a ficar excitada. Respirava forte e se esfregava. (Hoje consigo) José continuou a beijá-la. Rosa tinha os lábios meio grossos. Apertou seu peito. Um peito duro, caminhando para o mole. Ela respirou forte e disse: meu amor.

AS CORES OFICIAIS

Determinaram as cores. Por categorais sociais. Os ricos usariam vermelho, azul, rosa, lilás, bordô e todas as variações em torno. As variações seriam escolhidas pelo computador, de acordo com o impos-

---

1 Esta foi a ideia de José, meses atrás, quando viu o homem roda.

to de renda. Depois viriam os menos ricos, a classe média alta, a baixa, as classes mais baixas, surgindo o amarelo, o laranja, o abóbora, e todas as variações, e o azul, o verde, o marrom, terminando no preto que era a cor dos que não tinham nada, nada, nada. Além das casas, o decreto incluía também as roupas com modelos desenhados pelos especialistas e que variavam entre um uniforme militar e um terno Mao, em brim, para o verão, e em lã para o inverno. Havia apenas dois tipos de desenhos e nenhuma possibilidade de escolha.

ROSA NÃO SE QUEIXA

Um peito caminhando para o mole. Ela respirou forte e disse: meu amor. (Hoje consigo) José levou a mão dela para baixo. (Aquela moça da biblioteca devia ser gostosinha assim.) Ela não quis, puxou a mão. Levou de novo. Não faz assim, é feio, é cafajeste. Mas você quer. Eu quero mas não é direito. José desabotoou as calças e pôs tudo de fora. Ela saiu correndo. José aproveitou e urinou no muro, estava mesmo apertado.

Escoteiro do arrebol
tira a tampa do urinol
já caguei, já mijei
pode tampar outra vez

(Inscrição de privada)

A VOLTA DE CARLOS LOPES

Não esquecemos Carlos Lopes.
? Lembra-se.
O homem que levou seu filho ao Instituto. Aqui está ele de volta, mais sensacional que nunca. No último capítulo, o funcionário do Instituto tinha pedido uma lista de documentos e o Carlos Lopes foi providenciar.

Carlos Lopes, com a maleta de documentos, na mão, foi ao primeiro guichê, explicou seu caso.
. Vai ao guichê 7.
Carlos foi, explicou o caso.
. Isso é o guichê 12.

LIVRE ASSOCIAÇÃO

De madrugada no bar do clube depois do pré-carnavalesco cantavam já que a distância nos separou, um sucesso tirado do Mondo Cane e ele cochilava segurando a mão a namorada e depois foram embora para casa e ele não a beijou na despedida e foi

Carlos explicou.

. Não, é no 23.

Explicou.

. 32, é ali.

. Isso é com o 31.

. Estou fechando, fala amanhã.

Amanhã, é hoje.

. Não, aqui no 31, não. Dá um pulo ao 56. Pode ser lá.

. Eles têm mania de mandar tudo pra cá. Vai ao 2.

? Disseram que era aqui. Não, é o 13.

. É o 7.

. Já fui lá.

. Então, é o 12.

. Não, é o 14.

. 15.

. 67.

. No andar de cima veja o guichê 131.

. Não, é o 154.

. Desce, vai ao 43.

. Sobe, ao 108.

. 107.

. 103.

. Ah, sabia, vai ao 897.

. O pessoal de baixo anda louco, isso é caso para o 567.

765, não, sim 435, é mais em cima, desce, sobe, para a direita, 657, 6547, 23456, no andar de baixo, 789, ao lado, 987, sobre mais dois, 198786, desce quatro, procura o Artistides no 3728, aqui nunca, lá, lá nunca, aqui, 433, 555, 666, 888, 999, 665, o senhor já veio aqui três vezes, chega, quantas vezes é preciso explicar ao público as coisas, vá ao 198767898767656, ah, esse guichê está fechado, então vá ao 78654663425, ou ainda ao 657483954637, ou a qualquer um cujo final seja da série BG 56.

tomar o trem para voltar, sempre tomava o trem na madrugada até aquela madrugada em que ficou pensando: ? por quê.

REFLEXÃO

Rosa deprimida. pensa:

"Eu disse ao José que era verdade o que os meninos diziam na minha cidade. Mas isso era mentira minha. Naquela hora eu queria experimentar se ele gostava de mim. Dependia da resposta dele. José ficou quieto, e não fiquei sabendo se ele compreendia ou se não ligava para mim. Se ele não liga, pouco importa, porque o que eu quero é me casar com ele, estou cheia desta vida de solteira. Moça não pode ficar solteira, que fica boba, minha mãe tem toda razão."

AS SAGRADAS DETERMINAÇÕES

O Governo queria acabar com o Boqueirão: justificativa: o povo está se divertindo demais.

"É preciso que as pessoas fiquem em casa com as famílias, junto à mulher e os filhos."

Determinação Sagrada 345676590ºf

DESENVOLVIMENTO DO BOQUEIRÃO

Sentado à sua mesa, José seleciona candidatos ao Boqueirão. A fila traz o país de ponta a ponta e José anota, diz-sim-diz-não-diz-sim-diz-não. Encaminha, dominado por um torpor, cansado de ver aquela gente, cansado das histórias, vacinado contra elas.

? E o senhor.

. Quero me candidatar.

? Assim, bonito, limpo, sadio.

. Assim.

? Qual é a graça.

. Sou um homem normal.

. Tem milhares por aí.

. Engano seu. Tem pouco.

José mandou o homem para os exames médicos: sadio completamente, não tinha nem uma cárie. Mandou aos psiquiatras, psicanalistas e psicólogos: perfeito. Mandou levantar os antecedentes do homem: bom, honesto ficha corrida limpa.

. O senhor existe.

? Como é. Me dá emprego.

. Tá empregado.

INTERVALO INTERMISSION/ ENTREÂCTE

o cientista ligou a máquina do tempo

Numa cidade do interior, quinze anos mais tarde, homens de trinta e cinco anos se reúnem no clube, todas as noites e todas as noites lembram as coisas que fizeram na juventude.

Barrigudinhos, grisalhos, a pele começando a repuxar, em consequência do clima seco, do ar quente, do sol, do tédio, que faz com que todos se decomponham mais rápido.

. A gente tem que dizê uma coisa: o cara era corajoso, hein.
. Ficô lá, firme. E mandou brasa também. Filhodaputa, me deu um pontapé no saco.
. Dei, dei, dei pra valer. Naquela semana eu andava emputecido. Não me lembro o que era.
. Você vive emputecido até hoje.
. Dexa de sê bobo, foi a mulher de cima do posto. Aquela vaca que vivia vigiando a filha.
. Porra, é mesmo. Só agora eu ligo as coisas.
? Cadê aquela gente.
. Ficaram ricos paca, se mudaram.
? Mas, e o cara, turma. Gozado, aquele cara.
? Será que acreditou.
? E se acreditou.
. Se soubesse, coitado.
. Chutamos, paca, hein.
. Eu disse o que eu sabia.
. Sabia, nada.

. Sabia. O Pedrão me contou que tinha comido a menina.

. O Pedrão morreu de mentir.

. Eu só passei pra frente o que recebi. Não aumentei nem um pouquinho.

? Algum daqui tinha comido a menina.

. Eu não, mas sei dum cara que teve na suruba do teatro.

. Ah, vá à merda, vá. Essa suruba do teatro nunca teve, porra. Era uma lenda. Os dois irmãos é que inventaram. Eram dois turcos de merda, sacaninhas, um conquistador e o outro débil mental. O que aconteceu no teatro não foi suruba.

? O que foi então.

. Eu era pequeno, devia ter uns cinco anos, mas meu pai contou em casa na hora da janta. E meu pai não ia contar de suruba em casa. Foi um congresso político, ou uma merda qualquer de um partido, dos integralistas. Teve um cara que brigou com eles, saiu um pau lá dentro, bateram no cara e foram jogar ele no chafariz da matriz.

. Ah, isso eu sei. Isso é outra coisa, isso aí teve mesmo. A suruba foi de madrugada, ninguém soube. E a noiva do manquinho teve lá.

. Teve nada. Ninguém se lembra daquela menina.

. Era uma grossa, gorda, burra.

. E rica, velho. O portuga tinha uma nota.

. Era turco.

. Era italiano.

? Não foi aquele que comeu a mulher do prefeito e mijou em cima dela.

. Mijou em cima dela no dia em que ele descobriu. Era dois grosso.

? Será que o cara se casô com ela.

? Quem vai sabê.

? Será que ele contô pra ela.

. Ela sumiu. Nunca mais voltô aqui.

. Foi gozado, hein.

. Eu só gostava de sabê uma coisa. Sabê se era verdade o que o pessoal dizia dela.

. Quando ganhei o Volks zero, dei em cima dela. Ela trabalhava no Correio. Não topou. Também me disseram que estava gamada num jogador.

. Aquela noite, eu tava com a cara cheia de bola. Tava loco pra matá aquele cara. Matava fácil.

. Ah, ah, bela merda ia aprontá. A gente já tava entrutado com o negrinho do pastor velho.

? Deu alguma coisa. Não deu nada.

. Aquele cara era esquisito, a gente devia ter apagado ele.

. Vai à merda, porra! Eu, num queria matá ninguém. Nem quero. Queria só me diverti.

. Num qué matá, é. Quantos aborto tua mulher fez, conta quantos.

. Vá pra putaquetepariu.

Quien será la que me quiere a mi / quien será / quien será / quien será la que me de su amor / quien será / quien será

Numa cidade do interior, trinta e cinco anos mais tarde, homens de 70 anos se reúnem no clube, todas as noites e todas as noites lembram as coisas que fizeram.

? Tem alguma importância tudo isto.

100.000 PESSOAS JÁ VIRAM EM UMA SEMANA A MAIOR RARIDADE DA NATUREZA HUMANA: UM HOMEM NORMAL ENTREM PARA VER! ÚNICO DO MUNDO, CONSEGUIDO COM EXCLUSIVIDADE PELO BOQUEIRÃO NUMA MOSTRA DE QUE TUDO FAZEMOS PARA SERVIR NOSSA DISTINTA CLIENTELA.

As filas se estendiam, saíam do Boqueirão, como nos bons dias quando todos vinham ver o Canibal. Traziam banquetas, camas, almofadas, garrafas térmicas, sanduíches. Compravam fotografias, estatuetinhas, medalhas que tocavam no homem normal. Era um desfile como se fosse para beijar os pés do Senhor Morto, na Semana Santa.

UMA NOVA PAIXÃO DE ÁTILA

. Zé, genial Zé. Que garota.[1]

? Qual.

. Essa do Holiday On Ice. Roubei um cartazão essa madrugada. Olha só.

Era um outdoor de dez metros de comprimento por cinco de largura. Todo em pedaços.

. Passei duas horas montando o pedaço em que a menina aparece. Olha aí que bacaninha.

---

1 Frase de legenda de filme, mal traduzida. Ninguém diz: Que garota!

Uma loira de plumas na cabeça e com patins. Os braços levantados na posição de vedete.

? Mais uma gama, Átila.

. Linda, linda, minha americana linda. Campeã, ai campeã.

Rolava em cima do cartaz.

. Isso não é nada, Zé. Essa aqui também gosta de mim.

? Como.

. Quando gamei nela, vendo o cartaz, resolvi ir lá. Dei uma de repórter, procurei a menina, figuei batendo papo com meu inglês fajuto, you champion, beautiful talk about your life, neguinha, camam. Enrolei bem as palavras, ela riu, disse que eu falava inglês bom, melhor que o seu português. Veio o intérplete e entrevistei a moça, disse que a reportagem ia sair no dia da estreia. Voltei no dia seguinte, e no outro, e ela estreou, mandei uma rosa enfiada num cubo de gelo, com um cartão assim: To my queen of the patins. Zé, você ia gostar dela. Ela conhece o Scott Fitzgerald.

? Conhece.

. Eu levei ela pra jantar na primeira noite. Num tinha o que falar, perguntei: ? você conhece o Scott Fitzgerald. Ela disse que sim. Tinha lido tudo. Falou o nome dos livros, fui enrolando, ela contando. É vidrada no tal Scott.

. Dá um abração nela.

? Sabe, Zé. Tem uma coisa. Eu descobri uma coisa. Olha, eu gosto mais dela no cartaz. Muito mais. É mais bonita, mais boa, alegre, eu falo o que eu quero, em português mesmo. É genial, ela no cartaz, quietinha. Foi daquele jeito que eu me apaixonei, assim eu quero, que ela fique.

UMA ODISSEIA NO ESPAÇO

Carlos Lopes subiu escadas, tomou elevadores, andou pelos saguões cheios de bancos cheios de gente dos institutos, bateu em guichês, perguntou, pediu, correu. Em dois anos, se esqueceu de tudo, não voltou mais para casa, se esqueceu do trabalho, da vida, querendo salvar o filho nos braços. A roupa do corpo foi se esgarçando, a camisa se acabou, o sapato gastou, o terno estava fino, foi se rompendo. Mas Carlos Lopes era antes de tudo, um forte. Tinha esperança e sabia que iria encontrar o guichê certo.

. No 177.

. No 178.

. No 175.

. No 179.
. No 174.
. No 1774.
Se enganava com os números, voltava ao 174.
. No 177.
. O senhor esteve aqui faz cinco minutos. Vá ao 1111.
. Este é o 11111.
No 1111 mandavam ao 2222.
. Não, é o 3333.
Carlos Lopes prossegue. É um inabalável. Acredita na natureza humana, tem esperanças de um novo porvir. Sobe as escadas embalado por visões de triunfo. Quer o seu guichê, quer salvar o filho. E grita e o seu é um grito soberbo de fé. O guichê, o guichê há de se abrir, se abrir sobre ele, abra suas portinholas sobre nós! Das lutas na tempestade dá que eu ouça tua voz.

Numa madrugada, ao rubro lampejo da aurora, um homem nu subiu as escadas do instituto.

Na mão, levava um esqueletinho branco.
. Guichê 9.
? Está morto. Então é o guichê 7.
. Que mania de mandarem mortos para mim. Guichê 14.
Que neste instituto, eu ache irmãos, não tiranos hostis.
. 12.
. 1.
. 22.
. É aqui. Deixe-o ver.
Mas nas guerras, nos transes supremos eis de ver-nos lutar e vencer.
? Ver o menino.
. Não sua documentação.
A maleta cheia foi passada, o funcionário examinou.
. Tem um problema.
? Qual.
. O senhor não tem mais direito a nada.
? Por quê.
. O senhor abandonou o emprego, faz dois anos.
. Tinha que cuidar do menino.
? Mas o menino não está morto.
. Mas estava vivo.

LIVRE ASSOCIAÇÃO

eu te dei o disco do jorge e a gente se gostava mas você queria um rico e a sua vida bem arranjada você dizia vochê ? por que sumiu.

. O senhor matou.

. Não, é que demorou.

. O senhor matou. Matou seu filho.

Chamou os guardas e prendeu Carlos Lopes. Será julgado no dia 7 de dezembro e há poucas probabilidades de não pegar prisão perpétua.

LIVRE ASSOCIAÇÃO

Aquela grade e o padre atrás, Rosa sempre pensou nos padres como homens presos. Ela só ouvia aquela voz, que parecia vir do fundo, de algum lugar onde viam tudo que ela fazia / "Não, mãe, não vou, não gosto, não quero", mas ia, e não ia, fugia, ia para o largo, para os terrenos onde meninos empinavam pipas /

O padre: Não, não te absolvo.

(Estou pouco ligando.)

Não posso minha filha.

(Eu, estou ligando.)

É o grande pecado, a fornicação, só a mulher casada deve fazer, e para ter filhos.

(? E se minha mãe souber)

Por isso Deus entregou tais homens à imundície, pela concupiscências dos próprios corações, para desonrarem os seus corpos entre si.

(? E se souberem na escola)

? Acaso não sabeis que o vosso corpo é santuário do Espírito Santo.

Fugi da impureza.

Vai, volte purificada. Aí, terá a absolvição.

Conversa de táxi:

Meu bem, antes da gente se casar, quero que você faça o exame pré--nupcial. E faça também um curso de preparação com o padre Adamastor. É um curso muito bom que todos estão fazendo, todos os homens direitos e eu queria que você fosse lá. O casamento é uma coisa séria, a gente precisa levar a sério. Meu bem, promete que faz, promete.

ROSA DÁ UM PRESENTE

Prêmio Maior Líquido: 200 milhões. 01187.506º Extração. 9º. Vigésimo. O bilhete compõe-se de 20 vigésimos. Série B. Loteria

PANERO NA LINHA DE HERMAN KAHN

AMÉRICA DO SUL É UM FAR-WEST

Robert Panero, planificador do Hudson Institute, disse ontem na sua conferência, no Copacabana Palace, que dentro dos países da América do Sul existem três países distintos:

— O país A, ou área urbana (ocupa menos de 5 % da área), com cidades do século XX, e tôdas as tendências das cidades modernas: gósto de luxo, grandes edifícios, preços acima do mercado de Genebra e até psiquiatras.

— O país B, ou área rural (ocupa menos de 30 % da área), que está saindo do feudalismo e ainda vive em função do país A. Neste país, se uma criança quebra um braço, provàvelmente vai crescer com o braço defeituoso, porque

ninguém saberá os cuidados que ele precisa.

— O país C é um far-west, outro planêta. O herói da região é o pilôto que chega com os jornais. Panero defendeu ontem a tese de que, para que o Brasil possa assumir a liderança do Continente, é fundamental a construção de lagos e barragens no Amazonas. Ele acha, também, que um dos fatôres que impedem o melhor desenvolvimento da América Latina é a moral antiga.

— Tudo fica como está. As coisas mudam, a América Latina não. E o regionalismo entra como um fator depreciativo. Na verdade, os países são desconhecidos até de seus didadãos, porque o turismo interno não existe.

Páginas 13, 14 e 15

Federal Concorrem 2 séries, A e B, de 50.000 bilhetes cada uma, ambas do mesmo plano e decidir-se-ão por um único sorteio no mesmo dia. Não serão pagos os bilhetes premiados que se apresentarem defeituosos ou rasgados. Os prêmios prescrevem 3 meses após a extração, Decreto-Lei nº 204.27.[1]

---

1 Rosa disse: "Eu não tenho dinheiro para te dar um presente. Te dou um bilhete de loteria, se você tiver sorte, ganha, é o meu presente, um monte de dinheiro pra você. Se não, vale a lembrança". O que acontece é que José não tendo arranjado emprego voltou ao Boqueirão, onde Átila e o novo companheiro deles, o Herói, continuavam firmes. Uma tarde, José se casou sem avisar ninguém, nem mesmo nós. Deu na telha, estava com medo, mas pensou é agora ou nunca. Achou que gostava de Rosa, meio sim, meio não, mas queria ver o que dava. Faz um dia que José estava casado.

QUEM QUER, PODE

O secretário da Segurança foi à televisão e pediu a colaboração do povo diante da onda de assaltos. "É preciso reagir, não ficar passivo, guardar a fisionomia dos bandidos, denunciar, ajudar a polícia a conter a onda de assaltos, prostituição, contrabando, tráfico de entorpecentes. Vamos fazer de cada cidadão um policial."

QUEM É QUE ENTENDE?

Vocês se lembram daquele vaivém de Rosa a respeito das histórias de Filhoda, a cidade dela? Eu não quis contar lá atrás, mas é preciso esclarecer que José ficou em dúvida. Não sabe se é verdade, se é mentira. Se for verdade, ele não sabe se deve brigar com Rosa, ou aceitar. Se é mentira ? Por que ela disse que era verdade. José ficou com a dúvida, mas acha uma coisa estimulante não conhecer as pessoas.

A LUA DE MEL É UMA COISA MARAVILHOSA

> Existe
> na cidade de Filhoda
> uma antiga crença
> de que o marido,
> se gosta muito da mulher,
> consegue vê-la
> transparente
> na primeira noite.

José toca em Rosa, ela quer, gosta e se retrai. Do mesmo modo que o Homem tinha visto José por dentro, ele também vê Rosa. Coração, estômago, pulmão, intestino, glândulas, suprarrenal, bexiga, mesentéricos. Rosa nua, José se excita. José nu, Rosa se excitando.

Eles se juntam, se colam. Ela pensa: agora, posso. Agora, ele é meu marido. Antes, era ruim. Muito ruim. Mas, eu não devo gozar. Mulher, não deve.

. Benzinho, vamos fazer gostoso. Eu quero que você goze, gostoso.

Rosa se cala, sabe que não deve. Quem deve é o marido, o homem, o senhor, o amo, o mestre.[1] Ela deve ser dele, para que ele use e a abuse.

---

1 Todo o primitivismo da mulher latindioamericana condicionada por tradições religiosas morais, sociais e políticas, conservadorismo, puritanismo.

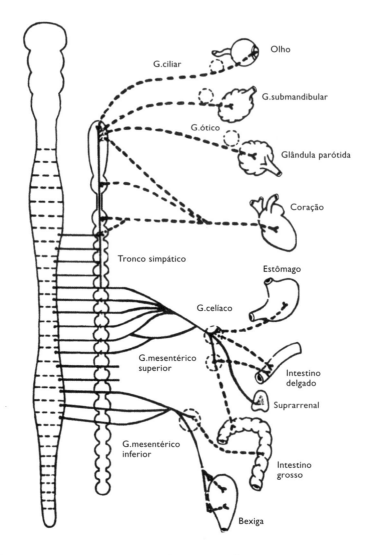

. Bem gostoso, meu amor, só eu e você.

E Rosa pensa: (eu já fiz muito, gozei um dia, estava errada, devia ser do meu marido, por isso sequei, agora José é meu marido e quer que eu seja dele.[1] Ele pode me usar, estou aqui para isso).

. Que pele gostosa, macia.

Mãos nas coxas, José louco de vontade, sentindo camadinhas de

---

[1] Ela foi se confessar e o padre não deu a absolvição. ? POR QUÊ ? O QUE ESTARIA ROSA ESCONDENDO ? SERIA VERDADE A HISTÓRIA DO INTERIOR?

celutite, pele: o sistema: epiderme: epitélio estratificado (espessura variável), nutrida pela linfa: a derme, tecido conetivo, estruturas, pelos, folículos, pilosos, tubo piloso, glândulas sebáceas, saco, gordura, glândulas sudoríparas, glomérulo, poro, suor, unhas, epitélio, córnea, partes constituintes, raiz, corpo, matriz.

A pela acariciada, Rosa tremendo, começando a querer, tentando evitar o querer, o desejo, tesão violenta que descia para baixo e o cacete de José ali à porta, duro, querer ser fodida, chupar (Mas eu não posso nunca, não é coisa de mulher casada).

José chupa o seio, Rosa geme, gosta que José chupe mais, tudo, a língua veloz no rabo, cor-de-rosa, a pele aveludada, pelinhos pretos e vermelhinho no meio, José louco para dar uma enrabada.

Rosa se retrai, ela avança e recua, participa e para, se abre e se fecha, como um guerilheiro que ataca e recua, se mostra e se esconde. Jogaram os lençóis no chão, José urra, grita, geme, morde.

(Eu queria beijar o pau dele, queria.)

SISTEMA GENITAL FEMININO

Órgão externo ou vulva
Monte de Vênus — Grande e pequeno lábios: fúrcula e mucosa — clitóris
Vestíbulo vaginal: meato urinário e orifício vaginal
Órgãos internos ou reprodutores
Vagina: mucosa, hímen, glândula de Bartholin — substância viscosa
Útero: forma triangular, localizado na cavidade pélvica
Ligamentos
Ovários
Fodê, fodê, fodê, puta que o pariu, tesão do caralho, enfiar na tua, melada
(Diz, meu bem, diz besteira, fala assim, fala, homem pode falar o que quiser, eu também queria, pooooorra)
"o marido conceda à esposa o que lhe é devido"
Rosa avançou a mão, e recuou. Dez vezes avançou, e dez vezes recuou. Lá embaixo estava o pinto. Grande, vermelho, cabeça lisa, orifício úmido no alto. A mão parava, ela acariciava a barriga de José e voltava, agarrava suas orelhas, gemia, ouvia seu próprio gemido e parava, não devia, enquanto José era um festival de movimentação, corria como um cavalo e em pista pesada, o suor escorrendo, o corpo quente.

A língua de José trabalhava, ele sentia que Rosa precisava, queria, pedia, ela se molhava, "o muco encontrado na luz da vagina é proveniente das glândulas da cérvix uterina. O epitélio da mucosa é estratificado plano, podendo suas células superficiais apresentar certa quantidade de queratina".

(? Mas, por que ela não colabora)

A cabeça enterrada nas pernas dela, lugar de cheiro forte, as coxas apertando suas orelhas, boceta carnuda, Rosa gemendo, assim eu gosto, assim, faz bastante, faz, faaaaaaaazzz, e eu não devo falar, isso não é coisa pra se fazer com o marido com quem a gente se casou. José saindo do vale (Como é verde-preto-vermelho-moreno o meu vale com o regato de porra escorrendo no meio) e ali colocando o pau, duro, e Rosa engolindo tudo com o agitar da bunda e José indo e voltando, dando cotucãozinho, um pau escavador, abrindo, como o homem abre o poço em busca de água, e Rosa vendo fogo sobre sua cabeça, o fogo amarelo que consome os dedos dos pés, sobe pela perna, e ela presta atenção no fogo, esquece o gozo, e o gozo tinha começado violento, e passara, ela percebia apenas a escavação no seu vale, nem prazer, nem dor, nada.

> *A ereção não é um simples acontecimento local ao nível do órgão sexual mas sim um processo extremamente complicado em que tomam parte diversas glândulas e os sistemas nervoso e venoso. A primeira condição indispensável à ereção é a erotização do córtex cerebral pelo hormônio sexual fabricado pela glândula sexual. No processo da ereção têm grande importância os nervos eretores que vão do centro eretor aos órgãos sexuais e terminam nas veias, especialmente nas veias dos corpos cavernosos.[1]*

Normalmente tais veias são estreitas; sob a excitação trazida pelos nervos eretores, elas se dilatam e o sangue aflui para câmaras dos corpos cavernosos, determinando assim a tumefação do membro."

O pinto (tumefato) penetra e sai. Rosa abrindo a boca. Sente falta de ar. Tem vontade de morder José (eles disseram que eu ficava pelada no palco do Municipal todo mundo olhando para mim para os meus pelos, eu tinha vergonha dos meus pelos pretos, achava que só eu tinha, por isso é que pedia tanto às outras meninas para que me mostrassem, e mesmo quando elas me mostravam, eu não acreditava, achava que a gente era especial, que aqueles pelos eram feios,

---

1 Rosa leu Fritz Khan. Sua mãe deu o livro.

eu nunca ia ficar pelada na frente de um homem, até que eu soubesse que os homens também tinham, e que os pelos da gente se encontravam quando a gente metia, eu nunca ia meter na vida). Tem vontade de chorar, chorar para sempre, porque uma coisa boa está acontecendo por baixo dela, mas não é uma coisa dela, Rosa, não é uma coisa que ela queria, está acontecendo como um prêmio (? mas prêmio por quê, o que eu fiz, eu nunca fiz nada, esse gozo está no lugar errado, na mulher errada, é bom demais para mim).

. Goza, benzinho, goza comigo. Vem amor, vem.

(Todo mundo diz a mesma coisa quando mete. As mesmas coisas)

. Vem, Rosa, estou segurando para você vir junto. Vem embora.

(? Como é que sei as coisas que dizem. Ou será que sei mesmo. Vou embora, mas pra sempre, longe desta cama, longe deste pinto, longe desses gritos perto dos gritos, grita no meu ouvido, me chupa inteira, come minha bunda, imagine se eu dissesse essas coisas alto, o que ele ia pensar, o meu marido, putona, isso que ele ia dizer, ele quer que eu goze pra me xingar depois, me ofender, pensar o quê de mim, de minha mãe, filhodeumaputa do caralho que eu gosto de ser metida, trepada, fodida, enfiada, um pinto do tamanho de um caminhão raspando tudo, um guindaste pra arrancar gozo de mim, só um guindaste, porque é preciso muita força, se eu parasse de pensar e deixasse ele entrando e saindo, entrando e saindo, se eu deixasse só acontecer isso, se eu gritasse, pinto, pinto, pau, pintão.

/ o pênis é constituído essencialmente por três massas cilíndricas de tecido erétil envoltas externamente por pele /

bom, gostoso, mais, duro, enfia

/ os corpos cavernosos e os esponjosos escontram-se envoltos por uma resistente membrana de tecido conjuntivo denso, a albugínea / não para, para, para, não posso terminar, você não pode fazer isto comigo, gosto de você, para, mas eu queria

... you go away, in a summer day, if you go away...

SISTEMA GENITAL MASCULINO

Testículo ou gônadas — escroto — epidídimo — canal deferente — vesícula seminal — canal ejaculador: canal deferente, canal seminal — próstata — glândula de Cowper — uretra — pênis (corpo cilíndrico, raiz, corpo, glande, prepúcio) — esperma ou sêmen.

... if you go away ...

Laregueduva, trgogfr tocococo, prumprumprum, deguereídi, gdreuuijjui, juuuioooio, gracinha, fodinha, viuvufg, bocetinha, bocetona, fofinha, fodona, nafodo, grun, grun, grun, riguiriguiriguiriguiriguie rtroer toretrogrtujihnfgtyuoiriijjnagrerrrrerrrdohtuio.

? Gozou gostoso, benzinho.

? Eu.

. É.

(? Ele quer me pegar. É agora)

? Diz, bem, gostou.

. Ai que cansaço.

(? O que digo, é pra gostar)

. Vai, diz. Senão, eu fico preocupado.

. Puxa.

? Foi, bom.

. Opa.

(? O que digo, o que digo)

... but if you stay ...

Então, José bateu em Rosa.

Primeiro, com as costas das mãos / como seu pai fazia /. Bateu no rosto, na bunda e nas coxas. Bateu no peito, na barriga.

Depois, José bateu em Rosa com o cinto. E Rosa gemeu, gritou, pulou, correu pelo quarto, se urinou toda. A urina quente descia pelas suas pernas e ela chorava e José batia e Rosa corria e a urina descia e o cinto deixava vergões e José sorria e Rosa sorria e José se deitou sobre ela no chão e trepou sentindo as coxas molhadas. E tirou e lambeu Rosa, seu mijo, agora frio. E fodeu de novo, e bateu no rosto dela, e ela chorava e ria, e ria e chorava, apesar de não saber se devia gozar ou se conter, querendo e não querendo.

... if you go away, in a summer day ...

... Summer wine ...

As escavadeiras percorrendo o vale, abrindo um buraco na terra vermelha, as perfuradoras entrando e girando e voltando cheias de terra e de repente aquele barulho e o óleo negro subindo com um rugido bruuuuuuuuuummmmmmmmm, todo aquele óleo negro, grosso, contido milhares de séculos debaixo da terra, subindo e explodindo lá em cima e se esparramando e caindo como chuva sobre a terra e os homens, aquela massa preta diluída em gotinhas, enquanto José grita e geme e urra e faz muito barulho, ? o que é isso, meu Deus, que pinto gostoso, eu vou gozar, foda-se tudo, foda-se o que ele pensar, não, para com essa música, if you go away, odeio Brenda Lee.

E José saiu de dentro dela, e bateu mais uma vez. Bateu com o cinto, bateu com as costas das mãos. E apanhando um livro, bateu com o livro na cabeça dela, deu-lhe no nariz, ficou vendo o sangue sair, nem toda a violência do mundo resolve coisa nenhuma, não é violência nem nada o que eu preciso, o que é necessário e suficiente é que eu comece a matar, a destruir, a arrebentar tudo em pedaços.

Rosa, a cidade, o mundo inteiro, os governos, os astronautas, a Lua, todos os filhosdaputas, eu, if you go away, eu não sou homem pra ela, Rosa não gozou nem um pouco, sou uma merda, tentei tudo, o que eu sabia e o que não sabia, o que li nos livros, o que fiz com as putas, com as meninas direitas, o que vi os outros fazerem, o que eu queria e não queria.

. Tudo o que eu disser, você responde ora pro nobis?

? O que quer dizer isso.

. Orai por nós, sua burra!

. Não tenho de saber essa língua (Ah, se ele soubesse o que uma língua faz).

 José leu:

. Membro viril.

. Ora pro nobis.

. Membro da procriação.

. Ora pro nobis.

. Membro indômito.

. Ora pro nobis.

. Membro libertador.

. Ora pro nobis.

. Membro excitador.

. Ora pro nobis.

. Membro fodedor.

. Ora pro nobis.

. Ez Soddame.[1]

? An.

. Diz, vai. Não pergunte nada!

. Ora pro nobis.

---

1   Soddame quer dizer alavanca. José tinha lido *O jardim das delícias* e estava com aquelas palavras na cabeça.

. El khorrate.[1]
. Ora pro nobis.
. El atsar.[2]
. Ora pro nobis.
. El hattak.[3]
. El motela.[4]
. El fattache.[5]
. El bekkai.[6]
. Ora pro nobis, ora pro nobis, ora pro nobis, ora pro nobis.
. Assim é que eu gosto!
. Meta...
? An...
(Quase disse, ela pensou)
. O que você disse?
. Ora pro nobis.
. Não foi!
. Foi (fode).
. Diz.
. Não.
(? Meu marido, porque você não me enterra logo esse pau. Mete na tua mulherzinha, mete gostoso, você bem que aprendeu por aí. Arrebenta com ela, desconta todo o tempo em que ficou sem fazer isso. Desconta)
? O que está pensando?
. Nada.
. Está tão quieta.
. Pensando na gente.
? O quê.
. Até que a morte nos separe. ? Promete / mete / mete / mete amar e defender essa mulher. Amar. Defender.
(Defender. Foder. Estou com uma vontade desgraçada. Se eu pudesse gozar....)
. El hacene.
? An.

---

1 Torno.
2 Empurrador.
3 Escavador.
4 Explorador.
5 Pesquisador.
6 Chorão. Tudo que um pau, cacete, caralho, careca.

. El hacene.

? O que é isso.

. Você não precisa saber.

. Preciso, Preciso saber tudo.

. Ah, vai te foder.

. Vem...

(Quase...)

(Quase. Se eu dissesse um palavrão, se falasse tudo que sei, ele ia gostar, eu também, ele ia ver que gosto, preciso, e ia ser uma trepada gostosa)

. Laralaralaralarala, liguiliguiliguiliguiliguiligiu, pagaré, pagaré.

? O que é.

. Não é nada.

. Nada, nede, nidi, nodo, nudo.

José agarrou o peito, mordeu o mamilo marrom, os bicos grandes, desceu com a língua, passou pelo umbigo (o umbigo de Rachel Welch que ela tem, puta que o pariu como é gostosa a minha mulher, poooorraa), chegou na boceta, vermelhinha, gorda, deixou a cabeça ali, como se fosse um travesseiro. E dormiu, com Rosa passando a mão no seu cabelo.

Acordou com fome. Sentiu o cheiro da bocetinha ao lado. O cheiro de amor passado. Já tinha estado ali e tinha se acabado e ela estava pronta, para ser repassada. Estaria ainda muitos e muitos anos, até que a morte os separasse. Aquele era o cheiro de uma foda que nunca mais voltaria; isso era o amor. Nenhuma lembrança da trepada passada, havia sempre uma nova pela frente e era esta que a gente esperava.

(A bunda de Rosa é morena, não é branca, eu me lembro da bunda branca, bem à minha frente)

? Você vai trabalhar.

. Não.

. Eles te despedem.

. Que se fodam.

. Você fica sem emprego.

. Se fico sem emprego, passo o dia aqui nessa cama. Trepando.

. Não fala assim.

? Assim como.

. Essas palavras.

? Trepar.

. É.

? Por quê.

. É feio.

. Trepar, foder, meter, boceta do caralho.

. Cala a boca.

(Fala, fala, fala mais, fala tudo)

. Deixa de ser boba.

. A gente se casou, benzinho, é pra ser bonitinho, para ter uma vida linda.

. Linda do caralho.

. Não faz assim, não faz não!

Rosa, ao meio dia, estendida, uma hora, José entre as coxas, às duas rolando os dois, às três, se beijando — se mordendo, às quatro, às línguas na boca, às cinco, a bunda morena, o buraquinho rosa, às seis, uma laranjada, bolachas, às sete, ele beija o pé de Rosa, ela beija o pé de José, às oito, ovos quentes, às nove, José por baixo, José por cima, Rosa de lado, Rosa de costas, às dez, e mais dez, vinte, vinte e quatro horas, chá mate Leão usado e abusado e san-duíches de queijo e uma ligeira dor de cabeça, os músculos da barriga de José doendo, língua, coxa, cacete, bocetinha ardendo, as mãos, as bocas os dedos dos pés, cansaço, e vinte quatro somadas a mais vinte e quatro, e se repetindo, chega, já fazemos por toda a vida, não, não fizemos nada ainda, você vai ver o que vem depois, o que pode vir depois se já houve tudo (e eu sou uma puta, igual às outras, eu não presto, você vai me deixar porque eu deixei fazer tudo, mas eu queria tudo, eu sabia que tudo isso existe, eu li, ouvi, eu fiz, não, eu não fiz, era tudo mentira, eu sei que essas coisas se fazem, coisas de homem).

Seis dias e sete noites permaneceram deitados. José queria se levantar e colocar uma placa na porta:

RECORDE MUNDIAL DE TREPADA
VENHAM ASSISTIR ÀS NOITES DE NÚPCIAS
PREÇO ESPECIAL PARA NOIVOS E RECÉM-CASADOS
120 DIAS SEM SAIR DA CAMA

? Você teria coragem.

. Claro.

? De fazer, na frente dos outros.

. Não sei, não.

. Vem, vem de novo, benzinho.

. Chega.

. Só mais uma vez.

. Nem uma. Vou tomar banho, estou cheirando mal.

. É bom esse cheirinho, dá tesão.

. Num fala assim.

. Vá à merda.

. Não.

Poft, paft, pla, pla, pla, pla, pla, pla, aaaaaiii, ai, ai, ai, para, pode falar (isso mesmo, fala), fala o que quiser, faz o que quiser.

Sete horas, Tonico e Tinoco despedem-se e prometem voltar amanhã.

Boletim Cambial: cotação da banana no mercado,

arroz amarelinho

milho

SUBIU AOS CÉUS, AO TERCEIRO DIA

Atrás do hotel o Cassino, fechado. Acabou o jogo e o hotel ficou casarão plantado no bosque, sem barulho, movimento. Só com estes velhos. E aquelas mulheres que de tarde, antes do jantar, se reúnem no terraço, cabelos armados, joias, olhando as revistas, fotografias de astronautas. Exclamam: que valentes, simpáticos. Os astronautas sorriem com suas caras débeis mentais; estão nas capas das revistas, todas as revistas do mundo, nesta semana. Os velhos giram as páginas, veem as fotos da terra fotografada do espaço e dizem: "este mundo está mesmo louco, imaginem querer ir à Lua, uma coisa de Deus. Deus não quer que o homem saia da terra, aqui é que ele criou o homem, que fique aqui". Subi as escadas, fui para o quarto, no primeiro andar, com o bosque à nossa frente. Rosa lia Delly, tinha enchido as malas com os livrinhos e fotonovelas. Nem me olhou, deitada de calcinha, peito grande esparramado.

NO SÉTIMO DIA, DEUS DESCANSOU

José, ao espelho. Sete dias e sete noites, sem comer bem. O esforço. Rosa, gordinha, tão macia. Começou. Lacerou o rosto de correr sangue. Olhava e via o sangue e tentava se rasgar mais. O peito, os braços, as pernas, onde as unhas alcançassem. Ódio, contra o José do espelho. Dava tapas no rosto, puxava as orelhas, um soco no nariz. Quando a gente quer fazer as coisas contra a gente mesmo, falta força, que merda. Rosa, coxuda, uma unhada logo abaixo do olho, um corte. Rosa bunduda (bundinha dura, vinte anos, pô), uma unhada na própria bunda, tapas, plaft, plaft. Rosa, minha mulher, pra toda vida, companheira, boceta sempre aberta em meu pau, o pau de seu marido, o dever de esposa, poft, poft, rrrr, unhada, dentada. José (Rosa) caiu sangrando (Rosa morena gorda) sangrando no chão (odeio Rosa) ficou tendo convulsões (amo Rosa) e chorava (enquanto Rosa dormia).

AVISO AOS NAVEGANTES

Não há aviso aos navegantes.

O SESQUICENTENÁRIO

Caminham, através do bosque, parque, alamedas, entre as fontes e o hotel, as canecas na mão, os litros de água sulfurosa, lentos, trêmulos, de roupões brancos ou azul, as peles flácidas.

INSCRIÇÃO DE PRIVADA

(Grafite)

Neste lugar solitário
todo valente se apaga
todo homem geme
todo corajoso se caga

SONHO DE TODA NOIVA

No bosque atrás do hotel havia quadras de tênis de terra batida, quadras de basquete, pista para patinação e um coberto de sapé para bochas. A cabeceira da pista de bochas dava para banheiros abandonados, sapé da cobertura apodrecido, privadas entupidas, canos enferrujados. Entrei com Rosa. Tinha um vitrô minúsculo. De vez em quando, na estradinha do bosque passavam cavalos, levando velhos reumáticos. Tirei os peitos de Rosa, brincando. Era coisa que ela gostava, desde que os peitinhos tinham nascido —

— eles tinham nascido e ela chamava os meninos para ver e chupar e tinha sido explusa dez vezes do cinema por tirar os peitos de fora e dar um a cada menino para eles brincarem com as tetinhas que cresciam —

— os bicos eram enormes, saíam de uma rodela marrom e isso

me excitava muito. A grande rodela marrom e aquele bico endurecia logo, enquanto ela se babava, de gozo.

A aranha descia do teto, num fio. Subia e descia, feia peluda. Ficamos embaixo, da aranha. Eu, com as turbinas do pau aquecidas. Foi só puxar o vestido para cima e enfiar. Que era fácil pôr nela de pé. Rosa abria as pernas de um jeito que só ela sabia e atraía direitinho o pau chupando-o, comprimindo e soltando. Toda meladinha daquele leite que eu tomava todos os dias na hora de dormir e acordar. E que vinha de dentro dela como cataratas do Ituabu, aquela aguarada descendo pelas pedraspernas. Desde o primeiro dia eu achei a catarata de Rosa uma atração turística que devia ser explorada pela Secretaria do Turismo. Um grande cartaz colorido, exigindo aquele monte inchado —

— a mãe não deixava que ela usasse maiô sem franjas, por causa do volume que ficava, sendo Rosa atração da piscina para a molecada —

Gostei muito de Rosa pela sua boceta gorda, sadia, porque gosto das coisas gordas abundantes, sobrando. Coisas que dão para repartir, dividir, apalpar, deixar o mundo em cima delas.

A aranha descia devagar, subia um pouco, um ioiô mortífero. E nós embaixo, Rosa paralisada, nem ligando que eu estivesse enfiando nela, violentamente. Percebi que havia um erro, mas continuei. Não estava dando certo, mas não parei, ainda que estivesse admirado de não dar certo entre Rosa e eu. Fizemos bem desde o primeiro dia[1] porque nenhum dos dois tinha qualquer escrúpulo, ou nojo, nem achava nada anormal.[2] Se a gente estava em campo, era para jogar e neste jogo não havia regras, do mesmo modo que não pode haver regras para a vida. A gente acertava porque para nós tudo valia, inclusive que o mundo se arrebentasse. Às vezes ela gritava: explode, meu bem, faz tudo explodir junto com a gente. O que havia de errado em mim é que eu estava fora do ritmo. E o ritmo ali era o da aranha. Ela subia e descia vagarosamente e era a cadência deste lugar. Então, comecei a friccionar devagar, deixando sair inteirinho, para mergulhar de novo naquele poço fundo que pedia bomba trifásica para tirar tudo de dentro. E enquanto eu mergulhava, Rosa começou a suspirar e a torcer a cabeça. Ela torcia e eu não conseguia beijá-la e gostava de terminar beijando ao mesmo tempo. Rosa esqueceu a

---

1   Mentira de José, foi difícil eles se engrenarem.
2   Rosa era cheia de preconceitos, achava tudo anormal, demorou a aceitar as coisas.

aranha e se enrolou comigo, esfregando os pés no chão, arrancando o musgo. E do musgo arrancando veio o cheiro de terra molhada, folha podre, cheiro de presépio — aqueles presépios da matriz mas nós dois, ali de pé, formávamos também um presépio. Simples, de duas pessoas, as outras todas nós mesmos, Belém, a estrela, a aranha, eu levando a Rosa o meu presente, o maior que posso dar. A aranha sobre a cabeça dela, que se torce de gozo. Ela morde as mãos para não gritar, nunca houve mulher que gostasse tanto de trepar quanto ela — nunca houve entre as que eu conheci, e minha experiência é limitada a duas mulheres que gostaram de mim e duzentas automáticas. Rosa viu a aranha descer, enquanto eu tirava, devagar no ritmo da aranha. Parei, esperando que ela subisse, para enfiar, mas a aranha continuou descendo, em cima do rosto de Rosa. Ela gritou, empurrei tudo, ela gritou de novo, misturou medo e prazer, arrancou-se de mim, ao mesmo tempo que eu terminava e caía no chão, e o que vinha de dentro de mim, em jatinhos brancos, caía em cima dela, ao mesmo tempo que a aranha descia rápida agora, soltando o fio de dentro dela. Rosa nem pegou a calça. Saiu, correndo.

> **PENSAMENTO DO DIA**
> *Perca um minuto na vida e não*
> *perca a vida num minuto.*

AINDA BEM QUE ZELAM POR MIM

Rosa saiu do vestiário, o biquíni branco, ia estender a esteira na grama, ao sol.

. Minha senhora, faça o favor de me acompanhar.

? Acompanhar, aonde.

. À sala de fiscalização.

José olhou o inspetor, num uniforme amarelo, brim cáqui, perneiras pretas, um distintivo FMC

Fiscalização Moral e Cívica, organização Católico-Protestante--Espírita-Batista-Crente-Judaica-Mórmon-Adventista, assessora do governo nos assuntos de Moralidade.

? O que tem de errado.

. O biquíni.

? E daí.

. Não pode.

. Desde o dia 10. Mulher que expõe o corpo atrai a lascívia, a concupiscência.

? O que é isso, indagou Rosa.

. É isso mesmo. Pimeiro multa, depois prisão.

. Essa não!

? Falar nisso, vocês são casados.

. Somos.

? Têm atestados, certidões, civil e religiosa, declaração de doze testemunhas, aprovação dos pais, declaração do distrito policial de que se casaram por livre vontade e não por terem cometido a relação antes.

FRAÇÕES DO MELODRAMA COTIDIANO

. Pesquisa feita por A. de Carvalho mostra que a manutenção das forças armadas custa a cada pessoa 9,10 dólares na Argentina, 18,53 dólares em Portugal, 24,60 na Itália, 31,13 em Cuba, 75,52 na Suíça, 79,45 na Inglaterra e 327,25 nos Estados Unidos.

. Eu lá quero saber.

"Ela murmurou: Oh!, que me importa! Que me importa!

Como podia ele falar em coisas tão fúteis, diante da dor imensa que transparecia no seu rosto lavado em lágrimas ardentes? A sua sensibilidade revoltou-se. Deu alguns passos para trás e perguntou com uma frieza que não pôde dissimular:"

Alta, magra, pele esbranquiçada, Esmeralda Claudino, 22 anos, contava como seu irmão Aparecido foi assassinado:

— Eram 11 horas, quando três homens chegaram perto dele no bar e pediram um cigarro. Ele não tinha, porque não fuma, e então começaram a bater nele. Ficou desmaiado, levei ele ao pronto-socorro da vila, lá meu irmão sumiu, ninguém sabe dele.

"Regina, que estava perto, docemente lhe tomou a mão um pouco crispada.

O Passado, de M. Delly (*Les ombres*)

Notícia de "Hora H"

Alma em flor, de M. Delly (*La Jeune Fille Emmurée*)

— Minha pobre amiga! Compreendemos bem que você não é feliz, que sua avó a trata com muita severidade...

Os lábios de Anabela crisparam-se, abrindo-se num sorriso de ironia.

— Oh! não, não, vocês que amam, vocês que cuidam de fazer a felicidade dos outros não podem compreender o que é a minha vida. Minha vida! Sozinha há treze anos, sempre sozinha.

A voz tornou-se surda, tremia um pouco. Em seu rosto palpitante, transparecia pungitiva dor.

— Minha pobre amiga! repetiu Regina."

Última hora

. Ela era Djanira. Vivia em uma casa de Natal, Rio Grande do Norte, fazendo serviços domésticos. Um dia, seus patrões estranharam.

— Escuta, você não acha que a Djanira está falando meio grosso?

Daí por diante, os traços masculinos foram se carecterizando e depois de um mês ninguém mais tinha dúvida: Djanira era homem.

Foi assim que o caso chegou ao Hospital das Clínicas. E se tratou de operar Djanira. Que agora virou Djanílson.

Dentro de um mês Djanílson estará capacitado a exercer funções sexuais masculinas, podendo constituir família, declarou o médico-chefe.

A miséria dourada, de M. Delly (*Une Misère Dorée*)

"A condessa, vestida com simplicidade quase monacal, parecia constantemente cansada: estava visivelmente envelhecida antes do tempo, mas havia em seu olhar uma singular energia, e Marísia, fitando-a, tinha sempre a impressão de que uma inquebrantável vontade a sustentava, galvanizava esse corpo delicado. As crianças pareciam afeiçoar-se aos professores tanto quanto lhe permitiam os seus preconceitos de casta. Guntran e Helena, em particular, tinham momentos de intimidade que davam a Marísia a esperança de um dia penetrar nesses jovens corações, que ela adivinhava nobre e bons."

. Almoço abre a V Semana Mundial do Pobre. Autoridades, convidados nacionais e internacionais compareceram ao almoço realizado na Favela para abertura da Semana do Pobre, que discutirá os problemas da miséria do homem, no mundo. O cardápio constou de maionese de camarão, filé de peixe, filé de frango, enrolados parisienses, vitela e sorvetes de sobremesa.

. Meu bem, vai, vai fazer teu seguro. Garante a gente, muitos homens estão fazendo o seguro, garantindo o futuro de suas mulheres.

Todos os sábados, José e Rosa vão ao Clube 23 de Maio.

Ela, à tarde, foi à cabeleireira, fez um penteado, alto, cheio de laquê.

. Meu bem, passa um pouco de glostora no cabelo. Eu gosto do cheiro de glostora.

Trouxe um vidro.

Dançam. José dança bem, apesar da perna. Frequentou uma escola de danças.

? Quer dançar lá no meio do bolo de gente.

. Não, não precisa mais. Deixa todo mundo me ver. Eu sei que posso.

José acreditava nele. Um manco que se superava.[1]

. Para de olhar pras meninas.

. Não estou, olhando.

. Está.

. Não.

. Quero ir, embora.

Cenas de ciúmes. Sábados se passando, José deixando passar, que a vida se foda. Houve um tempo em que José quis fazer alguma coisa. Que não sabia o que era. Passava os dias angustiado, uma dor no peito, a cabeça estalando.

Ficava horas no mesmo lugar, sem andar, com medo de ir para a frente, com medo de ir para trás, duro como estátua.

/ Batista, temos de examinar esse menino /

. Outro, cuba libre.

. Já bebeu muito.

. Não bebi.

. Bebeu.

. Não.

Famílias com mais de dez filhos terão prêmios do Estado: nas cidades não pagarão ônibus, nem trens de subúrbios. Uma técnica antipílula está sendo utilizada: colocam uma droga, que neutraliza os efeitos da pílula nos grandes reservatórios de água das cidade.

---

1   Devia mandar suas histórias para *Seleções*.

. Quero ir embora.

Bebedeiras diárias

? Aonde irá José.

/ José, que nome mais bonito, o patrono da sagrada família, José que fugiu para o Egito, que nomes bonitos a senhora põe nos seus filhos /

Dançavam, dançavam, Rosa pedia para parar, o dia estava clareando, eles dançando na rua.

Dançando e cantando / na chuva /

? Por que canta, José.

Um dia, cantou vinte e quatro horas, fechado no quarto da pensão. Rosa foi embora, arrombaram a porta, ele cantava, deitado na cama. Perdeu a voz, ficou uma semana sem fala.

. Quero uma casinha, minha. Nossa. Para que eu arrume bonitinho. ? Praque que a gente se casou, praquê. Outro dia meu pai escreveu uma carta, perguntou se a gente tinha mudado, eles queriam vir passar um domingo com a gente.

Domingo, de sogro e sogra; faltavam as crianças

/ ? E os netos virão, nossos / netinhos /

Domingo de piquenique na estrada, nos quiosques que o governo construiu, amarelos e pretos. Toalha, frango assado, batidas, pão, depois deitaria à sombra do mato ralo,

viva o domingo, a paz, o país

aaaaaaaaaaaaaaaaaaaaaaaaaaaaaaaaaa, puta merda tudo!!!!!!

PENSAMENTO DO DIA
Quem casa quer casa.

ÁLBUM DE RECORTES

O quarto amarelo, e não é da luz fraca da pensão. José segura na cama, para não desmaiar. Rosa recortando revistas, e colando, uma a uma, as fotos e as letras de música num álbum marrom. José sente um cheiro de bosta, um segundo só, e vê o fogo queimando tudo.

E ele começa a urinar em cima do álbum. Rosa com a tesoura, pronta para cortar seu pinto, vemelha de raiva, amarelo (? E esse amarelo, eu tinha parado de ter isso, tinha acabado). Clic-clic-clic-clic, você não sabe o que passou, só não cortei porque teu pinto é bonito, é o mais bonito que já vi (? Então viu outros).

. Não faz mais isso, Rosa, não faz mais.

? O quê.

. Não coleciona essa gente, não. Pelo amor de deus, não coleciona, ou te mato.

. Pfuuuuuuuuuuu / ruído de peido com a boca /

Plaft, plaft, ploft, pacatum, pacatum, pimba, pimba, pimba, plaft, plaft.

. Seu filhodaputa, vou voltar pra casa.

. Vai teaputaqueopariu, caralho de merda, vaca de bosta.

. Volto amanhã, para casa.

. Volta hoje.

. Hoje não. Em casa num tem televisão.

PENSAMENTO

> *Bandido não se entrega.*
> *Vai se matar com bala de prata.*
> *Esquadrão quer pegá-lo antes.*

DICUMENTO PRAS OTORIDADE

Fecharam a entrada do Boqueirão. Revista pente-fino. Casa por casa, beco e beco, buraco e buraco. Procuravam esconderijos, alçapões, portas, secretas, túneis. Milícias Repressivas aliadas ao Esquadrão Punitivo. O Esquadrão deixara de ser a organização clandestina que matava e telefonava para os jornais informando o local. Depois da reportagem no *Life* tinha sede, carros especiais, uniformes cheios de galões, cromados, botas altas, quepes. Na gola, brilhavam as iniciais EP. Tinha poder e não respondia a ninguém.

. De pé, todo mundo. Todo mundo na parede. Vaaaaaaiiiii logoooooo!

Átila largou o taco, Zé correu, o Herói ficou olhando. E havia ainda Boi Sonso, Neide Boceta Fácil, Orlando Furioso, Picadepau e o Homem Roda. Estavam jogando Vida, um jogo proibido, como todos os jogos do país (Determinação Governamental Revolucionária 467), com exceção do futebol que devia, no entanto, ser jogado com calções compridos para não ofender a moral das mulheres assistentes. O Boqueirão nunca tivera batidas, era turístico, a polícia tirava dinheiro dali, o Esquadrão também, os políticos todos. Por isso existia o bilhar Celestial, o maior do mundo, com três mil e duzentas mesas. Maior que o bilhar e seus divertimentos, só o céu (para quem alcançasse).

O Esquadrão foi pedindo os documentos que a Determinação 7.89796 exigia de cada um: Identidade, Eleitor, Profissional, Boa Conduta, Antecedentes, Residência, diplomas escolares, Saúde (vacinas febre amarela, varíola, malária, BCG), cadernetas de quitação com as associações religiosas (cada um deveria ter uma, fosse qual fosse; existiam no país 65746 à escolha), Imposto de Renda, Boa Conduta Familiar, Auxílio aos Pais, aos Velhos, Imposto Obrigatório para Sustentar Escolas, Igrejas, Exército, Partidos do Governo, Atestado de Boa Aplicação dos Salários, Seguro de Vida, Atestado de Contenção Sexual.

José terminou levado para a Delegacia. Faltava um documento: o da frequência escolar dos filhos.

. Mas, não tenho filhos.

. Mas, o senhor é casado.

. Mas, não deu tempo de ter filhos.

. Sua mulher tem usado a pílula.

. Tem.

. É proibido.

(Determinação do Incremento ao Aumento da Família Nacional, nº 7896576)

? E agora.

. Dois meses de prisão para cada um.

Na penitenciária, José encontrou-se com um homem condenado à prisão perpétua, acusado de ter matado o filho.[1]

Conversavam, coisas banais.

? A situação anda meio fogo, não.

. É.

Ou não conversavam. No fim de sua pena, José passou na penitenciária feminina, apanhou Rosa, foram para casa.

E treparam.

. Trepei, na cadeia.

? Você, como.

. Tinha uma mulher lá, que gostava de mulher. Dei prela.

? Gostou.

(Mentira, não trepei nada. A mulher me cantou, cantou, dei-lhe uma bolachada nas fuças)

---

1   ? Seria Carlos Lopes.

ET IN PAX

. Essa gente com quem você trabalha. Tenho vergonha deles. Não posso dizer onde meu marido trabalha. não posso ter orgulho de você. Não posso. Minhas amigas falam dos maridos, dos ordenados, das promoções. Os maridos delas têm bons empregos no banco, nas lojas, nos escritórios. Falam dos planos deles. E nós não temos planos, não temos vida, não temos nada. Você vive enterrado naquela nojeira, no lixo do mundo. Na merda, é isso, na merda.

José bateu com as costas das mãos
. Lixo, lixo é essa gente que está aí na rua. Lixo e nojeira é gente normal.

Rosa deu um pontapé no meio das pernas de José.
. Você devia arranjar um emprego decente. Dar segurança a tua família.

Outra vez, com as costas das mãos. Os dedos nos olhos.
. Segurança, olha, vai a putaquetepariu com tua segurança, a das tuas amigas, da tua família.

Rosa deu um soco na boca de José.
. Não fala de minha família. Família é sagrado.
(Sagrada Família)

Socos e pontapés, murros, pernadas, José com o cinto, Rosa com o sapato.
. Olha, neguinha, você precisa saber de uma coisa. Gosto de lá, não vou sair de lá, aquela gente é boa, é gente.
. Eles, ou eu!
. Eles.
. Então ficamos todos, juntos.
Se bateram mais duas horas. Cansados, dormiram.

A HORA OFICIAL

Rufaram tambores. O arauto subiu ao Posto.
Nas cidades, a cada quilômetro, havia um Posto, onde os arautos faziam, *Proclamações Públicas*. O Governo usava também a televisão, o rádio, as agências de publicidade / todas ansiosas para estarem bem com a situação. O presidente tinha dado um jantar para os donos e testas de ferro das agências. No fim do jantar, exigiu continências. Eles

bateram continências, sorrindo: ah, que brincalhão. Pá, pá, pá, pá, pá. Continências, continências. Aí, o presidente exigiu que eles beijassem sua bota. Imaginem, é mesmo um brincalhão incorrígivel. Isso é divertido. Bom, só de farra, a gente beija, é brincadeira mesmo. Você primeiro, não, vai você. Não, vai primeiro o da maior agência. Então foram os das agências norte-americanas que se curvaram com graça e beijaram a ponta da bota do presidente. E assim, um por um. Até que chegou a vez do maior testa de ferro dos negócios estrangeiros no país. Ele se curvou e ao ver a bota brilhando, engraxada, beijou, mordeu, se atirou no chão, pediu que pisasse nele.

Usava os jornais, os outdoors.

Mas, o governo achava que era preciso uma comunicação direta, simpática. O presidente gostava muito dos antigos filmes de Hollywood. Era um fã de Errol Flynn e Douglas Fairbanks Jr. e sua fita predileta era *Robin Hood*. Lembrava-se que naquelas fitas tinha sempre o arauto do rei que fazia proclamações ao povo.

O arauto proclamou:

Meu estimado povo. Que as bênçãos de Deus, senhor todo-onipotente desçam sobre vocês. Visando combater os gastos desnecessários e o luxo. Visando dar igualdade geral ao país, com o objetivo de eliminar invejas, rancores, ódios entre irmãos, o Governo em acordo com as fábricas de calçados determinou que a partir deste momento será fabricado para toda a nação um só tipo de sapato, masculino e feminino. Fechado, liso e encontrável apenas na discreta e tão bonita cor preta.

EIS-ME AQUI SENHOR, FAÇA-SE SUA VONTADE

Companhia Seguradora Independente.

Consultório Médico: o exame deve ser feito em particular, sem que esteja presente o Agente ou terceira pessoa.

Investigar se nos ascendentes, por via direta ou colateral, existiram tuberculose, sífilis, tumores malignos, gota, diabete, alcoolismo, enfermidades nervosas ou mentais.

Histórico da Família.

Idade — De que morreu — Duração da última moléstia

Avô paterno

Avó paterna

Avô materno

Avó materna

Pai

Mãe

Irmãos

Irmãs

Cônjuge

? Que doenças sofreu desde a infância.

? Teve doenças venéreas; quais e quanto duraram.

? Teve, ou tem, sífilis.

? Em que ano foi contagiado.

? Nota-se esternalgia ou tibialgia.

? A esposa do segurado sofreu abortos.

? Submeteu-se a intervenções cirúrgicas.

? Tem tosse.

? Teve escarros sanguíneos.

? Como se efetuam as evacuações.

? Apresenta perturbações na micção.

? Urina frequentemente à noite.

? Sofre de hemorroidas.

? Conviveu com pessoas tuberculosas.

? Fuma / Indique a quantia de cigarros ou charutos por dia /.

? O baço é palpável abaixo da arcada costal.

? Existem fístulas anais.

? Existem ataxia estática ou dinâmica.

JOSÉ RESPONDEU 180 PERGUNTAS

? Só isso doutor.

. Por enquanto, só.

? Posso fazer uma pergunta.

. Claro.

? Por que o senhor não vai se foder.

(FIM DO EXAME CLÍNICO DE JOSÉ)

ANTES MORRER, / ANTES SOFRER, / QUE VOS OFENDER

Sempre de branco. O avental que ela usava no *Giratório*. Usava dia e noite e José pensava em Rosa como uma coisa branca. E isso o deixava excitado. Branco, morena dentro do branco.

. Vamos ao desfile.

. Eu lá gosto de desfile.

. Benzinho, a gente tem de ir.

. Não vou.

. Dá bolo.

. Então, vai você. E leva meu cartão.

. Num adianta, é preciso você ir.

A bandeira estava pregada na janela. Uma bandeira de plástico, comprada em papelaria, a preço de ocasião, por ser dia da pátria.

> *Cidadão,*
> *o civismo precisa existir dentro de cada um. Precisamos amar nossa pátria. Você, eu, todos, precisamos amar e honrar o pavilhão nacional. Sejamos dignos dele. No dia da Pátria, coloque uma bandeira em sua janela e compareça às festividades.*

. Me dá uma bandeira.

? Grande ou pequena.

. Olha, eu pedi uma.

. Tem de levar duas.

? Por quê.

. Uma pra casa, outra pro desfile.

. Eu lá vou em desfiles.

. Tem de ir. Determinação Sagrada nº 7.

. Eu nem sabia disso.

. O aviso veio com imposto de altura.

. Nem olhei o meu, nunca olho aquela merda de papelada. É tanto. Rosa é que cuida deles.

Feriados: dia da pátria, dia do soldado, dia da proclamação da República, dia do aniversário do presidente, aniversário da mulher do presidente, aniversário da cabra mascote do regimento 11, grupo heroico da guerra.

Desfiles, horas e horas. O povo, selecionado pela altura, assiste e aplaude, vigiado pela Polícia Especial das Milícias. Aplaude e sacode a bandeira. José, 1,20 e Rosa, 1,50 ficaram separados. Nos bolsos, as cadernetas de frequência aos desfiles. Carimbadas.

/ Cadernetas não carimbadas dão multas, prisão de 10 dias a 1 mês, impossibilidade de sair dos país, impossibilidade de conseguir emprego /.

José está com sono, ficou até tarde no Boqueirão. Quando os soldados passaram e um grupo vaiou, ele vaiou junto. A repressiva baixou, batendo, prendendo e recolhendo as Cadernetas de Desfiles.

Caderneta recolhida nunca mais era devolvida. A vida virava zero. José correu. Esperou Rosa em casa, Rosa não veio.

PREPARANDO-SE PARA A MISSÃO SUBLIME

. Eu gosto dele, paca.

Ermelinda, 56 anos, gosta de Malevil, estudante, 21, que mora no quarto em frente ao de José e Rosa. Malevil é amigo de José. Como as escolas estão ocupadas pelo Exército, Malevil anda sem fazer nada. Rosa espera filho. Gorda e relaxada. Sempre com o avental branco do restaurante, cabelos sujos, o olho borrado da maquiagem que passa no sábado / Todo sábado é dia de pitza com cerveja / e não tira a semana inteira os pés das sandálias havaianas.

Guia Prático da Mãe Moderna, 10 volumes. Um gordinho, de cabelos loiros, óculos verdes, cachimbo, bateu na sua porta, vendeu a coleção / Duda Barreto, o mais terrível vendedor de coleções para senhoras grávidas; 1º prêmio da Editora /. Rosa comprava, tudo que os vendedores traziam.

Esse casal ainda me mata / Qualquer dia eu chamo a polícia, acabo com isso / Vai, Malevil vai apartar, você é amigo deles / Como pode ser feliz essa coitada com um marido assim / Ele trabalha num lugar horrível, cheio de anormais, de bandidos / O governo precisa acabar com aquilo / É, isso / vamos à polícia / Essa gente precisa aprender a viver como gente.

Enxoval para a criança esperada, seus primeiros dias de vida, o desenvolvimento do bebê.

tangos, boleros, M. Delly,

o aleitamento, as diretrizes gerais de alimentação, os regimes de dieta e a colaboração entre o médico e a mãe,

"quando o halo de luz o atingiu, Madel, vendo-o melhor, teve a impressão de achar-se diante de uma força intelectual e moral que se impunha. Uma formidável energia interior devia governar aquela alma de homem, vivificando-o."

. Rosa, já li todos.

. Estou acabando este.

? Bom.

. Lindo, adoro esses livros.

"Falaram longamente sobre Bargenac, as avós, os Nisses. No olhar de Bernardo transparecia uma emoção intensa. Madel sentia que aqueles dois seres sabiam, sem que ela lhes falasse, dos padecimentos de sua alma, da solidão do seu coração no lar paterno, insurgindo contra a lei de Cristo. De vez em quando ficavam silenciosos, como que imersos em profundas meditações."

Rosa chorava. Ermelinda chorava, lembrando Malevil.

Trata também da criança, do seu desenvolvimento físico, de detalhes relativos à alimentação, higiene, brinquedos, ginástica: segundo volume do *Guia Prático da Mãe Moderna*.

? Benzinho, como vai se chamar.

. Não pensei.

? Não pensou no nosso filho.

. Pensei nele, não no nome.

? (Será que eu quero um filho)

. Tem de pensar.

. Vamos deixar ele sem nome.

? Como.

. Ele fica sem nome. Quando crescer, escolhe um.

(Eu, por exemplo não gosto de ser José. Queria se Hermano, Aníbal, Caio Graco, Marlon, Harry, Charles, Francis, Nero, Pascal, Leonel, Gazagumba, Metiolato, Viamit, Jadithe, Hepavitan, Hidrocortisona, Cálcio Cetiva, Estético, Vaticano, Pentagona, Capelo, Porro, Chácaro, Sarapui, qualquer um destes, bonitos, sonoros, bons de ser chamados por eles)

? Você ficou louco.

. Não, até que acho a ideia boa. A criança cresce e quando chega um dia resolve, vou me chamar Bragantina, Braquilha, Mércia, Josefa, o que quiser. Vai ver como nosso filho vai agradecer.

TUDO VAI MELHOR COM COCA-COLA

A missa demorou fiquei sentado no banco vomitei Hóstia e tudo Minha mãe histérica em torno do vômito "Olhem a hóstia consagrada" O padre mandou filhas de Maria e Associação do Coração de Jesus se ajoelharem diante do vômito Acenderam uma vela / branca tão branca / Veio o sacristão com o pano balde rodo Limpou o vômito consagrado Levou o balde para o batistério O padre junto dizendo orações Jogaram o vômito no tanque para onde vai a água benta depois que passa pela cabeça das crianças Estava tudo amarelo Aí estava com vontade de fazer xixi e procurei o banheiro mas as igrejas não têm banheiro.

Conversa de táxi:

Malevil arranjou emprego numa boate do Boqueirão:

? O que há de novo.
. Vou indo pros States.
. Um mês de trabalho e já pega viagem!
? Sorte, né. Vou buscar fitas gravadas. É preciso atualizar a música deste país.

QUEM AMA FICA CEGO, NADA VÊ

Catapim, catapum, pucutum, plaft, plaft.
? Seguro, hein. Vaca de merda, vai você fazer Seguro.
Pa, pa, pa, pa, pa, pa, pa.
Vai fazer seguro pro teu pai, aquele filhoda.

Rosa apanhou. Sorri, contente. Agora, morde José, dá cabeçadas em seu peito, José sorri, contente. Eles vão se batendo, rolando Gritam. Caem sobre a cama, no chão, se levantam, quebram o quarto. José e Rosa são apaixonados.

EM CADA TAMPINHA UM PRÊMIO

"Graças a um bom exército, não somente se fica tranquilo em casa, mas o mais humilde cidadão é respeitado em toda parte e onde quer que ele tenha interesses": Manuel du Gradé de Cavalerie a l'usage des sous-officiers, Brigadiers et Éleves Brigadiers, Paris, Siècle XIX.

FIM DE ANO: JOSÉ

"Não acho triste o último dia do ano, por ser o último, nem por ver as pessoas alegres e eu não. Eu fico triste, porque não tenho programa e vou ver a São Silvestre. E que puta gosto besta ficar vendo um homem correr".[1]

ROSA:

Faz dias que tenho dor de cabeça e a sensação de que estou para saber alguma coisa. É como seu eu tivesse uma palavra na ponta da língua, e a palavra não sai. A gente fica naquela angústia, louca para cuspir a

Esse casal ainda se mata / Qualquer dia eu chamo a polícia, acabo com isso / Vai, Malevil, vai

---

1   ? Triste, não. Se gostou, pode dizer que é seu.

palavra fora. Dá vontade da vomitar, correr, gritar. A dor começa quando José chega. Tenho quase certeza de que ele me esconde coisas. Ou, nem é isso. Pode ser que ele não esteja escondendo, é uma coisa que José nem sabe que vai acontecer com ele.

JOSÉ:

Não gosto muito dela. Disso, tenho certeza. Quero me afastar e não consigo. Sempre penso: hoje acabo tudo. Quando volto para casa, converso um pouco, percebo que é o contrário. Ela ri, eu gosto; ela diz bobagens, eu rio das bobagens; ela me beija, gosto do beijo; eu que tinha chegado para romper de uma vez, tendo a certeza de que ela é a mulher que preciso, ou gosto, eu me esqueço. Na cabeça dela tem uma válvula. Que de vez em quando sintoniza em minha cabeça. Verdade, tem uma coisa estranha, não é só amor, não

apartar, você é amigo deles / Como pode ser feliz essa coitada com um marido assim / Ele trabalha num lugar horrível, cheio de anormais, de bandidos / O governo precisa acabar com aquilo / É, isso / Vamos à polícia / Essa gente precisa aprender a viver como gente.

MALEVIL:

Malevil é o primeiro caso mundial de ressuscitamento. Malevil passou dez anos congelado. Quando congelaram seu corpo ele estava à beira da morte, com uma doença não identificada. Ficou guardado no hospital das clínicas. Nesse meio tempo, seus pais morreram em desastre, os parentes deram em cima da fortuna, esqueceram Malevil. Um dia, os médicos descongelaram o corpo, operaram Malevil e ele voltou. Os jornais falaram muito, ele esteve em todas as revistas científicas, elogiou-se a ciência nacional / A Europa se curvou./ Duas coisas: Malevil não se lembrava de nada de sua vida anterior e não podia comer nada gelado ou muito quente nem verduras. Durante algum tempo seu apelido foi Ressuscitado. Logo esqueceram dele, vieram os transplantes de cérebro, os médicos tinham outras novidades.[1]

UM TEMPO DE GUERRA

A verdade é que o Boqueirão, de fama mundial, tinha tomado todo o norte e o leste da cidade. Cem ruas entravam, duzentas

---

1 Ao menos, foi isso o que Átila contou a José.

saíam. Cada casa tinha um luminoso, uma atração. Os anormais chegavam, alugavam casa, exploravam a si mesmos. Os que tinham começado no Boqueirão perderam o controle. Viam as atrações serem levadas para a televisão. Os melhores estavam indo embora, como o anão cantor e o gambá perfumado, a galinha de 400 anos, a mulher com cara de coelho. Chegavam mais, continuavam vindo do país. De toda a América. José nunca pensou que aquilo pudesse ser a América. Até que, uma hora, a partir da chegada do homem normal, começaram a vir pessoas que não tinham novidade. Quer dizer, nem eram anormais, nem tinham aleijões, nem eram monstros. Eram doentes apenas, esfomeados, subnutridos, miseráveis, famílias cheias de filhos. E os anormais saíam, iam para a cidade, mudavam para outras cidades, agora com suas famílias, seus filhos também anormais, uma nova raça em formação. Os anormais deixavam a cidade. Cada vez que um anormal se mudava com sua família de monstrinhos para um bairro, as famílias do lugar, tradicionais e respeitáveis, denunciavam à polícia, sabotavam o novo vizinho, quebravam suas janelas, faziam barulho de noite, infernizavam a vida. Depois, se mudavam. E os anormais começavam a habitar quarteirões vazios e não ligavam. Logo chegavam outros, vindos do Boqueirão, ou do norte, ou do sul, ou de um país qualquer do continente. Às vezes, tomavam cidades inteiras, provocando um êxodo, as estradas cheias de carros, caminhões de mudança, congestionamento, como se fosse um tempo de guerra. E era.

A CORRENTE

. Benzinho, me dá dez cruzeiros.

? Outra vez.

? Quem sabe, a gente fica rico.

. Ah, vá, vai à merda com essas correntes. Toda semana tem uma. Eu lá tenho dinheiro pra sustentar isso.

? E a casa, benzinho.

? Não está bom assim.

. Não, não está.

? Quer me dizer por quê.

. Você sabe. Ora, já se viu casar e não ter casa. Eu quero cuidar da minha casa, das minhas

A prece é esta: "Confio em Deus com todas as forças para iluminar o meu caminho. Nele deposito toda minha confiança". Atenção, não é brincadeira. Não guarde esta cópia. Coloque-a num envelope, com

camas, da minha cozinha.

. Você conhecia minha vida, sabe que eu não ligo nada pressas coisas.

. Vai ter que mudar. Isso não é vida, você precisa de cuidado.

. Ah, vê se não enche.

. Precisa organizar sua família.

. Porra, eu fugi de minha família, é uma bosta.

. Não fala assim.

Plaft, plaft, plaft.

. Pode bater, que hoje eu não amoleço. Mesmo. De jeito nenhum. Eu quero minha casinha, bem branca, gostosa, para receber minhas amigas.

? Você lá tem amigas.

. As outras garçonetes sempre perguntam: Rosa, quando a gente vai na sua casa beber uma cervejinha. Eu quero convidar minhas amigas, você traz seus amigos.

? Puta merda, isso é vida.

dez cruzeiros e mande para 9 amigos seus. Precisa ser nove. Faça isso dentro de 72 horas. Esta prece já deu 4 voltas ao mundo e dá muita sorte. O sr. Roger Karman ficou milionário logo após despachar a corrente. O sr. Demétrio Letera morreu numa explosão ao quebrar a corrente.

Ele fechou a tampa do bueiro, mais uma vez decepcionado.

? O que você anda querendo.

José não encontrava.

(duvido que existam)

Mas existiam.

ESPECIAL PARA DIRETORES QUE QUEREM ROMPER A ROTINA: OFERECEMOS O SERVIÇO DE NOSSOS COMPUTADORES A PREÇO DE SALÁRIO: CONTABILIDADE, CONTA CORRENTE, FUNDO DE GARANTIA, FOLHAS DE PAGAMENTO.

? Zé, o quequeé essa foto.

. Uma foto velha. Era do meu pai.

? Teu pai tinha fotografia de mulher pelada.

. Tinha essa.

? Praquê.

. Ele gostava dessa foto. Gostava muito. Vivia olhando essa foto.

. Esquisito, uma mulher pelada sem cabeça.

Ao fundo, uma estufa. A mulher nua estava na porta, a cabeça inclinada para trás. O corpo iluminado, o rosto desaparecido na sombra. Como se tivessem cortado sua cabeça.

José ouvia falar que os Comuns tinham aparecido num bairro, muito longe. Metralhadoras nas mãos, assaltavam bancos, carros blindados, indústrias.

Ouvia o povo falar que eles ajudavam quem precisava. Davam dinheiro, traziam remédios, conseguiam médicos.[1]

? Gê. Gê anda curando doentes por esse mundo.

PENSAMENTO DO DIA
A boa caridade começa em casa.

Consersa de táxi:

. Sabe, a gente não entende nada de cotações, mas vai aprendendo. Dá para guardar um pouquinho.

? O senhor faz o quê.

. Sou marceneiro.

? O senhor joga sozinho na bolsa.

. Não, tenho vinte e cinco companheiro.

? Quanto o senhor ganha por mês.

. 500 novos.

? Sobra.

. Faço sobrar 20 para jogar na bolsa.

? Dá.

. Agora já dá. Já entendo. Manjo bem.

? Dá mesmo.

. Olha só. Ações do Banco Principal, em um ano, foram valorizadas em 674 por cento. Da Metalúrgica Belga, 157,3. O negócio é comprar ações de várias companhias.

? Quantos filhos o senhor tem.

. Seis.

? Que hora se levanta.

. Às quatro, para chegar às sete.

? Trabalha há quantos anos.

. Vinte e um.

---

1 Imagem romântica acompanha heróis lendários.

MEÇO ILDAP AS

QUEM CASA QUER CASA

? Uma casa. Pois muito bem! O senhor vai comprar uma casa ótima. Das melhores.

O homem, de terno (Compre um terno e ganhe uma calça, um chaveiro e concorra a uma viagem). Falante, insinuante, sorridente, meloso, repulsivo.

(Publicitário). José sentou-se, a cadeira era baixa, o homem na mesa olhava de cima para baixo.

Temos planos sensacionais. Tudo facilitado. Pequena entrada. Grande facilidade nos pagamentos. O senhor sabe, nossa organização promove o bem-estar da família. Como o senhor, mais de vinte mil pessoas nos procuraram. Mas (pausa prolongada, sorriso, o dedo apontando José. José, se alegre, seu, você foi um dos escolhidos, um dos selecionados entre os vinte mil) os nossos critérios de seleção são rigorosos, apurados, implacáveis, só apontam os melhores entre os melhores. Por isto nossa firma é reputada. Tem a confiança do povo. Do governo. Dos Bancos. Da Cooperativa Residencial, que é o órgão oficial, criado em hora oportuna pela ação firme e decidida de nosso mui digno Presidente. Mas, dizíamos (outra pausa, o mesmo dedo apontado, sorriso, o cabelo vaselinado, o cheiro de Aqua Velva, a pele do rosto lisa, o barbear perfeito — com este creme você faz a barba até com machado) o senhor está aqui porque foi selecionado. Invejo o senhor. Queria eu, eu, de moto-próprio, lhe dar esta nova. Queria eu — ? sabe o quê — sentir a alegria que o senhor deve estar sentindo. O coração pulsando, batendo de alegria. ? Todavia, sabe que sinto essa alegria em mim (Pausa, ar contemplativo, absorto, regra 7 do manual da companhia) Sinto essa alegria, porque estou proporcionando felicidade ao senhor. Não bem eu. Mas minha companhia. E eu, sou minha companhia.

(Seleção: papéis assinados, questionários, testes com quadrinhos, situação financeira, religião, política, atestado de idoneidade, atestado de residência, ideológico, carteira de trabalho, quatro pessoas testemunhando, ? "por que o senhor quer comprar uma casa", "o que acha da Cooperativa Residencial do governo", "qual sua idade, estado civil, nacionalidade, cor (declarar: preto ou branco; mulatos, pardos e congêneres pertencem a cor preta), atestado de eleitor, vacinas, atestados médicos).

Eu passei. Quer dizer que passei. Essa merda toda, só pra seleção. Igual ao vestibular. Uma merdaiada enorme. Exame. Passei. Fiquei excedente. Depois passei e fiquei excedente. Na terceira excedência, eles que se fodam. Me mandei. E se aqui tiver excedência, quebro a cara desse puto.

. O senhor está pronto para a fase final. Agora, é fácil. Facílimo. A Cooperativa foi criada para lhe dar bem-estar. Precisamos tratar dos papéis. Leia estes folhetos. Tudo que o senhor precisa saber. Tudo, tudo. Se tiver dúvidas, o senhor volta aqui. ? Quer ir ver as casas primeiro. Pessoalmente, se o senhor me permite a opinião, eu a externo. Não será necessário ver. Aí na parede estão as fotografias. As plantas, venha aqui. Pode escolher na planta a sua casa pronta. Fique à vontade, escolha calmamente.

As plantas são iguais. Sem diferença. Trezentas páginas, cada página dez plantas. Iguaizinhas. O homem da companhia, impaciente, José olhava planta por planta. Pediu uma régua, mediu. Pediu papel, fez contas. Escolheu a penúltima.

? Bem, vamos tratar disso.

? O queque eu faço.

? Já tem financiamento.

. Ainda não. Agora vou tratar dessas coisas.

. Bem, devo dizer-lhe algumas coisas. O financiamento pode ser obtido de vários modos. Sim, pode. Através da Associação de Poupança e Empréstimos ou através da Sociedade de Crédito Imobiliário. É de 400 salários mínimos o limite legal de financiamento, para um imóvel que não ultrapasse 500 salários mínimos. Ou então o senhor pode procurar uma entidade pública como a Caixa Econômica. Ali o limite legal de financiamento é de 20 salários mínimos, para um imóvel que não ultrapasse 400 salários mínimos.

. Anh, sei, sei, sei, sei, sei.

. Em qualquer caso, o financiamento dependerá de renda da

família. A que ganha menos pode ter um financiamento que corresponda a uma mensalidade de 20 por cento da renda. A que ganha mais pode chegar até a 30 por cento. Digamos: se vocês e seus familiares ganham 500 cruzeiros por mês, o financiamento deverá ser calculado de modo a que o pagamento mensal fique entre 100 a 125 cruzeiros. E assim por diante, para que você compre com o que possa pagar realmente, sem um mínimo de sacrifício.

José escolheu a penúltima.

. Uma boa escolha, boa mesmo, dá até gosto vender para quem sabe comprar, escolher bem. Tive muita satisfação. Eloy, às suas ordens. E o senhor me desculpe de alguma coisa. Esperamos contar sempre com sua confiança. Muito prazer mesmo. Vamos tomar uma cerveja juntos, no dia de fechar o negócio. Plá, plá, plá, plá. Adeusinho.

Uma casa nossa. Uma casinha só para nós dois. Meu amor, que beleza. Eu sonhava com uma casinha. Tem quarto pros meninos. Deixa eu ver. Bonitinha. A gente pinta de azul-claro, as janelas de azul-escuro. Põe pastilha no muro. Ai, deixa eu contar para a dona Conceição. Ela vai morrer, de inveja. Espera, espera, meu amor, só um minutinho.

Rosa correu pela pensão. De quarto em quarto. José olhou a sua figura: de chinelos, bóbi na cabeça, um lenço branco por cima. Lembrou-se que era sábado, ela ia querer sair, ir ao centro, ver um filme / se tiver da Sarita Montiel, melhor /, comer pitza, tomar chope. Depois, na hora de vir para casa, comprava saquinhos de semente de abóbora torrada, castanha-de-caju, amendoim com chocolate e doces sírios. O criado-mudo, no quarto, está cheio de saquinhos. Aos sábados, ela faz estoque. À noite, come e lê M. Delly.

Vou alugar o ferro, passar um vestido. De noite, a gente comemora.

Rosa foi passar roupa / 2 cruzeiros o aluguel do ferro /. José examinou os folhetos da Cooperativa Residencial.

"Atenção, lápis e papel na mão. Se quiser, reúna a família. Para saber quanto de sua renda você pode empregar na aquisição de casa própria. O primeiro passo é relacionar receita e despesa, na base mensal ou anual."

> **PENSAMENTO DO DIA**
>
> *? Mas, porra, para que eu quero casa própria ? Por que a gente é obrigado a ter tudo isso ? Por que eu não me separo dessa mulher ? Por que não mato ela. Eu nem me separo, nem mato. Cada vez que vejo os joelhos dela, cada vez que ela geme, com vergonha / e vontade / de gemer, lá na cama, eu sei que não me separo. Se largasse não ia ter outra. E se Rosa quer casa própria, secador de cabelo ou bosta enlatada eu vou arranjar, essa é que é a verdade. E eu não vou discutir comigo, nem me perguntar nada. Vai ser assim, e pronto*

Três dias ele pensou.

Nos três seguintes, meditou.

Mais três, de duros raciocínios.

Finalmente: dinheiro, ô dinheiro. ? Onde está o dinheiro.

Dinheiro não há.

Há. Em algum lugar.

O lugar ? Caixas, Bancos, Casas de Investimentos, Fundos de Expansão. Em mil lugares, em cofres guardado. Para os outros.

? Por que não dividem esse dinheiro com todo mundo. Dava e sobrava.

Besta, como você é besta, Zé Gonçalves. Besta, até no nome. Dividir. Ah, ah, i, i, i, i, ic, ic, ic. Até me deu soluço.

Se eu não tenho dinheiro. Se não tenho emprego para ganhar dinheiro. Roubo. Fácil. Roubo e se acabou.

AH, QUE SABOR DE LOUCURA
ESTE DA VIDA ORGANIZADA

O senhor é bom, mas volte noutra oportunidade. Entrevistas, testes. José pega a fila, dez, treze horas na fila que corre em volta do quarteirão. As filas aumentam. Os jornais: é o desemprego, a política de contenção. Indústria e comércio não admitem, demitem.

Entrevistador da TV: ? Por que não há mais empregos.

O industrial: Não é culpa nossa, andamos com a corda no pescoço, os bancos não financiam, o governo não empresta, têm os novos impostos as taxas de produção, o auxílio para combater o comunismo dentro da igreja, as cotas para as ligas de defesa da democracia, da moral, do civismo, o dinheiro gasto em bandeiras, em plásticos para carros com dizeres cívicos, Ame ou Deixe sua Terra, os etc., etc., etc., etc., etc., etc., etc., etc., etc., etc.[1]

Esmolas, mendigos, fome, vendedores ambulantes surgindo por toda a parte. Advogados bem-falantes vendendo ioiôs luminossos, ratinhos de corda, barbatana, esferográficas (3 por mil), saquinhos de limão (1 dúzia por 50 centavos), imagens de santo, bolas de gás, isqueiros, doces feitos em casa, perfumes, livros clandestinos, chaveiros, meias, anéis, óculos, distintivos, caleidoscópios, aparelhinho de descascar batatas, réguas, lápis, borracha, médicos vendendo flâmulas de porta em porta. Agrônomos lavando vidros de carros nos estacionamentos. Arquitetos orientando construção de barracos nas favelas.

As filas no serviço social, crescendo. Brigas todas as noites diante dos albergues, debaixo dos viadutos, pontes, nas portas de prédio, portas de igreja / os mais fortes tomando o lugar e vendendo aos mais fracos por um cigarro, um dar a bunda, uma pinga e os padres surgindo com a polícia: fora, fora da casa de deus, ó vendilhões /, um lugar para dormir.

Mendigos, vagabundos, desempregados, hordas revirando os lixos da cidade, de todas as cidades. As casas invadidas, ladrões presos ao roubar despensas, armazéns e supermercados protegidos por contigentes policiais. Todo mundo querendo ir para a cadeia onde, ao menos, não se morre de fome.

Casal que pastava nas margens do riacho atacou a dentadas companheiros de pastagem.

Empregados demitidos. E demitidos matando patrões.

Os padres rezando e pedindo: Filhos meus, confiem em Deus e deus vos alimentará.

INFORMAÇÃO

Soldados muito bem armados estão policiando bancos da zona norte. Suas armas são: metralhadoras INA, calibre 45; espingardas de longo alcance, calibre 22; revólveres Taurus, calibre 38, bombas de efeito moral e gás lacrimogêneo.

PEQUENOS E GRANDES EMPRÉSTIMOS

oito da noite / ruas / as portas do estádio, abertas / luzes acesas / o gramado desaparecido, a terra revolvida: reformam a drenagem

---

1 Entrevista censurada pela Censura e entrevistado preso.

do gramado / passa um carro / dez minutos depois, outro / escadarias unindo as ruas de baixo e de cima / casas grandes, mansões / fechadas: portas, janelas, portões / ninguém / um preto rega as plantas, o cheiro de terra molhada / uma perua vira a esquina, as rodas chiando / jardim antigo, canteiros de rosas, crisandálias, margaridas, zínias, bocas-de-leão, buxinhos, globos de luz no meio das flores / empregadas namoram / casas fechadas / placas: 1936.

. Passa o dinheiro aí! Vai logo!

O revólver de brinquedo, na cara do sujeito. O sujeito desceu do Galaxie. Ia colocá-lo na garagem. José tem a atitude de quem conversa com um amigo.

. Vai, o dinheiro, logo. Vai tudo.

O homem, cinquentão, rosto apodrecido, tira a carteira de couro preto (Odeio carteira, se eu tivesse um revólver de verdade era capaz de matar esse cara, só por usar carteira). O homem abriu a carteira, tirou notas de dez. Dois macinhos. Entregou. Mostrou a carteira vazia. José pegou, tirou os documentos dele, Carteira de Identidade, Cartões de crédito, Cartões de banco.

. Os documentos, não. Me devolva os documentos, por favor. Pode ficar com o dinheiro.

? Tem mais. Acho que o senhor tem mais dinheiro. Se tiver, me dê que dou os documentos.

José torceu a boca para o lado, como se fosse cuspir. A afta estava incomodando. Era assim, sempre que ficava nervoso. O assaltado olhava fixo seu rosto, tentando guardar os traços.[1] José aproveitou, cuspiu no olho do homem.

. O dinheiro, vai.

O assaltado enfiou a mão no bolso de trás, tirou um pacotinho.

. O resto, anda logo. Quero tudo.

. Acabou.

José rasgou um dos cartões. O homem foi ao porta-luvas, tirou outro pacotinho.[2]

Então o homem bateu na buzina e começou a tocar.

José deu com o revólver na cara apodrecida do homem, o plástico não machucou nada. José correu, o homem correu. José parou, abriu um portão entrou numa casa, correu pelo quintal, pulou o muro, saiu pela casa vizinha, voltou para a rua. Viu o homem con-

---

1   Para o retrato falado.
2   Esses ricos sonegam o imposto de renda, que só vendo.

versando com um grupo de pessoas. Entraram todos. José pegou o Galaxie e se foi.[1]

Produto do assalto		
Dinheiro da carteira	$	210,00
Dinheiro do bolso	$	150,00
Dinheiro do porta-luvas	$	700,00
Total	$	1.060,00

No dia seguinte, José foi a um banco e abriu conta, aproveitando-se da campanha: *Deposite o seu Dinheiro — O banco é o único lugar seguro — Os bancos eliminaram os monstrinhos.* Comprou o jornal, o homem tinha dado parte, mas não tinha reconhecido o assaltante. José estava contente (É melhor começar a roubar depois dos vinte e cinco anos, se tem a cabeça mais fria.) Normas de José, feitas por ele próprio com a experiência acumulada em diversos assaltos:

1) Fazer uma série de roubos seguidos, todos os dias, em lugares perto, depois mudar o rumo subitamente, fazer um roubo só, mudar de novo.

2) Evitar que a vítima olhe muito para o seu rosto.

3) Usar artifícios: fingir que manca um pouco.

4) Respirar como asmático.

5) Ter uma tossinha seca.

6) Fingir que não enxerga bem; aproximar o dinheiro roubado do rosto.

7) Falar palavras em espanhol, carai, la plata, etc.

8) Ficar cuspindo.

9) Usar salto bem grosso.

10) Vestir-se bem, se vestir mal, usar vários dias seguidos um acessório que chame a atenção, depois mudar.

11) Parar por alguns dias, recomeçar, parar de novo, fazer dois seguidos, ficar um mês sem agir.

12) Colocar sempre o dinheiro no banco. Movimentar a conta. Fazer amizade com o gerente. Solicitar empréstimo. Pagar em dia. Depositar sempre.

A QUEM POSSA INTERESSAR

Nova York (UPI) — Os ladrões de banco estão recorrendo à tecnologia para a abertura de cofres-fortes. Um instrumento

---

1   Incrível a facilidade com que se rouba nesses dias. E nos outros.

destinado a trabalhos de construção e reparação, denominado "Barra Térmica" e que está sendo vendido em qualquer loja do ramo, atinge temperaturas entre 2.500 e 5.000 graus centígrados, está sendo utilizado por ladrões, pois com ele funcionando durante 10 minutos conseguem fazer aberturas de 5 centímetros de diâmetro em ferro ou aço de um metro de espessura. A polícia não esconde sua preocupação diante desse novo recurso colocado ao alcance de qualquer ladrão — o instrumento custa barato - principalmente porque até os sistemas de alarme podem ser neutralizados pelo engenho.

Produtos de novos assaltos: memorando de José

Motorista na Rua Bresser	$ 34,10
Mulher que saiu do banco	$ 100,00
Senhor mal vestido na Av. Paulista	$ 23,00
Residência do turco que não sabia falar português	$ 3.000,00
Diversos (guarda-civil, meninos ricos, etc.)	$ 350,00
Transporte anterior	$ 1.060,00
Total	$ 4.567,00

Observação: Cheguei à conclusão de que é preciso cuidado ao assaltar mulheres. As consideradas honestas gritam; as consideradas putas trazem gilete na bolsa, não se intimidam (Tomara que não achem o corpo de Sônia)

A QUEM INTERESSAR POSSA

Os militares, diretores de bancos e representantes de órgãos policiais que foram assistir à demonstração de coletes americanos à prova de balas saíram confusos: uma das balas disparadas pela metralhadora INA perfurou o manequim. Foi também demonstrada a eficiência do colete Army-Vest, de aço, que pesa 13 quilos e foi usado pelas tropas de elite norte-americana no Vietnã.

Mãos ao alto / todos ao banheiro / começou o assalto / metralhadoras na mão / caixas assustados / dinheiro em notas / em moedas / assaltantes pulando o balcão / corações disparados / Não somos subversivos / ? Então, quem são / ? Como é possível identificar três mulatos / A procura do misterioso dono do carro / dinheiro nos sacos / povo no banheiro / mãos para baixo: o senhor bem podia ser mais educado.

O décimo.

(Isto vai indo devagar. Muito mesmo. Ninguém mais anda com dinheiro nesta cidade. Está todo mundo roubando, é grande a concorrência. Só devia roubar quem precisa mesmo. É, vai ver, todo mundo anda precisando. Outro dia resolvi assaltar um motorista de táxi. Quando entrei e disse a rua, uma rua bem longe, ele abriu o porta-luvas, puxou o revólver, deixou do lado dele. E no chão, fácil de pegar, tinha uma barra de ferro. Achei bom não facilitar, o homem tinha dois espelhos estratégicos, vigiava meus movimentos. Puxei conversa educada, bonita, para desviar sua atenção, ele não foi. Me contou que duas vezes tinha sido assaltado por sujeitos finos, um se dizia bancário e o outro contou que era professor — ? seriam mesmo.)

10 da noite. José debaixo do Elevado. Entra por uma Alameda passa na antiga estação de bondes putas velhas — malandros — pensões — casa de pneus — acessórios de automóveis — escola de dança com porta verde — quadra de futebol, onde praças da Força Pública batem bola, ouve as mulheres atrás de portas rachadas, dizendo: vem, vem, vem bares sujos — pracinha de interior, um terminal de ônibus com tambores de óleo preto — capela moderna de tijolos — muros com inscrições: proibido pregar cartazes — abaixo o imperialismo — Arrocho Salarial Mata Operário — carros estacionados — casa de janelas abertas — malas de papelão em cima de guarda-roupas com espelhos na porta — guarda-civis — vitrines com milhares de pneus (*era a guerra, eu tinha oito anos, rodava um arco de borracha, até que veio um homem da prefeitura, disse que eu precisava entregar meu arco, minha bola, tudo que tivesse de borracha em casa, por causa da guerra, que eu ia ajudar os soldados, eu não queria ajudar soldado, guerra nenhuma*), barracão branco — portas de vidro — exibe maquete do prédio sendo construído (facilidades, facilidades, compre seu apartamento).

De um clube vinha o som de escola de samba. Agora, era esperar. Às dez o homem devia chegar com o pacote. Fazia duas semanas que seguia o cobrador do bicho. Ele saía às três da tarde, percorria os pontos, no mesmo táxi Chevrolet 38, preto. Os bicheiros conhecem o carro que só encosta; o pagador pergunta: ? está livre . Se o pagador não pergunta nada é porque a barra está pesada, é polícia perto, o carro se arranca. Quando o cobrador termina, vai para o cortiço, pardieiro de três andares, condenado por ser construção clandestina, habitado por famílias miseráveis e malandros que têm seu mocó ali. O cobrador dispensa o chofer, entre 10,30 e 11 horas, sobe ao terceiro andar e se fecha. Fica lá, de luz acesa, uma duas horas, depois sai, sem nada na mão.

Agora, o homem saiu, tomou seu ônibus, José junto, desceu no Parque da Água. O cobrador continuou no ônibus. O cheiro de bosta de boi vinha do Parque, uma exposição de animais. José pegou um ônibus de volta. Tomou um sorvete de goiaba (fabricação própria, a melhor massa caseira de sorvete) e foi para o cortiço. Vagabundos dormiam nos beirais, um bêbado vomitava, crianças remexiam na latas de lixo, um guarda-civil mijava enquanto sua namorada esperava, numa esquina um carro pegava fogo cheio de curiosos querendo ver o motorista dentro, um bando de cachorros latindo. José subiu a escada. Lavada a mijo, vômito, cachaça. Sem luzes. Os cômodos todos abertos--tentativa de ventilação. Crianças choram, galinhas cacarejam na escada. Gente se amontoa — vieram todos os vizinhos — num cômodo vendo televisão (VIA SATÉLITE): Os astronautas chegando na lua-a--terra solta no espaço-os pés do módulo: aranha de prata-andar lento — a poeira-pedras da lua-a marca dos astronautas na poeira da lua-o silêncio – as roupas prateadas — a ausência de arvento-as imagens sem nitidez-no céu rodava o outro astronauta.

José parado na porta

(Estou num ponto dessa terra que aparece na tela. Que enorme mentira, a Terra não existe, não existo, nada existe, é imaginação. Perdi a vontade de roubar, perdi todas as vontades, quero vomitar tudo de dentro, o estômago, coração, pulmão, baço, fígado, intestinos, rins, bexiga, pâncreas, glândulas, esvaziar inteiro e engolir aquela lua seca, árida, de gesso)

O ASTRONAUTA ESTÁ LENDO A BÍBLIA

(Não dá para ver com nitidez, há duas áreas, uma negra e outra branca, a branca é o solo da Lua, a negra é o céu, e esses dois homens sozinhos andando aos pulinhos e a gente aqui embaixo custou um pouco imaginar que os dois estão a milhares de quilômetros, num outro mundo. Estou ficando com uma coisa esquisita como se nada tivesse importância. Ou que tudo tivesse uma importância maior. Esses homens não estão sozinhos, eles falam com a terra, estão sendo seguidos por um bilhão de pares de olhos.

A imensidão, sem ninguém. Agora sei que alguma coisa está acontecendo. Mudando. Precisa estar, não é possível.)

Terminou a transmissão (DESFEITA A REDE) mulheres gritavam, alguém cantava boleros, merengue para lá, merengue para cá, en el cachumbambê, en el cachumbambá. No último andar, José tirou um araminho. Movimentou no buraco da fechadura, como delicadeza. Como se enfiasse o dedo numa bocetinha e a porta de abriu, como mulher abre as pernas e José entrou, ansioso, um pouco nervoso, elétrico. Entrou naquele escuro. Aguçado pelo que ia buscar, sem saber o que ia encontrar, como pinto sugado pela membrana da vagina, entrando e pulsando e se agitando todo / e de repente sentiu um clarão amarelo como se estivessem disparando mil flashes amarelos e foi um segundo só e voltou a vontade de roubar e também matar e soltar uma bomba e fazer voar a terra azul em mil cacos, os estilhaços se perdendo pelo universo, entrando em órbita e mesmo que a terra se despedace, nos seus pedaços vai sobrar gente, ou pedaços de gente, e essa gente, ou pedaço de gente, vai se reproduzir e haverá não uma, mas mil terras azuis povoadas com gente, ou pedaços de gente /. José acendeu a luz: armário, caixotes, jornais até o teto, cofre com litro de leite azedo em cima, cascas de ovos, estatueta de santo, quadro a óleo, um vidro com apêndice boiando num líquido, camisinhas usadas, liquidificador com o resto de vitamina marrom dentro, discos 78. José jogou a pilha de jornais no chão, encontrou um buraco na parede, havia um telefone, tirou o gancho, tinha linha. (Eles apostam aqui). Anotou o número do telefone trocou o disco, deixou Bienvenido Granda cantando *Angústia*, jogou o resto dos jornais no chão, encontrou fotografias de sacanagem, calcinhas, um consolo de madeira, vermelho, vaselina, (Não tem dinheiro aqui, putaqueopariu!) Aí se lembrou dos filmes que tinha visto e dos livros da Coleção Amarela e passou a procurar no assoalho (a vida mais uma vez imitou a arte). Havia uma tábua solta e o pacote de dinheiro embaixo. (Essa gente que joga no bicho, só joga curto e com dinheiro velho.) Fechou a porta, deixando a vitrola tocando.

Na porta da pensão, os quatro chegaram.
. Vem cá, negão! Vem dá o serviço.
Eram quatro dobrados. O que queriam? Quem seriam?

. Nós te seguimo de lá. Pra vê teu mocó.
. Qui mocó? (Quem seriam, quem seriam?).
. Essi aí. Que truta, negão, cucê arranjô!
(Ih, ih, agora, e esse aí, o que querem?)
. Vem cá gente, negão.

Tinha um carro parado, um Volks (a vida imita o cinema; continua na página, na próxima semana, veja o outro fascículo da emocionante história policial)

? QUEM SERIAM OS QUATRO PERSONAGENS MISTERIOSOS.

POR FAVOR
SERVIÇO DE SOLIDARIEDADE HUMANA:
O HOMEM ESQUECEU A BUNDA NO TÁXI E NÃO PODE MAIS
CAGAR. GRATIFICA-SE BEM A QUEM ENCONTRÁ-LA.
FAVOR NÃO COMÊ-LA.

OS ENGANADOS: MELODRAMA SENTIMENTAL

. Mas eles pediram. É o ouro para o bem do país.
. Dá outra coisa, mãe. Aliança, não.
. Eles precisam dinheiro para combater o comunismo, filho.
. Mentira deles, mãe. Vai para o bolso deles.
. Que falta de fé. Meu deus, me ajude. Se os padres estão pedindo, precisam.
. Então, dá, mãe. Dá a tua aliança.

DETERMINAÇÃO OFICIAL

O arauto proclamou:
A partir desta data, os homens só devem apanhar os táxis pretos. As mulheres, os amarelos.

MOBILIZAÇÃO PARA CAPTURAR JUMENTO LOUCO

A polícia está recrutando vaqueiros para capturar o jumento que enlouqueceu. O animal ataca as mulheres que vão lavar roupa no córrego do Italiano. Os veterinários dizem que o jumento está sofrendo de encefalomielite ou "mal de roda", comum nos animais herbívoros e que consiste numa inflamação simultânea do encefálico e da medula e que provocam distúrbios dificilmente curáveis, devido à gravidade da lesão.

. Prazer, seu Átila, um bom laçador.

. Prazer é meu. Sou El Matador, um toureiro.

OS PAPÉIS PARA RECEBER A CASA

O corretor passou os papéis. A secretária apanhou o contrato. José assinou. Vieram mais papéis, José foi assinando. Cinco horas mais tarde saiu de lá.

. O senhor é o feliz proprietário de uma casa no Jardim Assunção, o maior e mais belo conjunto residencial do país. Somente um governo ativo e dinâmico como o atual poderia cuidar tão bem do problema da habitação.

HORA OFICIAL

As gravadoras têm um mês para liquidarem os estoques de músicas profanas. Dentro de trinta dias serão permitidas apenas músicas sacras e as marchas patrióticas.

Determinação Sagrada nº 5463789j 78a

Rosa jogava Alka-selzer dentro do copo, o comprimido fervia, ela aproximava o copo do queixo: "para fazer cosquinhas. É tão gostoso". O Alka-seltzer fazia cosquinha, Rosa ria.

. Vem.

. Não vou, não. Não estou com vontade.

. Vem.

. Não, não quero.

Plaft, plaft, plaft.

. Seu filhodaputa, vou cortar seu pinto.

. Vem cá, sua vaca. Vem foder com seu marido.

. Não vou.

Pimba, catapim, atampam.

. Ah, ah, ha, ha, ha, ah, ah, ha.

José tirou o pau para fora. Rosa fechou os olhos.

. Vem cá, ajoelha aqui, vem.

. Você é um pervertido, um tarado, vou te denunciar.

. Me dá a bundinha.

(Ele não sabe, mas dei tanto a bunda quando era mocinha.)

. Não, não, não.

. Me dá.

(Estou arriscando, se pegar, pegou)[1]

ROSA GANHA UM PRESENTE

A perua cortando ruas brancas, casas brancas, iguais, postes iguais. Movimentação enorme, como se fosse exposição nacional. Mulheres falantes-gesticulavam-discutiam-riam-gritavam-histéricas-galinhas chocas cocorocando em volta dos pintos. Felizes proprietárias de casas próprias, nunca mais problemas de aluguéis-senhorias-despejos--atrasos. Elas beijavam os muros brancos, se ajoelhavam diante dos portões, acariciavam as paredes, soltavam guinchos-riam-cantavam nas janelas. Passavam peruas, com alto-falantes: o governo sente-se feliz com a felicidade de vocês. Havia faixas, bandeiras coloridas, música. Rosa excitadíssima.

? Será que a nossa casinha é bonitinha como as outras.

. Deve ser.

(? Por que não há de ser se são todas pré-fabricadas, nos mesmos moldes, tamanhos, preços, conforto, comodidade)

O festival da alegria doméstica por toda parte. Numa esquina, a dona tinha se arrojado ao chão, beijava a soleira do portão, os braços estendidos, como um muçulmano inclinado em direção a Meca, orando.

. É esta.

Disse o corretor consultando um mapinha com números e letras.

ROSA PENETRA N(A) CASA

Rosa passou a mão pelo portão ("Já tem poeira, temos que limpar"), encostou-se à porta ("A minha, minha, minha, minha"), girou a chave, José atrás, Rosa contente (Cliente satisfeito), vendo a casa pintada, branca ao sol (Um relâmpago branco doendo na vista) janelas brilhando tinta a óleo barata, a casa, impecável, sorridente, satisfeita, parecendo um publicitário de sapato engraxado na hora de vender anúncio, meloso, zelosa, a casa se oferecendo a Rosa, se deixando penetrar, o prazer de Rosa e o prazer da casa, o cheiro de tinta fresca, soalho raspado, verniz, aguarrás. José empurrando o

---

1 O que prova: é preciso haver diálogo.

portão, seja bem-vindo a casa é pequena mas o coração é grande, a casa é feita de pedras e o lar de amor e carinho, o homem sou eu mas quem manda é minha mulher, deus proteja meu lar, José (começando a vomitar).

AGORA, NA GUERRA JOSÉ SOFRE O BOMBARDEIO

? O senhor não precisa de um liquidificador operacional, com copo de plástico que o senhor pode jogar de dez andares que não quebra, porque é do mesmo plástico usado na cabina dos foguetes espaciais norte-americanos.

? O senhor não quer comprar uma belíssima mobília em mogno, estilo clássico, de muita dignidade, excelente.

? O senhor não quer comprar uma lavadora com dois motores que faz tudo em quatro minutos apenas.

? O senhor não quer comprar um faqueiro eletrônico.

O QUE É QUE É

. Cheio de dia, vazio de noite.

. Não sei.

. Sapato.

. Trabalham juntas, mas nunca se encontram.

. Roda de carro.

Agradecimento

AO BOM MENINO JESUS DE PRAGA
Por graça recebida

Yolanda

Rosa subiu ao largo amarelo, havia uma fila diante do Mercadinho, o único em todo conjunto: um para 4 mil casas.

. Agora, vou ganhar dinheiro.

. Eu compro, a sua revista, eu compro.

. Vou vender nas estações, nos campos de futebol, nas salas de espera dos cinemas. O povo gosta de adivinhação.

. Eu gosto, eu compro.

Malevil, caderninho na mão, o dia inteiro pelos bairros, recolhendo adivinhações para a sua revista.

> À direita, sou um homem, facilmente acharás;
> às avessas, só à noite e nem sempre me encontrarás[1]

Outdoors imensos enchem o largo do mercado, ruas, terrenos, onde houver um espaço vazio.

O carrinho cheio de lataria, Rosa sentiu uma pontada na cabeça. A caixeira se enganou, deu troco a menos.[2] Rosa saiu para o Largo Amarelo.[3]

Rosa procurou uma condução, ônibus, táxi, qualquer coisa. Só viu mulheres / cacarejando / fazendo amizades, vizinha com vizinha.

"Venham ao Santuário da Caridade"[4]

Nenhum carro, nada. E a dor na cabeça, forte.

"Ao chegar ao santuário, você se sentirá aliviado."

As mulheres sorrindo para ela, buscando cumplicidade.

"Venha receber a luz do alto, venha irmão."

Uma perua com alto-falante corria o largo. Música de harpas paraguaias. Ao microfone, um homem com a boca cheia de saliva, gritava com voz ardida: "É tempo de pensar, irmão. Agora ou nunca. Não haverá outra chance. Venham. Deixem seus afazeres, acendam uma vela e vossas preces subirão com as ondas radiofônicas até bem perto de Deus, levando vossas angústias, vossas necessidades, vossos pedidos".

Rosa ficou parada no largo amarelo. A vista escureceu, ela começou a cair para a frente. Um homem viu, segurou-a pelo braço. Rosa queria voltar para casa. ? Seria no segundo ou terceiro quarteirão. Talvez se lembrasse da esquina. Não, eram todas iguais. Nenhum ponto de referência, as casas brancas se sucediam. Deve ser na quadra de baixo. Não era. Dez quadras, vazias. Caía sempre dentro de quarteirões brancos. Estava em pleno miolo da vila, o sol batia nas casas, fazia mal aos olhos. Perguntava, outras mulheres abriam os olhos surpresas.

Uma dessas casas é minha. Subiu, desceu, contornou, voltou, virou, cruzou, atravessou, desceu, subiu. Calçadas em cimento cinza, lajotas de cimento, espaços de um metro para o jardim, janelas azuis, muros de um metro: como espelho infinito em que a vila se reproduzia mil vezes.

---

1   Raul-Luar.
2   Não se enganou, fez de propósito.
3   O conjunto residencial pretendia, no futuro, fazer largos de várias cores, segundo a determinação presidencial, dividindo o bairro em classes sociais.
4   O Santuário da Caridade cobrava ingressos para os fiéis entrarem. Dentro vendiam velas, orações, relíquias, patuás.

Então, ela viu duas mulheres: onde estará minha casa, perguntaram. E as duas eram dez, um grupo de vinte, cem, mulheres / cacarejantes / gritando-rindo-assustadas-ex ci: bzzzzzzzzzz: murmuravam: ? e a minha casinha? e quanto põe de manteiga? e a minha rua? e gelatina, vai muito? onde anda a minha rua? e os meus vasos? vai leite condensado. Andavam, depois corriam, subiam, desciam, bata bem no liquidificador, dois ovos inteiros, duas gemas, giravam, se encontravam, indagavam, gritavam, 1 colher de sopa de conhaque, 1 xícara de farinha de trigo peneirada, coloque no copo do liquidificador todos os ingredientes para a massa, coloquei um capacho na porta de casa, tão bonito, todo verde, combinando com o azul e agora onde está? a minha casinha. Cebola descascada, pimentão verde, 1 pepino cortado, as que ficam nas portas e janelas não querem sair, elas correm, sobem nos telhados, enxergam um deserto de telhados, telhados vermelhos-o-vermelho peneirando ao sol, los, slo, MODO DE FAZER corte as folhas de gelatina, e as mulheres que estavam nas janelas entravam correndo com medo de serem levadas pela multidão-dédalo-labirinto-sem-fim, e as mulheres cacarejantes--rindo-gritando-ando-excitadas-assus, e coloque a massa na água fria casas brancas ao sol, ruas cruzando-uma casa-mil casas-iguais-um fio de linha para dédalo-tontas-tontas: as mulheres, formigas doidas em dia de saída de içás-cegas, na tarde em busca de suas casas--lares-doces lares. Dá seis porções.

AS BOMBAS EXPLODEM PERTO E ATINGEM JOSÉ

? O senhor não quer comprar uma tevê transistorizada-a pilha elétrica-gravador e fita teipe-toca-discos rádio galena-emissor receptor e transmissor emissor.

? O senhor quer comprar a nova torneira de prata esterilizadora de água poluída.

? O senhor quer comprar o novo fogão a gás-elétrico-a-lenha--atômico.

? O senhor não quer comprar uma geladeira que conserva os alimentos por dez anos.

? O senhor quer comprar as lâmpadas eternas de laser.[1]

IPIÊÊÊÊÊÊ, IPIAÔÔÔÔÔÔ

---

1 Eternas nada, depois de dois anos elas se queimam.

Naqueles verdes campos vivem alegres boiadeiros, caboclos mestiçados com os índios brasileiros.

LÁ VÊM OS PATRULHEIROS DA NOITE

O homem moderno é informado–o nu não tem mais segredos–viva a vida com alegria-faça a barba com lâminas intermináveis-com philishave–o cadáver foi para o necrotério e o criminoso para a detenção–o papa sorri quando o sínodo contesta sua autoridade: a igreja deve ser governada por um colegiado.

Pá, uma batida violenta nas costas.

. Documento, DOCUMENTO.

José mostrou. O soldado era quase moleque, cacetete 50 centímetros na mão, metralhadora no ombro. A arma pesada, ele ficava curvado. Fazia cara de mau, gritava.

(Deve se divertir)

Vai, vai, VAI, VAI.

Funcionava a Operação Patrulheiros do Norte. Rapazinhos em idade militar, orgulhosos de autoridade, cheios de poder, vaidosos com as metralhadoras, arrojados, impunes. eles tinham atendido aos anúncios que prometiam armas, viatura e prêmios pelas prisões.

Assim tinham prendido Malevil. Entraram no apartamento, foram jogando livros pelos cantos, colocaram um revólver na prateleira, fotografaram, colocaram algemas. Malevil ficou dois meses.

José guardou os documentos. Tremia. De nervoso, de raiva. Quando eles se aproximavam, nunca se sabia se o trilho estava embaixo da gente e se o trem passaria ao lado, ou por cima.

Ele dormia comprimido. Durante o sono se entortava, se repuxava. Rosa se queixava: você vive dando pontapés, parece que tem ataques. Ele acordava com dor de cabeça, precisava fazer ginástica. Torções para a direita, esquerda, para a frente e para trás. Tinha dores nos rins, acordava com torcicolo. Uma noite urinou na cama.

Num prédio, jogaram um ovo, o ovo caiu na cabeça de um patrulheiro. Interditaram o edifício, prenderam todos os moradores, velhos, crianças doentes.

? Quem jogou o ovo.

Então cassaram as concessões de rádios e televisões. Sobraram dois canais e duas emissoras oficiais. As comunicações oficiais vinham pela televisão, às nove da noite. Uma fita, como de máquina registradora, marcava se o aparelho estava ligado ou desligado. Era melhor ligar, mesmo que não se ouvisse. Mas era melhor ouvir. De repente, podiam bater na porta, levar a família, fazer um exame a respeito da última comunicação. Quando menos se esperava, recolhiam a fita, conferiam. Se faltasse um dia:

Pena de 1 a 6 anos de prisão, sem julgamento.

Às 9, o país parava, o povo sentava-se diante da TV, blocos de notas na mão, anotando.

Quem não tinha televisão, seguia pelo rádio. Quem não tinha um, nem outro, devia ir ao vizinho, à praça, à mesma hora, quando o arauto comparecia.

MEIOS DE COMUNICAÇÃO

Era uma vez um animador de auditório,
era uma vez um homem sem pernas (continua)

BOMBARDEIO

? O senhor quer comprar máquina de escrever com dezessete tipos de letras.

? O senhor quer comprar um carro zero quilômetro.

? O senhor quer comprar obrigações reajustáveis do tesouro.

? O senhor quer fazer um seguro de televisão.

ROSA PERDE A FOME

Quando Rosa não sente fome, não tem vontade de deitar com José. Um dia, ela perdeu o apetite, completamente. José telefonou para a sogra. "Isso é normal, não se preocupe. Tudo volta, desde pequena ela foi assim, é uma crise." Demorou uma semana. O apetite voltou, junto com o incômodo. E José, uma semana mais, sem. "Não, assim não faço. É nojento demais." E quando terminou, ela quis esperar alguns dias. Até que tudo se limpasse. Passava metade do tempo no bidê, se lavando. Odiava o sangue, achava que era castigo.[1] Até o dia em que, pronta, esperava José, na cama. Ela inquieta, pensando que era pecado, enquanto manejava, vendo crescer, colocando na boca, engolindo inteiro. E no momento em que engolia, se acalmava, como se aquilo tivesse capacidade de absolvi-

---

1   Nesta década, como se pode pensar em tais coisas?

ção. Ela não gostava do silêncio de José, queria que ele falasse, falasse sem parar. Rosa tinha um modo especial de movimentar os músculos da vagina. E era como se fosse uma virgem sugando. José beijava a boca vermelha, borrada de batom. E como Rosa gritava, aquela gorda maravilhosa.

TEMPERATURA INSTÁVEL, SUJEITA A CHUVAS E TROVOADAS

Denuncie um terrorista, ou um subversivo, e você terá um ponto na sua carteira. Os pontos serão computados para promoções em serviços, prioridade em empréstimos bancários oficiais, compra de casas e apartamentos, facilidades de crediário, descontos, nos impostos de renda pagamento de meia-entradas em cinemas e teatros. Os que contarem muitos pontos ao serem presos terão vantagens de salas especiais, advogados, Habeas Corpus, comida privilegiada. Começou o fuzilamento de prostitutas, ontem, às seis horas, nas principais capitais do país. Trata-se de uma campanha para exterminar o vício, comunicou o Ministério do Bem-Estar Social. Ao ser entrevistado, salientou que não é uma atitude desumana, porque todas as mulheres terão chance de regeneração e conversão. Se aceitarem serão libertadas e irão trabalhar como enfermeiras e assistentes sociais. Deverão apenas se confessar e comungar uma vez por semana, sendo que o padre carimbará carteira que elas apresentarão cada três meses na delegacia mais próxima. As que não aceitarem, serão fuziladas. A grande maioria não está aceitando. E assim, as putas morrem ao amanhecer. A lei que atinge as prostitutas é mais ampla: todo aquele que for apanhado em ato com uma delas, será preso e julgado. Sendo casado, será fuzilado, por se tratar de adultério. Sendo solteiro, apanhará de dez a vinte anos de prisão por vício.

O QUE É QUE É

1 — Ela aperta, ele ronca.
2 — São duas irmãs no nome
diferentes no viver;
uma serve de remédio,
outra serve de comer.
3 — Tem olho não enxerga,
tem dente, não morde,

tem pé, mas não anda.

/ Respostas nas próximas páginas /

ESTILHAÇOS DO BOMBARDEIO EM CIMA DE JOSÉ

? O senhor quer comprar uma mesa que não tem nada de excepcional.

? O senhor quer comprar um colchão anatômico.

? O senhor que comprar uma coleção de livros em branco. Assim não é necessário ler.

? O senhor quer comprar um garfo que leva comida à boca sem o uso das mãos.

A REVELAÇÃO SOBRE O HERÓI

Não aguento mais festa da Luzia Bala.

Luzia Bala tinha tomado dois tiros. Nunca se soube quem atirou. Durante anos ela falou nos tiros, guardou as balas. Mostrava para os namorados. Um deles enfiou as balas no cu de Luzia. Ela ficou sendo Luzia Bala no Cu. Organizava festas nas casas dos outros. Telefonava, mandava um levar pitza, o outro uísque, Coca-cola, gelo. Luzia conhecia El Matador. El Matador conhecia Átila. Átila teve a ideia.[1] Inaugurar a casa já inaugurada de José e Rosa.

O queijo branco esborrachou perto de José. Depois El Matador teve que se desviar de um pedaço de mamão que amarelou a parede. Feijão, arroz, pedaços de carne, um resto de torta. Tudo voava. Na porta da cozinha, o Herói, alto, moreno, o bigode mexicano, atirava comida nos outros. Como se fosse fita pastelão.

Iiiiii, o Herói está atacando de novo. Demorou para ter outro acesso.

? Acesso de quê.

. Ele tem neurose de heroísmo. Sabe, tem gente que tem neurose de guerra. Ele tem neurose de heroísmo.

Contou: "Antes daquele golpe que derrubou o último governo liberal, até o Herói era um sujeito bacana, de talento. Era daquela turma que estava deslanchando paca. Escrevia bem, fazia músicas. Teve uma que foi cantada pelo povo o ano inteiro. O Herói andava pelo país inteiro organizando centros populares de cultura. Aparecia

---

1 As coisas são bem mais simples do que imaginamos.

paca. Aí, veio o golpe, deu a puta confusão, aquela fossa danada, todo mundo fugiu, se escondeu, ficou esperando que bicho ia dar. Aí, veio a notícia: Tinham fuzilado o Herói. Pô, velho, foi um choque! Até então, lembra, bater, prender, era coisa comum. Mas a gente ainda não tinha começado a viver esta época de mortes, fuzilamentos, torturas desaparecimentos — Ah, Espanha, Portugal, Grécia, Rússia, States, Tchecoslováquia, Argélia, Argentina, Colômbia, Bolívia. Fuzilamento era novidade, era demais. Então todo mundo considerou o cara um herói. Falavam dele, e muito. Virou um guevarinha. Sério. Hoje é gozado, mas naquela altura, todo mundo pensava isso dele: é o nosso herói Um mártir. Lenda. As meninas que tinham sido namoradas dele puseram luto. Era a glória, para elas. Os moços contavam coisas: o dia em que o Herói foi à minha casa; aquele jantar, puxa vida, eu sabia que ele ia morrer violento; sabe, o Herói estava coordenando guerrilhas por toda América: ia comandar o terrorismo. Até que um dia, ele apareceu. Voltou, glorioso, aos mesmos lugares que frequentava. A onda de cadeia tinha passado — bom, aquele primeiro período, né — o pessoal ia aparecendo. Xiiiii, foi muitos meses, depois. Que coisa, seu. Parece que um trator tinha passado em cima do pessoal. Que decepção! Foi demais! O cara tava no bar contando como um da turma foi herói, como resistiu ao espancamento, foi fuzilado, torturado e o cara aparece. O Herói não é herói! foi outra fossa. O Herói tinha se mandado para tão longe, tinha se escondido tão bem que ninguém achou. Nem as notícias ele leu, lá onde se achava. O Herói circulava e procurava o pessoal, o pessoal ficou triste, puto da vida, furioso, começou a dar aquela gelada. Foi um pouco filhodaputismo deles, mas a turma precisava de um mito, o pessoal era romântico. Só agora começa a deixar de ser. E o Herói sentiu isso. Soube da história, do fuzilamento, da sua lenda gloriosa. E quis se matar, queria morrer, ir se entregar. Chamavam ele de Herói, mas era gozação. O herói não realizado. Ele foi se apagando, não produziu mais nada, começou a ficar violento, agressivo, a descarregar em cima dos outros. Essa aí, de abrir a geladeira e jogar comida nos outros dá sempre. Adora jogar comida no pessoal, durante os acessos.

BOMBARDEIO

Sua família merece morangos com leite A & B.

O senhor precisa de uma câmara fotográfica para registrar os momentos felizes que está passando.

Compre o aquecedor, compre o ventilador, compre o exaustor, compre o coletor de lixo, compre a batedeira de bolos, compre o novo interruptor mágico que acende a luz sem o toque de seus dedos, compre o televisor C&G, compre abajures, compre móveis, compre roupas de cama, compre cortadores de grama, compre toalhas, compre talheres, compre cortina de banheiro, compre tapetes, compre tudo que não tiver utilidade nenhuma.

Dandá. Dandá. Dandá para ganhar tentém.

UMA CURTA VISITA SOCIAL

Bom dia, minha senhora. Sou da Polícia Política. Aqui está um cartão. A senhora e seu marido devem preenchê-lo. Coloquem duas fotos 3 x 4. Neste saquinho plástico, vocês devem colocar uma cópia da chave de sua casa. Este envelope pardo contém uma Ordem Judicial para que a Polícia entre legalmente na sua casa, a qualquer momento. A senhora deve guardá-lo cuidadosamente. Quando um de nossos agentes precisar entrar aqui, baterá, pedirá o mandado e só depois entrará. Obrigado. Ah, se a senhora perder o mandado levará três meses de prisão, antes de obter a segunda via. Passe bem, minha senhora e meus respeitos ao seu marido. Louvado seja.

LIVRE ASSOCIAÇÃO

Eu tinha *roubado* canetas e cadernetinhas e borrachas na papelaria do navega e ele não desconfiava, a gente *ia pedir* "seu navega aponta este lápis" e ele virava as costas e era só *enfiar* a mão na prateleira e pegar até que o cunhado dele ficou *vigiando* por um buraco na estante e viu quem era e foi no colégio progresso *falar* com a diretora. Eu ia ser expulso junto com o Amaury e ficava de castigo todas as tardes sentado no pórtico *olhando* o recreio e vendo as meninas em fila no fim das aulas atravessando o pórtico e indo para a capela rezar o terço e quando elas acabavam a tarde *tinha caído* e começava a noite e só então me deixavam ir embora. O meu pai conversando com a diretoria e a mãe morta de vergonha porque eu estava de graça no colégio ela tinha sido amiga da diretora e as duas tinham cantado no coro da matriz e nesses dias eu tinha medo de olhar meu irmão de um ano ele não tinha problema nenhum

1 – Porco-porco. 2 – Batata: de purga e batata-doce. 3 – Cana-de-açúcar.

O QUE É QUE É (RESPOSTAS)

porque não tinha roubado e não fazia vergonha para ninguém não ia ser expulso nem ficar de castigo no pórtico do progresso nem ser olhado pelas meninas que saíam das classes e iam para o terço do sábado ah, como gostava da Marilene Vieira que era tão bonita e tinha álbuns de história.

FATOS

descem descem, gado nos vagões, gôndolas vêm dos altiplanos, fogem, as roupas impregnadas de pó de cobre, velhos aos 40 anos, subnutridos, doentes, mirrados, mulheres mirradas, filhos esfomeados, enchem as salas da imigração.

UNDERGOURND (E NÃO UNDERGROUND)

. Sou Juan, quiero hablar con Gê.
. Gêeeeee, Juan o peruano chegou.

Gê e Juan dão as mãos / As américas unidas, unidas vencerão / Bisavô, tetravô de Juan fuzilado na Plaza de Armas, não viu a independência em 1821, só lutou.

Juan: amigo, saludos / Apertou a mão de Gê /. Juan: um crioulo de Piura, do pai só teve um conselho: Solamente adelante una patita cuando la anterior está bien firmada.

Juan: mineiro: extraía cobre para a Cerro de Pasco: (American Company), pai aposentado aos 35, pulmões cheios de cobre, trabalhou 25 anos na Cerro Pasco.

FELICIDADE

Estavamos casados e sem ligar para coisa nenhuma. A gente ia passear, tomava café em bares sujos e fedorentos, comia sanduíches em botecos sórdidos. Olhávamos os Hotedogues elegantes, vendo as pessoas que iam ao cinema e desfilavam. Detestávamos cinema, aquelas figuras falsas que se moviam na tela e falavam frases ensaiadas. Víamos os cartazes e achávamos infelizes os atores vivendo vidas que não eram deles, sofrendo sofrimento que não eram deles, amando pessoas que não amavam, se alegrando com coisas que não alegravam nada. Felizes e alegres éramos nós, Rosa e eu, andando pela rua sem se preocupar com nada. Se estávamos muito longe, pegávamos um táxi e nos agarrávamos dentro do carro e os motoristas engrossavam, queriam que a gente descesse. Não ficávamos envergonhados, o mundo que se fodesse.

HORA OFICIAL

O Governo tem a subida honra de informar que o povo não deve se preocupar. Não há nada de anormal acontecendo. Os americanos pediram permissão a toda América Latíndia. Essa base será um trampolim para as ações da nova Aliança de Auxílio aos Povos Latíndios e será muito importante, porque os norte-americanos pagarão em dólares aumentando as divisas do nosso país. O povo que se acalme,[1] não se trata de invasão nem de entrega do território, apenas uma ajuda aos nossos amigos.

As Américas unidas, unidas vencerão.

CANÇÃO

Foguetão / e o caráter jurídico / da missão / dos Cosmonautas / Antes a Incorporação / Foguetão / da Lua ao Patrimônio / da Lua ao Patrimônio / Comum da Humanidade / e a criança / sem o rosto / o rosto comido / comido pelo rato / primeiro caso desta espécie na nova capital / e os coelhos / coelhinhos / coelhão / foguetão / que cigarros dão / cigarros de entorpecentes / cigarros de excrementos de coelho / entorpecentes / entorpecennnnnnnnnn.

DOCUMENTÁRIO

? Por que você quebrou as vitrines e começou a roubar.

. Não senhor. Eu não fui que quebrou a vitrine. Quando cheguei lá, já estava quebrada. Inteirinha. Não tinha um caquinho, de vidro inteiro. Aí, eu entrei. Mas eu não roubei, não senhor. Eu apenas levei algumas coisas. Que eram uma coisas que eu precisava.

? O que o senhor levou.

. Eu levei uma batedeira de bolos, um liquidificador, um torrador de pão e um secador de cabelos.

? O senhor faz bolo em casa.

. Não senhor, não faço. Porque pra fazer bolo a gente precisa de leite, ovos e manteiga.

---

1 Conversa do Presidente com seus auxiliares: Se ele não se acalmar, borracha neles.

? E o secador de cabelos. Praquê o senhor levou.

. Bom, sabe, né. Aquilo faz um ventinho seco. Gosto pra danar. No dia de frio, a gente pode ligar aquele ventinho quente em cima da gente.

. O senhor disse que não roubou. Só levou. Mas se levou uma coisa que não era sua isto é roubo.

. Quer dizer que a coisa não era minha, não senhor. Mas eu devo contar uma coisa. Há questão de um ano atrás, aquela loja se abriu no bairro. E todo mundo foi comprar no tal de crédito. Eu também comprei um liquidificador, que era porque minha mulher queria muito. Ela tinha visto uns anúncio e tinha gostado. Comprei também uma televisão, que era pra gente se distrair um pouco. E sucede que por causa do desemprego. Esse desemprego em que estou agora. Sucede que deixei de pagar dois meses. E fui lá explicar por quê. Eles não quiseram saber. Vieram e levaram a televisão e o liquidificador e tudo. E nem devolveram as oito prestações que eu tinha pago. Sem emprego e sem televisão. Aí eu achei que eles me devia e fui cobrar. Mas só tirei o que achei justo.

. Muito obrigado, meu amigo. Falou aqui Maltone, o repórter volante da equipe 1300, a mais completa do rádio.

DIVERSÃO

? Vamos ver corrida, disse José.

? Pô, outra vez. Toda noite, corrida, corrida. Tá uma chatice. Faz dez dias que ninguém morre. Arranja outro programa.

. Arranja você. Depois das onze, velhinho, mixou. Deu o toque ninguém quer saber.

. Os boys querem. Por isso gosto deles.

. Vamos hoje. A polícia disse que ia rachar com eles.

Às onze da noite havia o toque de recolher. Sirenas tocavam pela cidade. Quem fosse visto depois era preso, ou metralhado. As patrulhas não perguntavam. Atiravam.

Tudo por causa dos Comuns: Uma noite, explodiu um posto de gasolina Shell num bairro; dez minutos depois, dinamite arrebentava um banco; no outro extremo, uma delegacia era invadida, os presos soltos, os soldados presos, as armas roubadas; no mesmo instante, em quartéis diferentes, as sentinelas eram mortas, seus fuzis e metralhadoras roubados; e havia inda o fogo. Cada noite, num prédio público. Nunca se sabia onde seria o incêndio. O governo não tinha gente suficiente para policiar. Ninguém queria sair nas patrulhas dos bairros. Os quartéis recebiam cartas: Mande Suas Patrulhas e Mandaremos Fogo Nelas. Depois das onze, qualquer coisa que mexesse, levava fogo.

Os Comuns deixavam panfletos, pregavam cartazes, pixavam paredes. Havia um sinal que identificava o grupo (? grupo ou pelotão ou batalhão ou exército). Era um pequeno traço, com quatro pernas.

Depois das onze, em casa, as pessoas se reuniam, jogavam. Em três meses de recolhe, os cassinos particulares tinham centuplicado. Ali na vila, José e Rosa foram convidados dezenas de vezes para o joguinho das onze. Os bares eram pequenos hotéis, onde os fregueses bebiam até a hora que queriam e depois dormiam ali mesmo. Cada prédio tinha um apartamento de putas. Um ou mais de um.

Os boys corriam nas avenidas novas, sem cruzamentos. A polícia dava em cima, sem dar. Apenas vigiavam. Os boys eram filhos de juízes, advogados, militares, ricos, gente do governo. Diziam: queremos nos divertir. Os carros só correndo, não tinham graça. A graça estava na roleta dos viadutos sobre as ruas. Uma turma corria, outra ficava em cima. Os de cima, quando os carros se aproximavam, calculavam a distância, o tempo e atiravam pedras que deviam arrebentar os para-brisas. A emoção do motorista era esta: resistir no instante em que o para-brisas se rompia, dominar o caro, manter o sangue-frio.

                    Secretaria de Saúde informa:
                    todas as noites morrem na cidade
                    um milhão de baratas.

Dandá. Dandá. Dandá pra ganhar tentém. O tiro partiu silencioso.

HORA OFICIAL

Povo, meu bom povo!

O arauto peidou. Tinha a barriga grande, o que estragava o seu físico modelado por anos de eficiente ginástica. Sofria de cirrose e peidava muito. O arauto estava num palanque, diante do microfone. O microfone estava ligado aos alto-falantes colocados em todas as praças da cidade. E transmitia em cadeia para o interior. Entrava nas ondas das rádios. O peido forte foi ouvido em todo o país.

Povo, meu povo feliz!

Saibam todos. Saibam que somos o povo que menos gasta com

suas forças armadas em todo o mundo! Não é uma alegria? Não é uma satisfação saber isso?

Peidou de novo, silencioso.

Cada cidadão contribui com dois dólares e meio por ano para o encargo de defesa.

E meus bons cidadãos! Isto não é justo. Não é. Por isso é que somos um país indefeso. À mercê de qualquer um que queira nos atacar.

Saibam que o governo zela. Por todos nós. E prepara um formidável esquema de defesa. Que vai custar um pouco mais para cada um.

A partir de hoje, cada cidadão contribuirá com 10 dólares anuais para a manutenção das forças armadas.

Um peido vinha vindo, mas ele segurou, até voltar ao carro, onde se aliviou ruidosamente, quatro vezes.

NADA DE MEIAS MEDIDAS

Um dos oficiais do Batalhão de Moralidade segurou Rosa pelo braço, enquanto o outro, com a régua, media o comprimento das saias.

? Como você explica: tem dois centímetros menos que o exigido pela lei.

. Deve ter sido engano da costureira.

? Tem certeza.

. Dei a medida certa, a que está nos decretos.

. Vamos lá.

A costureira mostrou o requerimento do vestido.

. Fiz conforme a medida.

. Você sabia que estava contra a lei.

. Mas o requerimento está carimbado pelo Posto 1 x 6 da Decência Pública.

O oficial tomou nota. Prendeu a costureira. Passaram pelo posto 1 x 6, prenderam o responsável. Levaram os três para o Recolhimento 145, onde como advertência ficaram nus, duas horas, debaixo de uma ducha gelada.

INFORMAÇÃO PUBLICITÁRIA

NÃO PERCA:
O BANDIDO DA ROSA AMARELA
EMOÇÃO, VIOLÊNCIA, SOBRENATURAL: QUE ESTRANHOS FATOS
ACONTECEM NO CEMITÉRIO?
LEIA A SEGUIR.

ABRAM O MUNDO, QUERO ENTRAR

Coloquei o revólver na cara do homem. Ele ia andando e embaixo do posto gritei. Ele se virou e deu com o revólver. Imaginou que era assalto. Levantou a mão e ficou esperando que eu dissesse o que fazer. Só pensei: "É uma bosta". Um tiro em cheio. O rosto se abriu, o sangue não saiu imediatamente. Deu para ver a brecha na testa, a pele dilacerada, o osso partido, miolos.[1] Aí o sangue escorreu, encheu a cara, o homem caiu. Não senti medo. Atirei e fiquei olhando. Sabia que ia me lembrar. Era a primeira vez e eu tinha prometido observar, com cuidado. Assoprei o cano do revólver. Era um gesto que eu não queria fazer, mas senti vontade e assoprei. Sou um mocinho.

CHECK-UP

Explosão, como se eu tivesse tomado mil bolinhas. O mundo borbulhou, se encheu de raios, de um amarelo tão intenso que eu não podia olhar. Mesmo de olho fechado, lá estava o amarelo. Dentro de mim. com o tiro, meu organismo deu um salto, o coração disparou, o sangue a 180, senti o dedo do pé esquerdo[2] amortecido. E minha visão, cresceu. Eu podia ver num ângulo de 360 graus. Era aquilo, que eu procurava. O tiro provocou o vômito. Não do estômago. Da cabeça, do que havia na memória, no cérebro. Bem lá no fundo, as lembranças se atropelaram. Eu, diante do cadáver, sem passado e sem presente.[3]

IT WAS FASCINATION, I KNOW

Um diploma. A gente ganha quando termina um curso. Agora, eu tinha. O meu mostra a cabeça do homem com uma brecha, a pele dilacerada, o osso partido, miolos. Só mereci o diploma um mês depois. Pensei se não foi um grande erro me expor assim debaixo da luz. Mas as luzes nos bairros são tão fracas que ninguém iria me reconhecer.[4] Somente depois de um mês é que ganhei a tranquilidade de um homem que mata impunemente. Tentei voltar ao mesmo lugar onde matei o homem.[5] Nunca achei a rua. Com os loteamentos

---

1 José não viu nada disso. Estava cagando de medo.
2 Qual dedo do pé esquerdo? Isto não ficou esclarecido.
3 Mas o que quer dizer isso?
4 Hoje já colocaram lâmpadas de vapor de mercúrio.
5 O criminoso sempre volta ao lugar do crime. Não quero ser exceção.

clandestinos, os bairros viraram uma confusão, não existe mapa nem nada.

STAND UP AND FIGHT

Faz dois dias que estou de pé, parado no mesmo lugar. Rosa foi visitar a mãe no interior. Não tenho ânimo de dar um passo. Quero, mas não quero me movimentar. Não me movimento. Penso que vou ficar assim uns três dias.

MEIOS DE COMUNICAÇÃO

O animador de auditório era sorridente.
O homem sem pernas não tinha emprego (continua).

O PROGRESSO DA CIÊNCIA

"Nossa equipe de cientistas descobriu que as galinhas mais felizes botam ovos mais saborosos."
(Interrompemos esta nota para uma comunicação oficial)

TEMPERATURA INSTÁVEL, SUJEITA A CHUVAS E TROVOADAS

No país, há calma.
O congresso foi fechado. Prisão de cem deputados federais e estaduais. Aumentados os vencimentos dos militares. A polícia recebeu gases estrangeiros para os trabalhos de repressão.
Continua, todas as noites, nas praças principais de todas as cidades, a queima de livros ao som de hinos religiosos.

O PROGRESSO DA CIÊNCIA

Além de aplicar uma dieta, os cientistas deixaram as galinhas ao ar livre, esgaravatando aqui e ali, em busca de minhocas ou qualquer alimento que melhor lhes apetecesse. Elas se tornaram mais felizes com isso, fazendo ovos mais saborosos, ao contrário dos ovos postos pelas galinhas.

DESCULPEM, ME OCORREU UMA COISA

José se indaga da motivação do crime. E quando não há? O problema de José é a falta de lucidez. Ele não pode ver claramente os motivos.

O PROGRESSO DA CIÊNCIA

Mas como dizíamos, ao contrário dos ovos postos pelas galinhas que vivem confinadas em galinheiros.

O alto-falante, na perua, repetia comunicação, de cinco em cinco minutos. Depois, parou no largo e os fuzileiros organizaram a fila.

Era o dia da galinha.

Cada semana, eles traziam a perua cheia de galinhas e entregavam uma a cada família. A família criava a galinha. Aproveitava os ovos e podia comer uma por semana.

Os nutricionistas tinham chegado à conclusão de que o povo precisava comer galinha racionalmente.

Tudo fazia parte do grande plano para tirar o povo da subnutrição.

Havia o dia da galinha, dia do alface, dia das massas, dia das carnes, dia do leite e do queijo, dia das vitaminas e proteínas.[1]

A MULHER QUE OLHOU ANTES DE MORRER

Desembarcou do trólebus, atrás da mulher. Passou à frente, virou a esquina esperou, colado a uma árvore.[2] A mulher chegou. José atirou. No pescoço. Deu tempo da mulher se virar para o seu lado. Ele atirou, de novo. Já não via a mulher, só um vulto. Descarregou o revólver e se encostou ao muro. Saiu devagar (Tomara que me prendam), voltou ao ponto de ônibus. Tinha uma velha esperando. Era uma preta enrugadíssima. José embarcou, até o ponto final. Ele via a cidade toda, lá de cima (Um dia eu vim para cá, conquistar o mundo. Mas eu não sabia o que queria, e ainda não sei, estou em experiência).

Nas fitas americanas de espionagem, os agentes usam silenciadores. O tiro faz pfff, com uma tonalidade metálica. Emociona. No cinema, é fácil conseguir silenciador. Na vida real, são proibidos. Percorri as casas de armas. Eles olham estranho para a gente. Agora, para se comprar revólver é preciso registrar, deixar a Identidade, levar folha corrida, ser fotografado, mil coisas.

> Quarteirões ameaçados pelas máquinas / Ruínas / Casas caindo,
> uma atrás da outra / Viadutos de concreto atravessando /

---

1 Mas José detesta ovos, detesta verduras, só gosta de carne, carne sangrenta, malpassada, com pouco tempero. E só pode comer carne uma vez por semana; é pouco; sua cota no açougue é mínima: 300 gramas.

2 Tinha visto no cinema o bandido ou o mocinho fazerem isso.

Superavenidas, vias aéreas / Sete da manhã, a japonesa vai comprar laranjas na banca / Equipe 7:30 / Tempo bom / Viaduto ERZ-0 / Viaduto da Radial / Viaduto da Marginal 1 / Viaduto p-12 / Trevo sobre a obra / Trevo da entrada da Casa Verde / Trevo sobre os trilhos / Trevo na vila Prudente / Filé com fritas e salada / O ônibus na curva, ao lado de um campo de várzea, o menino chuta em gol / Gente de dentes podres subindo / coceira no saco / postos de gasolina / uma pequena varize na perna, a perna doendo muito / aquele calor fazia a gente sentir--se doente / Dandá. Dandá para ganhá tentém. A criança caiu, ele ficou olhando /.

JOSÉ SAI, JOSÉ ENTRA

Correu pelos corredores brancos. Corredores sem saída. Da outra vez, havia um buraco, onde está o buraco? (? Por que será que me prendem sempre aqui). Andava surdo, ouvia Rosa, de repente, não ouvia mais. Um novelo de linha. Com o novelo, consigo sair. Não precisa, eu já estou saindo, aí estou eu, saindo, vindo ao meu encontro. Mas estou entrando, já estive neste lugar, aqui tem eu também. Faço sinal para mim mesmo. Vai embora, amigo, que aqui não é lugar de ficar.

. Estou preocupada com você, benzinho. Precisa consultar o médico.

? Que médico.

. Deve estar com estafa. Trabalha sem parar. E ainda de noite sai por aí.

? Saio.

. Claro que sai.

. Ontem não saí.

? Então, quem chegou agora há pouco.

Fechou os olhos. As pálpebras filtravam uma luz amarela. Era só fechar o olho para ver os corredores, a preta velha, o sinal dos Comuns, Rosa deitada. Pedaços de Rosa.

. Você nunca me disse: eu te amo.

. Mas eu não te amo.

? Então, por que se casou comigo.

. Gosto de trepar, com você.

? Só isso.

? Não chega.

? Acha que chega, acha que uma mulher gosta, de ouvir isso.[1]

. Estou cagando para o que as mulheres gostam.

Dandá. Dandá pra ganhá tentém. A criança caiu com um tiro, no rosto.

A HORA OFICIAL

O arauto anunciou:

A partir desta data, todo casal devera ter número certo de filhos, sob pena de prisão. O número será limitado de acordo com as condições sociais. O Ministério do Planejamento fornecerá os dados necessários. Toda mulher que praticar aborto será condenada à prisão perpétua. Médicos abortantes serão fuzilados.

REPORTAGEM

Desmontaram o Boqueirão. A operação pente-fino prendeu suspeitos, condenados, implicados. Levaram todas as mulheres. A terceira etapa envolveu o jogo. A quarta, acabou com as curiosidades anormais demais,[2] os abortos da natureza.[3] A quinta encontrou o Boqueirão vazio, com autorização só para exibir galinhas de quatro pés, porcos com dois rabos e coisas semelhantes. A massa de desempregados passou para a cidade. Pediam esmolas nos viadutos, portas de igrejas, praças, cinemas. A polícia vinha, prendia, batia. Corpos aleijados foram encontrados nos rios. Os diferentes, apavorados, não sabiam a quem recorrer. Nem tinham a quem.

O INDICIADO

Paulo leva cartões perfurados para o computador. Os últimos, seu turno acabou. Sai da sala condicionada, passa pela revista. Meia-noite, tem de se apressar. Senão a velha não vai poder fazer o ebó. Passagem. Hoje é dia de lançamento. Quando ele saiu de manhã, Didu-Berê tinha as bases preparadas. O duro é a condução, a esta hora. Paulo precisa de dois ônibus. No dia em que for técnico da IBM, Paulo voltará de táxi, ou no carro dele mesmo.

---

1 É um preconceito.
2 Demais para o Governo. Os animais se consideravam normais.
3 Preconceito do autor.

Mas Paulo está iniciando sua carreira como assistente nos ebós do capeta.

> *UM JARDIM AMARELO NO*
> *TÚMULO DO BANDIDO*
>
> *Nasceu uma roseira no túmulo do bandido. Cresceu, deu flores amarelas. Um mês depois, havia três roseiras. Elas foram aumentando. Hoje, o túmulo é um jardim amarelo.*

TEMPOS DE JOSÉ

Quando a imagem do presidente apareceu na tela, num jornal de atualidades, a plateia inteira vaiou. Não era comum, mas naquele dia, a imagem do bem-amado não agradou. E bateu os pés no chão, enquanto o presidente fazia inaugurações, apertava a mão de militares, de padres, de ministros. Vaiaram o tempo todo que o jornal da atualidade durou. Na saída, 578 espectadores presos por desacato. Pena: 1 mês de prisão.

José 1: Estou nervoso demais não suporto ir para a casa vou ficando na rua até que não aguento de sono ou bebedeira[1] e começo a voltar de onde estou. E a essa altura nem sei onde estou que bairro é são bairros que nem sabia que existia, de casas baixas pequenas ruas sem calçamento água de esgoto correndo pelas ruas. Um dia nove da manhã caí dentro de uma poça de água podre e só não morri porque os moradores tiraram minha cabeça da água.[2] Me levaram para dentro de uma casa me puseram num sofá e quando acordei a primeira coisa que vi foi o símbolo dos Comuns. Mas me tiraram logo de lá.

Quando a revista semanal, que sempre se colocava na situação, trouxe o presidente na capa, o povo passava nas bancas. Comprava e rasgava as revistas. As Patrulhas Repressivas, vestidas de gente, ficaram perto das bancas. Quando alguém rasgava a revista, era preso. Pena: 1 mês de prisão.

José 2: Foi só enfiar a mão pegar colocar na sacola o supermercado deserto às duas da madrugada. O vigia porrada na cabeça amarrado no banheiro Pegar com muito cuidado pode passar gente

---

1 Anda bebendo, ultimamente.
2 Daí para frente, José apanhou uma estranha doença: sua cabeça perdeu a firmeza, costumava cair para a frente, como se estivesse dormindo em pé.

na rua Latas de conserva patê sardinha presuntada salsicha leite ninho nestlé leite moça compotas de pêssego abacaxi laranja figo pera maçã morango frutas peixes queijos corn flakes bolachas chá açúcar café (pudera, são irmãos) papel-higiênico ervilhas biscoitos detergentes dá para uma semana não fosse aquela hepatite que até hoje me incomoda ia ser mais fácil sobreviver no meio disso tudo podia comer até grama e assim vou treinando viver bem apertado comendo qualquer merda porque uma hora vão dar em cima de mim. *Governo determinou intervenção nas histórias em quadrinhos. Criaram novos personagens como o cabo Deodato, que tinha uma baioneta mágica. Era só sentar-se sobre ela e ele se transformava no Super Cabo, o opressor dos humildes.*

José 3: Como Rosa me odeia quando eu a agarro dentro dos táxis o motorista parando engrossando fazendo a gente descer ficava louca da vida não falava comigo dois ou três dias você é anormal é um monstro sexual e não era nada disso era normal até menos que o normal porque o Boqueirão me preocupava um pouco e não era só o Boqueirão era alguma coisa mais não sei Rosa com o avental branco ensebado não tirava nunca não sei como não perdia o emprego Rosa fedia e eu aceitava até gostava do seu cheiro do suor aceitava tudo tudo que viesse eu não existia e agora que existo não tenho mais certeza disso quando a gente brigava brigava pouco (? ou brigava muito) eu punha um disco que me irritava muito e assim podia brigar com mais raiva para esmurrá-la para que ela saísse da apatia em que vivia não se incomodava com nada.

? Quem não se incomoda com nada.

É você, José.

O Super Cabo Deodato pediu reforma. Está com o traseiro todo cortado de baioneta.

JOSÉ, SOZINHO, NO JARDIM DOS OLIVEIRAS, EXAMINA

Fora da cidade, havia um jardim, estilo francês. O jardim dos Oliveiras, família portuguesa que se extinguira. O último Oliveira doara o jardim para um parque nacional. Durante a semana, ali não havia ninguém e José descobriu que era bom lugar para se ficar só. Em volta de mim não existe apenas gente da terra. Há alguma coisa que quer tomar forma. Não são espíritos dos mortos. É alguém que tenta se comunicar. Mas nós temos medo. O homem da terra tem medo do próprio homem da terra, que dirá do que vem dos planetas. Eu gostaria de me comunicar com eles, para que eles me protegessem com sua força. Queria ter um disco voador, armas atômicas, raio laser, faculdade de desaparecer. Eu queria ter conhecido o doutor Jessup, o cientista de Filadélfia que em 1943 fez experiências, conseguindo tornar invisíveis, por instantes, navios e marinheiros. Aí, nós dois, íamos fazer coisas incríveis, mas o doutor Jessup apareceu morto, *mataram* ou ele suicidou-se. Preciso de uma ajuda grande. Tenho medo que a Patrulha Repressiva esteja me procurando, porque *ontem matei dois, foi uma coisa tão boa atirar nos dois*, um revólver em cada mão, um tiro em cada testa, de surpresa. Eu me sinto melhor quando mato alguém das patrulhas ou da polícia, do que quando atiro em alguém que não conheço. Se eu conseguisse ajuda. Preciso. Mas não posso confiar em *ninguém da terra*. Porque são iguais a mim e eu nunca confiei em mim. Vivo pensando em encontrar-me com eles uma noite / ? Por que a idéia de que eles só aparecem à noite ou em lugares desertos, como o jardim dos Oliveiras /. Já houve época em que eles andaram aparecendo perto de regiões de minérios. Eu acho que eles se manifestaram para mim: aquela noite em que o quadro caiu; os dias que brochei e não conseguia trepar Rosa; a sensação de alguém dentro de casa; a rosa amarela saindo da mesa e do bandido aparecendo na estante; as luzes que se apagavam sozinhas. Eram eles, *querendo falar comigo*. Eu apavorado. Ah / burro / como tive medo, aquelas noites e aqueles dias. Era físico; mas era mais; era uma inquietação, eu sentia que poderia fazer muitas coisas que normalmente não estariam ao meu alcance. Mas eu precisava da chave que me fizesse descontrolar, saindo de mim. Eles vieram e viram que eu estava no ponto de embalo. Eles me viam por dentro; entravam e saíam de mim; e eu me recusava a falar com eles. Tudo aquilo fervendo e eu com medo. Um medo terreno; imbecil. Como sou pequeno, medíocre, bostífero. Perdi a chance; eles se cansaram, se foram, não se comunicaram, não me deixei ajudar.

HORA OFICIAL

Os arautos subiram aos palanques e o corneteiro tocou: reunir. Determinações governamentais:

Vai ser permitida novamente a instituição do carnaval. Os departamentos oficiais em comunhão com a Santa Madre Igreja[1] resolveram que:

---

1   Apesar do grande Cisma, a ala conservadora ainda detinha a maioria do poder e estava ligada ao governo.

Cada cidadão receberá um cartão (verde para os homens, vermelho para as mulheres, azul para as crianças) que será visado pela Paróquia local. O pároco visará o cartão após as visitas de uma hora ao Santíssimo Sacramento. Este cartão facilitará a entrada nos bailes carnavalescos. Sem o visa, ninguém poderá brincar nos clubes, boates, associações.

Para o carnaval, os cidadãos deverão estar trajados de modo conveniente, sob pena de não serem admitidos nos recintos. Não serão permitidas aproximações entre homens e mulheres, devendo os salões ser separados, a fim de evitar tentações, escândalos, imoralidades.

Aos transgressores, a pena: de 1 mês a 12 anos de prisão. Casos mais graves, castração.

ADEUS, ADEUS

Hélio Borba, o cientista preso por fazer experiências de inseminação artificial e criação de fetos de ensaio, deixou ontem o país, aceitando o convite feito pela Universidade de Moscou. Os trabalhos do professor Borba tiveram a mais ampla repercussão mundial, apesar de estarem proibidos em nosso país.

NOVOS SUBSÍDIOS PARA A FORMAÇÃO DE JOSÉ

As mulheres fazendo hóstia, tira a mão daí menino, sua mãe comanda o grupo, nas tardes de quinta-feira, as mulheres misturam farinha e água, colocam em formas compridas, José vai comendo as sobras enquanto ouve a mãe cantando, um gentil beija-flor que voava sobre as flores de um lindo jardim, ao beijá-las assim murmurava, o seu beijo é um prazer para mim, beija-flor, beija-flor.

A DOENÇA DE ROSA

. Eu pego uma camionete, trago um tambor d'água.
. Deixa, logo vem.
. Rosa, olha o fedor, ninguém aguenta.
. Eu ponho creolina, todo dia. Nem fede tanto assim.

A privada cheia, a água negra, Rosa sentada no bidê, lendo M. Delly, esperando José chegar para sair e comer qualquer coisa. Rosa envolvida por aquele cheiro decomposto, de tudo aquilo que tinha passado por dentro de José e Rosa. Tinha sido parte deles e depois devolvido e agora apodrecia e fedia. De modo que era um pouco dos dois que se decompunha ali, enquanto Rosa lia e aspirava o cheiro, que tinha vindo dela mesma.

21 DIAS SEM ÁGUA

A vizinha:
. Ela não anda boa, seu José. Nem eu pouco.
? O que aconteceu hoje.
. Comeu a galinha amarela de dona Cota.
? E o que tem isso de tão ruim.
. Comeu a galinha viva. Comeu inteirinha, seu José, com penas e tudo.

22 DIAS SEM ÁGUA

Outra vizinha:
. Seu José, eu preciso avisar o senhor. Preciso.
? O queque houve hoje.
. Ficou de calcinha e sutiã no portão, dizendo que a casa estava cheia de marcianos. Disse que eles tinham vindo do disco voador. Desceram e pediram água pra ela. Ela saiu correndo e ficou no portão, nem se importando com a molecada que sentou na calçada olhando. Precisamos bater nos meninos para eles saírem de lá e pararem de ver a imoralidade.
(Eu preciso pôr uma bomba nesta vila. Incendiar a vila inteira. Vou pôr fogo nestas casas todas)

28 DIAS SEM ÁGUA

Outra vizinha bondosa:
. Pa, pa, pa, pa, pa, pa, pa, pa, pa, pa.
(Esse pão-duro podia instalar uma campainha, dessas lindas)[1]
? O que a Rosa fez, dessa vez.
. Annnnnnnn, o que fez, como fez.

31 DIAS SEM ÁGUA

José desaparece durante uma semana. De 1 a 8 de agosto.
Vizinha: Ouça, seu José.

---

1 O som do Big-Ben em sua casa: Campainhas Bell, a crédito.

Segunda vizinha: É preciso dar um jeito.
Terceira vizinha: É pelo seu bem.
Quarta vizinha: Coitado do seu José.
Etc. e tal.
As vizinhas entre elas.[1]
. Esse homem é mole.
. Ela engana ele ? Vocês sabiam.
? Por que não interna ela.
? Será que ele gosta tanto dela assim.
. Esse moço, não é de nada. Ela manda, e desmanda.
. Ela é, tão relaxada.

A SOLUÇÃO

. Dexa pur minha conta. Eu sei doque ela pricisa.
? Quem mandou a senhora.
. Eu vim. Eu sabia que precisavam de mim aqui. Foi ELE.[2]
(Conheço essa mulher. Conheço de algum lugar. Já vi, já vi duas ou três vezes) Uma preta velha, bem preta e bem velha.

Quando morava no depósito e faltava água, José cagava em cima de um jornal, embrulhava e deixava na beira da calçada. Depois ficava esperando alguém chutar, alguém chutava e sujava o pé.

A água estava preta, cheia de mosquitos e o cheiro tomava a casa inteira, não se podia entrar, Rosa andava amarela, inchada, suja, pedia para que ele trouxesse sabonete Dorly, esse sabonete não existe mais, não existe mais nada, chega, minha vida com ela não foi céu, nem inferno, minha vida com ela não foi, ? por que as pessoas se encontram, se juntam, não tem sentido.

ENCONTRO COM GÊ

José foi abrir a porta, o homem entrou. Não perguntou nada, foi entrando. Olhou para José, um instante e foi se acomodar no sofá. Magro, barbudo, roupas velhas. Parecia forte, apesar da magreza. O olhar impressionou José. Era decidido. Uma lâmina. Foi pelo

---

1 Retalhos do drama cotidiano.
2 Uma vizinha conhecia a negra, mandou chamá-la. Não foi ELE coisa nenhuma. Afinal. ? Quem é ELE, ora essa.

olhar: José abriu a porta e percebeu: este homem precisa entrar, descansar.

Rosa estava no banheiro e o cheiro podre continuava na casa, como se fosse uma camada de gases. O homem farejou o ar, dormiu. José teve vontade de tirar o cortuno dele, desses usados pelo exército.

O homem acordou, tarde da noite. José trouxe café, pão. Esse homem dá vontade de que a gente faça coisas por ele. Ele faria pela gente, se fosse necessário.

? Dormi muito.

. Dois dias.

O sotaque era como se ele soubesse mil línguas, não falasse direito nenhuma e falasse todas ao mesmo tempo. O homem colocou a mão no ombro de José. Havia tranquilidade no rosto cansado. Uma coisa rara, essa calma, essa segurança. Em toda parte, todos só tinham incerteza.

. Você sabe, eu sou Gê.

(Eu sabia, mas não queria admitir para mim mesmo, era medo)

. Senhor, não sou digno de que entreis em minha casa.

Rosa abriu a porta do banheiro, o cheiro correu pela casa e desapareceu. Rosa chegou, tocou Gê pelas costas, ele estremeceu e se virou, rápido. Sorriu.

(Diga uma só palavra e ela estará salva.)

Gê pegou na mão de Rosa, ela se encolheu, voltou ao quarto.

. Ela está sofrendo uma crise de abulia. Você precisa ir ao médico, ao psiquiatra.

? Abulia.

. É. A pessoa perde a vontade, fica apática. Tanto faz ir, como vir. Tem abúlico que passa dias de pé, no mesmo lugar.

José queria perguntar mais. Saber o que era possível fazer por Rosa. Mas Gê se despediu, batendo nos ombros de José.

No mês seguinte, José ouviu falar de Gê. Sua fotografia estava nos jornais e nos cartazes que o Governo espalhara nos bares, rodoviárias, estações, bancos, postos de gasolina, cinemas, teatros, igrejas, bilhares, entradas de estádios. De hora em hora, aparecia na televisão: Contribua para a Paz do seu País — Denuncie este Homem às Autoridades — Ele assassinou Pais de Família — Roubou o Tesouro Nacional — Pregando a Subversão.

Falava-se dos Comuns. Querem derrubar a ditadura. Nunca tinha prestado atenção, antes.

PRONTO PARA ME RECEBEREM

José sentiu: Assim não era mais possível viver.
? Mas o que ele podia fazer.
Tentou encontrar um Comum.
? Como.
Corria que eles se escondiam. Em volta da cidade. Percorreu de ônibus, a pé, de táxi. Todos os subúrbios, matos, lagoas.
Soube que eles se escondiam em subterrâneos. Debaixo das ruas, como os Vietcongs. Saíam à noite, soltavam bombas nas delegacias, quartéis, casas de políticos, atiravam em militares.
? Onde achar esses subterrâneos.
Noites e noites pelas ruas. Esperando uma tampa se abrir e dali sair um Comum. Então, ele tentaria a aproximação. Gê era seu amigo. / Devia ser /
? Será que Gê se lembrava dele.
Estavam raptando gente, exigindo que libertassem presos políticos.
? E se os Comuns me recebem, será que estou preparado para eles. Certa manhã, quando acordou, José viu. Na sua porta:

HORA OFICIAL

O arauto anunciou:
A cidade de Luislândia foco dos Comuns foi proibida de viver, a partir das 23 horas de ontem. O governo tomou todas as providências para a execução do suicídio geral. Estão sendo fornecidas neste momento pílulas para cada habitante. Amanhã, a cidade será arrasada e a terra toda salgada.

COMPULSÃO

Depois da trepada / me cansou /, fiquei deitado. A mulher se foi. O revólver em cima da mesa a mulher olhou, para ele. Não tinha quando entrou. Foi embora, quieta. Depois de receber o dinheiro.

Gosto das putas, porque se a gente quiser fica horas e elas não dizem, nada (desde que se pague). Nem, uma palavra. Ou então, falam muito. Eu não ia sair mais. O homem estava morto. Eu não sabia, quem era. Vira: ele saindo do quartel, pegando um táxi. Desceu, o táxi seguiu, ele demorou para abrir a porta do prédio. Esperei que entrasse, fechasse. Havia luz no corredor por trás dele. O vulto estava no vidro e no vulto atirei. O homem caiu. Entrei no carro, fui embora; de luzes apagadas para ninguém ver, a chapa. A chapa mudei na garagem. Valeu a pena entrar no pátio da DET e roubar chapas de carros velhos. Mais de vinte. ? O homem de hoje era militar ou civil Quem vai saber. Vi sua cara, para poder olhar as fotografias dos jornais, amanhã. Compro todos, fico lendo, gosto. Ficar pensando até amanhã se alguém me viu; me fotografou (ou qualquer coisa assim). Que esta possa ser minha última noite, de liberdade (não acredito). Que vão me matar, também. ? E se o homem não for, militar Então, só gozei pela metade. Civil, não dá tesão matar. O homem caiu; morto, ou só ferido? Morto, claro. Sei bem a altura do coração, do fígado. Pegou ali, morre não tem jeito.

Ele caiu e me veio a vontade de trepar. Na hora; se tivesse uma, na rua, era bem capaz de eu dar em cima dela; agarrá-la. Pode ser; era muita vontade. Fiquei andando, até achar a mulatinha que olhou o revólver e não disse, nada.

O TRATOR

As esteiras do trator afundando. Barro demais. José e Átila. Tinham dito: os Comuns se reúnem num lugar que está sendo terraplenado. Havia muitos lugares fora da cidade sendo terraplenados. Andaram como loucos. Átila junto, bêbado. Não encontraram nada, a não ser dois Agentes Repressivos. José atirou. Um morto, um ferido. Subiram no trator. O homem deitado via as luzes avançando, o barro espirrando. Tentou mexer. José saltou, deixou Átila sozinho, e José ouviu, ou pensa que ouviu, o barulho dos ossos esmagados, mas não tem certeza porque havia o motor, a chuva, o barro.

PURA SORTE, PURA

(Tenho medo dele, logo, devo matá-lo) O motorista corria, José apontou o revólver. Pé no breque, o carro freou, José foi jogado para a frente. O motorista ia sacar a arma (faca, porrete ou revólver), mas

José atirou na testa. Sorte, pura sorte. Stand up and fight, Raquel Welch, aquelas coxas, prorrroooooororororororo, digue-digue, dum, gastar dinheiro, as putas vão pagar imposto de renda.

INSTRUÇÕES, AOS QUE DESEJAM MATAR

Localize o objetivo. Não estude seus hábitos, nem se aproxime de sua casa, nem faça amizades na vizinhança. Localizada a pessoa, vá lá e atire, ou apunhale, ou dê com o pau na cabeça. Se tiver alguém perto, não hesite. Mate. Tanto faz matar um como dois. Não deixe que te identifiquem. Tenha a cabeça fria. Se for alguém odiado, convém deixar escorrer um tempo, para sair o ódio. Para se apresentar lúcido. Quando tiver chegando a hora, tome um banho frio, faça a barba, vista uma boa roupa, examine a arma e vá. O melhor é atirar no meio da testa. Ou se você tiver certeza que não erra, direto no coração. Convém mudar de arma. E também de técnica. Coração, nuca, fronte, orelha, boca, fígado, saco. Não ter perversidade / requintes de perversidade /. Mate, como se estivesse prestando um favor.

NÃO DÃO CHABU

Cinco e meia, o carro explodiu, José acordou. Olhou pela janela, a fumaça negra subia. Desceu, o povo corria, a polícia estava lá. Cercando. Havia pedaços de gente por toda a parte, pedaços do carro, sangue, orelhas, dedos, o tronco sangrento de um homem, folhetos. Isso é que é explodir, José vomitou, por causa do cheiro de pólvora, de carne queimada, do medo de que aquilo acontecesse com ele um dia.

QUEM NÃO SE COMUNICA

. Tem um enviado aí, Gê.
? O Livingstone. ? É ele.
. Não sei.
/ "Hoje já não se fala mais em traficantes de armas. Os gangsters miúdos desapareceram quase totalmente diante da concorrência de trustes gigantescos. Da Argélia a Biafra, do Curdistão ao Iêmen, da Colômbia a Bolívia, do Vietnã... ao Vietnã, os acontecimentos atuais não lhes dão um momento de repouso, ou desemprego." De uma reportagem /

? O senhor tem a pistola Michell Livingstone.

. Não, essa precisa ser comprada diretamente.

? Como faço.

. Não sei, é outro grupo. Não quero saber.

/ A Mitchell é a mais possante pistola do mundo (uma miniatura de plataforma de lançamento carregada com um foguete de calibre 50) e pulveriza o adversário /

DIVERSÃO

Dandá. Dandá. Dandá para ganhá tentém. O tiro pegou na boca, jogou o menino a dez metros. Mas não era.

E agora, no Boqueirão, restam bailarinas velhas, fazendo stripteases, onde a única graça é que tiram tudo. Mesmo assim pouca gente vai. Além das bailarinas, existe a mulher gorila. Átila passa horas na saleta onde ela se exibe, querendo fugir com ela. É uma moça de vinte anos, com coxas grossas e lisas que têm marcas vermelhas, de tão brancas.

No túmulo do bandido, não aparece mais uma rosa só. São duas, por noite.

. Não adianta mais vir aqui, velho. O Boqueirão acabou.

José anda pelo teatrinho / barracão, palco improvisado, bancos de madeira, meia dúzia de spots / Por trás do palco, um grande espaço, cheio de jaulas, camarins para dez pessoas / onde cabiam quatro /, tudo abandonado, vagabundos dormindo pelos bancos.

O zelador do cemitério ficou de vigia, não descobriu quem as coloca.

Dandá. Dandá. Dandá pra ganhá tentém. Não era o menino. Era o pai. Mas o tiro pegou o menino. Atirei no pai, atirei na criança. Não era a criança, não, não era, nunca. O pai ficou olhando. Aí, atirei nele também.

? Será que alguém as coloca lá.

O fogo começou na jaula da mulher gorila. Átila correu para salvá-la, mas a gorila tinha ido embora, estava se apresentando perto da Rodoviária. Da jaula, o fogo passou ao barraco, à casa vizinha / casas velhas, madeiras apodrecidas, secas, fácil combustão /, ao bar, ao antigo cinema de filmes de sacanagem, ao bilhar, ao cassino clandestino, à casa das putas, às hospedarias. Não havia ninguém. O Boqueirão era um vazio dentro da cidade. E eu queria acabar com aquele vazio. Aquele de fora (? E este de dentro). O fogo comendo, os bombeiros chamados não vieram, era para deixar. Se eu soubesse que era para deixar, então não tinha posto fogo em nada.

$$\frac{Homem}{Animal} = EQUAÇÃO\ DE\ EQUILÍBRIO$$

Não consegui me levantar. Acordei, tremedeira. Um branco na cabeça. Nenhuma lembrança. Tremedeira e frio. Fui apanhar o cobertor. A pele fria, como se fosse cobra. Fiquei no chão, arranhando os tacos com as unhas. Não havia um só músculo que não tremesse. Os lábios começavam a partir. Fiquei ouvindo os dentes baterem. O galo cantou. A dor, insuportável. Quis me levantar, caí. Não comandava o corpo. Vomitei e quando não havia mais nada para sair, veio um amargo. Fiquei cercado por aquele fedor, enquanto erguia o revólver e atirava e o povo nas arquibancadas aplaudia e gritava e batia os dentes. Acordei e veio a vontade de comer capim. A boca ficou cheia de água quando pensei nas pastagens verdes. Mas os dentes doíam e eu não podia comer. E do banheiro, o cheiro de mijo podre.

ENTREVISTA

? Os Comuns, onde estão os Comuns.
Havia crucificados, porque ali era o campo dos crucificados.
? Comum. Crucifique-o.

CRUCIFIQUE-O   CRUCIFIQUE-O
CRUCIFIQUE-O   CRUCIFIQUE-O
gritava a multidão.   gritava a multidão.

Indústria ganhava muito dinheiro com a concorrência das cruzes. De ferro, simples, com buracos por onde passavam os parafusos que atravessavam as mãos. E aos domingos e sábados e feriados e dias santos, o povo sentava-se com cestas e fazia piquenique, observando os homens / e as mulheres / morrerem.
In hoc signo vinces.

LIVRE ASSOCIAÇÃO

No tanque, a mãe lava roupa e canta: Mestre Domingos, que vens fazer aqui? / Venho buscar meia pataca, para mim e parati.

Quem tem sua mãe / tem tudo / quem não tem mãe / não tem nada.

Marinheiro / bom barqueiro / rema, rema com valentia / seus filhinhos queridinhos / já te esperam com alegria.

O ESPERADO

O revólver não fazia volume. Não largava dele.

? E se começasse a atirar contra aquele povo que se apressava para o trabalho.

? Se ficasse numa esquina, a arma apontada, gritando para que não fossem aos empregos. Chega: cartão de ponto, máquinas de escrever, papéis, esferográficas, cartões perfurados, escritórios, caixas, repartições, chefes, chega de produzir, vamos fabricar o antiprogresso, chega de trabalho igual todos os dias, de só fazer o que os outros mandam. Era isso que os homens esperavam, ele, um líder para a operação Salvação Anti Trabalho Mecânico. (É preciso, é preciso que eu faça isso, agora mesmo, olhe os rostos desta gente, eles estão pedindo, suplicando, implorando, se tivessem tempo e soubessem que não iam chegar atrasados, eles se ajoelhariam aos meus pés e diriam: vai, vai para a esquina e lidera nosso movimento. Ergue o teu revólver e nós todos te seguiremos, ó Esperado, redentor dos homens.)

Uma formiga subiu pela camisa branca chegou ao pescoço, ele colocou a mão. A formiga ficou na mão, preta, minúscula. José deixou que ela escorregasse para a capota de um Volks. Ficou parado, escolhendo a esquina. Um ponto estratégico, coalhado de gente. As pessoas passavam: a moça de verde girava os olhos e ficava vesga, o gordo bigodudo dava tapas nas orelhas, a loira desbotada quarentona repuxava os lábios, outro mexia no pinto, outro dava dois passos, duas voltas, dois passos, duas voltas sobre si mesmo, um andava com a pasta na cabeça, outro não usava calças, um vinha descalço, só de meia, um caminhava de gatinhas, outra levava quatro bolsas, uma colocara o brinco no nariz, um estava nu, outro vinha com arco e flecha.

O seu povo.

QUEM PROCURA ACHA (I)

. Eu sei que Gê passou por aqui ? Onde está, pergunta José.

? Gê.

Desconfiaram daquele homem que passava todos os dias, procurando Gê.

? Quem seria, policial ou um fiel.

Fosse quem fosse, os tempos não eram de acreditar em ninguém. Que o homem continuasse sua procura.

? Você andou atrás de Gê.

. Andei.

. Então, vem co'a gente.

EM LUGAR DA GROSELHA, GÊ PÕE O VINHO

Então se soube, correu de boca em boca, folhetos clandestinos contaram: A filha de um dos homens de Gê, o líder dos Comuns, ia se casar. Era um homem muito pobre, que não tinha nada, como a maioria daqueles que seguiam Gê. Mas a menina queria uma festa, porque casamento é casamento, é uma vez na vida. Se houver outro não pode ter festa, nem nada. Na casa do homem iam se reunir vizinhos, amigos, os parentes. E não tinha vinho, nem cerveja, chope, ou qualquer outra bebida alcoólica, apenas água e groselha com raspa de gelo. E a noiva estava triste, porque quanto mais pobre, maior deve ser a festa de casamento. O pai da noiva disse a Gê.

. Eles não têm chope, nem cerveja, nem nada.

? O quequeeu posso fazer.

Gê foi ao fundo da casa, olhou os baldes cheios de água, groselha e açúcar. À noite, apanhou um jipe, bateu numa adega, quando o homem abriu, Gê apontou o revólver. Trouxe três barris de vinho bom, deixou no lugar da groselha.

Com isto, Gê manifestou o seu caráter e os seus discípulos acreditaram nele.

José pensa: a palavra é bonita. Como é bonita. Parece um canto de pássaro. Eu passo diante dos cinemas, só para ver a palavra. Tystnaden. O filme não vi, disseram que era chato. Eu, não vou. Prefiro um chope. Dois chopes grandes custam o mesmo que uma entrada de cinema. Tystnaden.

FRASE DO DIA

"Se o povo não tem pão, que coma isopor. É branco, macio e em fatias parece pão Pullman."

Declaração do Presidente.

QUEM PROCURA ACHA (II)

Num Corcel branco, rodaram. Entraram num prédio velho, no centro da cidade. Por dentro, o prédio era reformado, caiado de amarelo, cheio de portas marrom-escuras. Colocaram José numa sala nua, com janelas pregadas. Foram embora.

Muito tempo depois, apagaram a luz.

Acenderam.

José esperou, apagaram a luz.

Veio a fome, veio sede, vontade de urinar, a barriga dele se contorceu.

Acenderam a luz. José se aliviou no canto da sala. Entrou um homem, furioso, bateu na sua cabeça: limpa, limpa, limpa já, já.

? Com quê.

. Não sei, não quero saber, tenho raiva de quem sabe.

José tirou a camisa, limpou tudo, ficou com a camisa, de bosta e mijo na mão.

? O que faço com isto.

. Não sei, não quero saber, tenho raiva de quem sabe.

Apagaram a luz.

Veio fome, sede, a barriga a se contrair.

José esperou, acenderam a luz. As paredes amarelas se confundiram. Ele estava no chão, as costas doendo. As paredes do estômago grudadas uma na outra. Apagaram a luz, a sala continuou amarela. Tague, dague, dague, dag, dum. I left my heart in San Francisco, piguiriquipu, piguiriquipu, Buona Sera Mrs. Campbell, as bombas descem de milagres (milagres) de aviões e caem, como garoa, o povo esperando, as sirenes gritando, oooooooooooooooonnnnnnnnnnnnn, a alegria de mãos se encontrando, estuda o catecismo filho, estava frio, eu lia o Tesouro da Juventude. Tinha emprestado da Nena, uma vizinha que para mim era rica, o pai dela trabalhava na Companhia de Força e Luz. Estava frio e eu tremia, meus irmãos tremiam. Ninguém tinha sono, ninguém queria ter, a cama era gelada, ninguém dormia. Aí meu pai veio com pinga. Encheu o copo e mandou que cada um fosse tomando. Começou um calorzinho e veio o sono. Assim, todos os dias, depois do jantar, glugluglugluglu, booooo, bibiiii, o calorzinho e o sono. Ninguém passou frio. Foi gostoso e eu decorei o Livro dos Porquês. Porque sim, porque não, porque sim.

Acenderam a luz, a sala ficou escura.

O homem devia ter me ensinado a suportar a fome e a sede.

Tenho raiva de me arrastar que nem bicho em busca de comida.

Caçando na mata sem bichos procurando água no lugar seco e sem riscos, quadrados, redondos, bundas, coxas, nuvens de espermatozoides flutuando, são os meus filhos todos que morreram nas farras que a gente fazia na chácara do bidê de vidro transparente. Meu deus, diabo, todos os santos, todos os diabos, isso diabos, diabos de todos os dias, olha a onça saltando, vindo para cima de mim, eu indo para cima dela, num salto duplo, como trapézio da vida,[1] ela de boca aberta, eu de boca aberta, a onça entrando na minha boca, eu entrando na boca da onça, ela ficando dentro de mim, eu dentro dela, uma coisa só (homem-animal-animal-homem) e então eu me lembro daquele dia em que me encontrei no hall dos automóveis, era eu entrando e eu estava saindo. Dentro deste estômago amarelo de onça, odeio o amarelo,

menos o amarelo pálido do rosto de Gê,

ele é que pode me salvar

de todas estas dúvidas que

estou tendo, desta

indecisão, deste ficar

aqui.

ASSIM É, SE LHE PARECE

José não percebeu ao ser levado para outra sala. Jogaram água em seu rosto.[1] Deram água para ele beber.[2] Na sala havia cheiro de comida. Era tudo muito limpo. Quando se reanimou José viu um homem sentado numa poltrona Knoll. José estava numa poltrona mole de Sérgio Bernardes. Ofereceram cigarro. Havia um garçom impecável que trouxe também um sanduíche de filé, vitamina de leite e

[1] Assim é, nos filmes.

[2] Incrível!

---

1 Mesmo no delírio se pode ter na cabeça imagens vulgares.

abacate para reconstituir as forças. Discos de Jack Jones, Sinatra, Aretha Franklin, tocavam suavemente. O homem pediu desculpas por ter de conversar assuntos desagradáveis[3] desagradáveis eram o cheiro do aposento imundo, a luz no rosto, a sede insuportável, o banco incômodo em que era obrigado a ficar sentado, quando sua vontade era cair para trás, largar o corpo. O homem deu água para ele beber, era salmoura, José vomitou e começou a apanhar. Havia cheiro de bosta, bosta e mofo misturados num quarto trancado que não via ar há muito tempo. Lá de fora vinha o som de um chorinho com sanfona, movimentado. Entrou um homem, o primeiro saiu (? Seria o primeiro), o segundo ficou um pouco, saiu deixou José sozinho, chegou um terceiro (? Ou seria o primeiro), bateu em José e foi embora contando: um, dois, três, quatro, cinco, seis, sete, oito, nove, dez, cento e vinte. Voltou o primeiro (? Ou o segundo) gritando como possesso e esmurrando o rosto de José, arrancando seus dentes[4] e rindo, rindo. A sanfona terminou, recomeçou com o mesmo chorinho. Entrou um padre (? Ou um homem vestido de padre) e disse: Confessa, meu filho, confessa tudo a Deus nosso senhor. José ergueu-se, e deu com o banco na cabeça do padre que caiu duro e seco para trás, sem dizer palavras.[5] José pulou em cima do seu estômago e dançou o chorinho. Depois sentou-se no banco e esperou. Eles voltariam para vingar o padre.

E,

de repente[6]

eles vieram mesmo. ? E agora.

Eram quatro,[7] grandes e fortes, vestidos em uniformes verdes,[8] botas altas, capacete de aço inoxidável, óculos escuros,[9] silenciosos. Um segurou José, o outro, com soco inglês, socou. Dois ficaram olhando e se revezaram e torturaram, deixando José ensanguentado. Um deles, disse: "Tira tal homem da terra, porque não convém que ele viva."[10]

3 Aqui, José saiu do torpor e delírio.

4 São sádicos todos os policiais.

5 ? Como é que podia dizer.

6 De repente, nada. Eles estavam para chegar há muito tempo.

7 Podiam ser cinco, quinze, não importa. São apenas números.

8 Uniforme da Instituição Nacional de Repressão e Inquirição: INRI.

9 Em filmes, a SS e a Gestapo sempre usaram óculos escuros.

10 Atos dos Apóstolos 22.22.

Então, soltaram José.

Observação: Nunca se conseguiu descobrir nada sobre esta prisão e interrogatório de José. Tanto podia ser o INRI, como podia ser gente de Gê, desconfiada dele.

CHOQUE

Rosa está internada, o médico disse que ela levou um grande choque, vai demorar no mínimo um mês para se restabelecer.

LIVRE ASSOCIAÇÃO

O canário amarelo magrinho de olhos bem pretos, no dia em que saía o enterro da mãe o irmão mais novo gritou da janela: ? tia, e o meu passarinho, a mãe tinha morrido intoxicada de remédios, assassinada pelos médicos.

O SILENCIADOR

José vai procurar um holandês que importa silenciadores no contrabando. O holandês está ligado à Máfia, ou à CIA, ou a gangsters.

O QUE VOCÊ QUER JOSÉ

Não precisava mais procurar nos buracos e tampões de esgoto. Ali estava com Gê. Era uma sala de concreto e havia infiltrações nas paredes, comuns aos subterrâneos. Estavam abaixo da cidade. Os Comuns tinham construído túneis concretados, estreitos, dando passagem a dois homens magros. Suficientes para um só se deslocar com rapidez. Labirintos incompreensíveis, dando voltas, corredores retos que terminavam subitamente, portas dando para dois corredores, o corredor da direita formando um quadrado e saindo num corredor (? o mesmo). Uma porta, dando para uma sala com mais duas portas, corredores em zigue-zagues. Nichos a cada tantos metros, chaves elétricas, quadros de fios (? ligações telefônicas), registros. José de repente entendeu: os Comuns dominavam a cidade, por baixo. Tinham se infiltrado nas ligações: água, luz, gás, telefone. Nos quinze anos de ditadura tinham trabalhado preparando-se. Agora, deviam estar prontos, ou quase prontos.

. Eu tenho sabido de você.

? De mim.

. Dos teus pequenos roubos, das mortes.

. É.

? Por quê.

? Por quê.

. Talvez você seja um dos nossos.

. Eu não quero.

? Por quê.

. Não sei o que vocês querem. Não quero chefes. Não quero ninguém, mandando em mim. Quero ser, eu.

. Tudo isso quer dizer, coisa nenhuma. Você também não sabe, o que quer.

? Precisa.

. Você é bom, atira bem, tem coragem, faz besteiras de amador e essas besteiras te salvam.

(Mas eu tenho medo de ser deles)

Então, Gê dizia:

"Pois eu invejava os arrogantes, ao ver a prosperidade dos perversos. Para eles não há preocupações, o seu corpo é sadio e médio. Não partilham das canseiras dos mortais, nem são afligidos como os outros homens. Daí a soberba que os cinge como um colar, e a violência que os envolve como manto. Os olhos saltam-lhes da gordura: do coração brotam-lhes fantasias. Motejam e falam maliciosamente; da opressão falam com altivez. Contra os céus desandam a boca e a sua língua percorre a terra. Por isso o seu povo se volta contra os ímpios; e sempre tranquilos aumentam suas riquezas. Com efeito, inutilmente conservei puro o coração e lavei as mãos na inocência. Pois de contínuo sou afligido a cada manhã castigado."[1]

E José referindo-se a si mesmo, respondeu para Gê:

"Não lhe encontrareis no fundo nem rancor, nem azedume, nem despeito. Os maus só lhe inspiram tristeza e piedade. Só o mal é o que o inflama em ódio. Porque o ódio ao mal é amor do bem, e a ira contra o mal, entusiamo divino."[2]

E Gê, também se referindo a si mesmo, neste monólogo a dois:

"Nest'alma, tantas vezes ferida e transpassada tantas vezes, nem de agressões, nem de infamações, nem de preterições, nem de ingra-

---

1   O livro dos Salmos, 73, 3 a 14.
2   *Oração dos moços*, Ruy Barbosa.

tidões, nem de perseguições, nem de traições, nem de expatriações perdura o menor rasto, a menor ideia de revindita. Deus me é testemunha de que tudo tenho perdoado."[1]

Finalizou José, quase convencido:

"Não há nada mais trágico do que a fatalidade inexorável deste destino, cuja rapidez ainda lhe agrava a severidade."[2]

PACIÊNCIA, IMPACIÊNCIA

Mas não sei por que, hoje fiquei puto com a invasão da universidade. Quebraram, queimaram, bateram, mataram, prenderam. Igual ontem e anteontem. Um mês atrás. Quando leio estas coisas. Nessa hora, nem o pau levanta. Não há pinto que aguente quando estas coisas estão acontecendo a nossa volta, tocando, sem tocar a gente. Qualquer coisa fora mïe atingia. De repente, descubro: é a gente que arruma o mundo, do nosso jeito. É preciso arrumá-lo todos os dias, remontá-lo, reorganizá-lo. Isto não traz conforto, sem segurança, nem estabilidade, nem paz. Tudo isso que a gente procura; e finge que não; acho que a gente nasce para tentar um pouco de paz. Mas se a gente tem guerra, vamos guerrear, porque se é guerra, a paz não tem sentido. Eu sempre fui covarde, covardão mesmo, de ter medo dos outros. Um dia levei um murro e vi que não doía, mesmo assim continuei tendo medo de brigas. Fico de saco cheio comigo mesmo, de pensar assim, pensamentos bobos. Estou neste quarto há cinco dias, olhando desta janela há cinco dias, há cinco dias comendo bolachas, chupando laranjas e cozinhando ovos numa espiriteira, enquanto espero que o homem saia do hotel em frente. Ele não sai, há cinco dias que não sai. Vai ver saiu por trás. Fico aqui, fita de cinema policial, este quarto de bosta, sujo. Aí em frente também é puteiro e foi lá que o general entrou. Com seu grupo. Depois dele, ninguém mais entrou, fui lá ver se conseguia um quarto, eu e uma putinha que fazia trotar embaixo. Não me deixaram nem ficar no saguão, se é que aquilo é saguão, um corredor estreito, fedorento, com balcão descascado, onde fica o Dezesseis, bandido conhecido na boca, roubou dezesseis carros num mês, pegou, pelos carros e outras, dezesseis anos, acabou se arranjando com dinheiro e saiu da cadeia, agora passa fumo e dá uma de porteiro. O Dezesseis me

---

1   *Oração aos moços*, Ruy Barbosa.
2   Idem.

disse que não podia dar quarto, o homem tinha proibido e estavam vigiando ele. Perguntei.

? Mas você sabe o que tá acontecendo lá dentro.

. Num sei, nem vô sabê. Num vô me metê cos home, que eles tudo tem máquina grande, azeitada.

Voltei pro meu quarto, e foi bom, porque num demorou pra rua se encher de milico prendendo. E dois azulão, CD da GC, subiram no meu quarto, pediram documentos. Queriam saber o que eu fazia, enquanto examinavam as carteiras que eu ia passando preles. Viram a putinha comigo, mas não falaram nada, só disseram que eu devia tomar cuidado, não sei com quê. Olhei bem a cara deles, o número da chapa, disfarçando, porque é claro que não vou deixar nenhum dos dois vivos, depois de me terem visto. Ainda bem que não revistaram o quarto, senão iam achar o revólver e o fuzil com luneta. E aí, eu estava mesmo fodido! Cinco dias, é claro que a gente fica pensando coisas. Cinco dias e já fiquei com o saco cheio da putinha e a putinha com o saco cheio de mim. Sou chato, não falo, não gosto de falar, esse sempre foi o meu problema. Não gosto de falar, fico quieto, sou trancado, tudo vai pra dentro, até que a coisa se quebra, eu não quero e ela se quebra. Que merda, hoje só fico pensando bobagem. Tudo por causa destes cinco dias. Não posso mais ver aquele quarto em frente de cortina fechada, suja paca. Estar de saco cheio com a putinha: ela só trepa quando dou dinheiro prela, e me faz abatimento pelas horas em branco. Fica ouvindo o transistor e reclamando, que na rua fazia mais dinheiro.

Mas eu tinha decidido: ela ia morrer também. Hoje de manhã não consegui foder, então peguei o fuzil e enfiei nela. A putinha morreu de rir, disse que o cano era frio. Eu fiquei mexendo e de repente ela se molhou toda em cima do cano. Aí riu de novo e beijou o fuzil, beijou todinho, disse que era caralhal, porque nunca amolecia, melhor que todos os homens que ela tinha tido. Pediu pra mim pôr de novo o cano frio, e queria que eu enfiasse inteirinho, com luneta e tudo, disse que estava tarada pelo fuzil, o desgraçadinho. Eram mais de 40 centímetros de cano e eu fiquei com vontade de atravessar aquilo tudo por dentro dela. A putinha queria saber por que eu tinha o fuzil e o que eu estava fazendo ali no quarto do hotel. Disse que a cidade andava cheia de gente armada. Só que eu era diferente, porque todo mundo tinha revólver. Se eu tinha fuzil, é que havia qualquer coisa comigo. Talvez fosse eu que andasse matando a torto e a direito por aí. Ela ficou com medo, mas eu disse que era bobagem. Eu estava ali hospedado no hotel enquanto fazia a praça, vendendo meus remédios.

Mostrei prela a maleta de socorros, que sempre uso, e tem de tudo, porque de repente um cara acerta a gente e nem é tiro pra morrer, a bala só raspa, é coisa de ferir e a gente pode se tratar sozinho.

? Sabe o que eu vi outro dia.

Ela contou:

Estava em pleno centro, saindo de um cinema, às quatro da tarde. / Que é hora boa de puta poder ir ao cinema, porque não perde muito freguês / e viu os dois caras no meio de um vazio. Os carros tinham parado, os motoristas olhavam. Os dois um longe do outro e se aproximando, até que quando chegaram a uns dois metros, sacaram os revólveres e atiraram. Um caiu, o outro virou, entrou num táxi e foi embora. O povo acabou de olhar, continuou andando, veio uma ambulância e uma RP, recolheram o morto. Ela entrou numa loja de discos. Depois ela voltou para sua casa e quando ia entrando eu cheguei, veio comigo para o hotel. De saco cheio porque fico na janela vigiando. E aquela gente lá do outro lado, resolvendo como foder mais um pouco alguém nesta cidade. Isso mesmo: eram: o chefe de polícia, o chefe da polícia secreta, a polícia política a ET (Especializada em Tortura), agentes federais: o *Dezesseis* tinha me informado tudo. Qualquer dia era preciso acabar com o *16* também. Uma hora a gente se estrepa com um sujeito desses, que não se contenta mais com dinheiro.

Jesus, Maria, José, minha alma vossa é.

Se desse certo o que tenho na cabeça hoje (e agora essa putinha deu de rezar, caralho), ia ser minha realização, um trabalho lindo de se ver, merecedor de medalha. Se eles fossem esportivos, me dariam medalha. Eu sei o quarto em que eles estão, mas fiquei numa enrascada, porque não vai dar para fazer nada. Atirar pra dentro, ou não mato nenhum, ou só mato um e os outros me localizam. Este hotelzinho não tem saída pelos fundos, tenho que correr pelo telhado, ou sair na rua e tentar fugir. Claro que não sou besta de sair na rua na mão deles. Pelo telhado é fogo, já andei olhando, vou ter que dar um pulo de quatro metros para cair noutro telhado. E me afundar nas telhas podres. Todo este lado da cidade está podre. O jeito é dar uma nova comida na minha putinha, enquanto vou pensando, para ver se acho solução (? e se eu cair de costas num telhado, e perder a fala). Se tiver solução, muito que bem, senão, azar. Antes eu ia ficar puto numa situação dessas, mas agora não ligo mais, aprendi a esperar e ter paciência, que é o jeito de não ser pego. Mas que 'tou puto com esses caras da polícia federal, isso tou. Não sei bem por que, é por tudo, acerto eles, logo, logo. *Próxima apresentação do scratch do rádio às dezessete horas, pela sua Rádio Bandeira Nova, com um outro boletim de atualidades desportivas.*

CIVISMO

. O seu carro está sem bandeira, sem slogan.
Foi preso.
. Minha senhora, as janelas sem bandeiras.
Prisão.
Até que um dia, foi um festival de cores nacionais, as bandeiras por toda a parte, ama com fé e orgulho a terra em que nasceste, nunca mais verás um país como este.

O GRITO

mãe, a sua cabeça ? onde está, mãe, que eu não vejo, não me lembro, cadê mãe, não, essa não é a sua cabeça, que coisa amarela, feia, mãe, não me levem, me levem embora, me levem, não quero ver, quero a cabeça de minha mãe.

MEIOS DE COMUNICAÇÃO

O animador de auditório tinha um grande sorriso, uma grande companhia para a venda de coisas aos pobres, era muito rico.
O homem sem pernas precisava ganhar dinheiro.
/ ? será a história do bem e do mal, do rico ruim e do pobre bom /

A FOTOGRAFIA ERRADA

Rosa tinha ido para a casa de seus pais. Estava sofrendo hemorragias, e José não aparecia há duas semanas. A polícia invadiu sua casa /
Bom dia, meu caro senhor. Eu sou um patriota. O senhor ouviu falar de mim. Eu me ofereci para o primeiro pelotão de fuzilamento. Eu quero acabar com a subversão e o terror e a intranquilidade, eu quero a democracia neste país. Eu tenho observado na casa vizinha um movimento estranho. O moço de lá nunca para em casa, chega gente des-

conhecida, fica um, dois dias, se vai, a mulher dele anda doente, ele nem liga, desaparece. Tenho certeza de ter visto armas e se não me engano, nos cartazes tem uma foto de um sujeito parecido com ele, era bom verificar, só por desencargo. Até logo. Tudo pela nossa pátria / e levou os livros e procurou armas e folhetos, e não encontrou nada a não ser um envelope com fotografias dentro de um livro. E mostraram a fotografia para os vizinhos e eles acharam: é, deve ser ele, um pouco mais novo. Ao menos, se parece. E mandaram as fotos para os cartazes dos cinemas, bares, lojas, rodoviárias, estações, delegacias, quartéis.

Conversa de táxi:
    . Preciso de algum, para viver.
    ? Para quê. Você come e bebe de graça.
    . É bom ter algum dinheiro.
    . O dinheiro é para a causa. Vai para lugar certo.

PREVISÃO DO TEMPO

Na madrugada de domingo, compra-se o primeiro jornal que estiver nas bancas. El Matador tinha um jornal impresso em azul: "O povo começa a correr à casa do menino José Luís, na Vila Branca, para ouvir a música que vem de dentro de sua barriga e para ganhar graças, uma vez que milagres estão acontecendo. O pai de José Luís declarou que a música é a de trombetas e tambores e que as trombetas são de Josué, antes da batalha de Jericó. Muita gente procurou, mas ninguém encontrou fios e vitrolas na cabana".

PARA DECLAMAR

Só quem conheceu o terror de um lar organizado;
a quietude de uma casa funcionando, roupas lavadas, passadas, cheiro de comida, ausência de pó;
todos os dias, jantar, televisão, dormir, acordar, trabalho;
reuniões de domingo, programa de sábado, tédio das segundas-feiras;
túmulo, mausoléu da vida, campo raso.

O CERCO AO ATIRADOR SOLITÁRIO

No mesmo dia em que o avião papal chegou, trazendo 4 mil quilos de presentes para o povo irmão, com bênção do sumo Pontífice:

o primeiro tiro foi às nove e meia da manhã. Pegou uma comerciária de 18 anos, noiva, pobre[1] com uma bala Dundum que explodiu seu peito. Era uma praça, com a estátua do homem a cavalo, herói de cartilhas e lições de história. Veio uma Radiopatrulha. Quando o Guarda desceu, um tiro. Foi tão rápido, que o corpo ficou de pé, em cabeça, o pescoço aberto. O outro Guarda, não teve tempo de descer. A barriga dele estourou, os intestinos voaram para um balcão de calcinhas e soutiens em liquidação. Descobriram o homem ao pé do cavalo, na estátua. Tinha um caixote de munição e várias armas. A estátua era mais alta que os edifícios à volta. Os tiros estouravam janelas, vitrinas. Entre nove e meia e dez, quatro caíram mortos. Dez e meia chegaram oito Radiopatrulhas e um carro da Repressiva Especial, comandada pelo Neco Trombada, o mais alto e forte de todos os agentes, violento, de falar muito e agir muito, conhecido por assassinar bandidos sem perguntar o quê. Contavam (dentro da Polícia, lá entre eles, de modo que não se pode afirmar nada, mesmo porque pode ser calúnia, inveja) que no início da carreira dele, aos vinte anos, tinha sido pego por um negrão, numa favela. E o negrão enrabara o Neco. Ele desceu na praça, a comandar, metralhadora na mão gritando, apontando, super-homem da polícia / Até acreditava em corpo fechado /. E o atirador solitário pegou Neco entre as pernas, Neco errou e descarregou a metralhadora numa loja de cuecas.

Ninguém pôde descer das viaturas. O atirador solitário era rápido. Parecia enxergar a 360 graus. Não deixava nada se mover embaixo. As pessoas se escondiam dentro das lojas, atrás de árvores, postes. "Terrorista", gritavam, e tremiam, e queriam ser ele, lá em cima, onipotente, poder de morte sobre os de baixo. Confusão, carros parados, congestionamento, buzinas, gritos, apitos, sirenes, para-brisas espatifados. Chegou um caminhão do exército. O comandante foi morto ao pisar no para-lamas. Depois, na lona da carroceria, abriu-se uma linha horizontal, absolutamente reta, de orifícios do mesmo tamanho. Os praças que estavam sentados no banco, de costas para a lona, caíram varados, lado a lado, enquanto os outros se atiravam ao chão e se recusavam a descer.

À uma da tarde, as Tropas Especiais de Repressiva, Dois Batalhões do Exército Antiterror, Quatro Tanques, Quatro Brucutus, Oito carros blindados armados com Morteiros de 4,2 polegadas,[2] Lança-Rojão, 66

---

1   O melodrama copia a vida.
2   Usado no Vietnã.

mm, tipo M 72, leve: 2 quilos.[1] Dispuseram-se sob ordem de um oficial estrategista em pontos estratégicos.[2] Enquanto se colocavam, alguns iam caindo e se transformando em fotos para as galerias de heróis nas paredes das delegacias, quartéis, corporações, distritos. Homenageados de ano em ano.

Atiravam, o homem respondia. As balas ricocheteavam na estátua de bronze, como sino repicando em festa. A potência de fogo, dos que estavam embaixo, aumentava gradualmente, o homem respondia pausado, regular, metódico. Lança-chamas[3] alcançavam meia altura e a estátua parecia envolvida pelo fogo, aquele herói antigo com seu cavalo sobressaindo das chamas da batalha. Mas o homem atirava e os que se aproximavam com os lanças-chamas, caíam, os outros recuaram. Empregaram metralhadoras, fuzis de luneta, morteiros.

E veio a televisão, fazendo um tape especial para o programa das 22 horas, vieram os cinegrafistas e as rádios, e os jornais, todos contentes, porque aquilo era como a guerra, sem o perigo de uma guerra. Agentes de informação subiram aos edifícios, fotografaram com teleobjetivas o atirador solitário, revelaram as fotos, a televisão, em transmissão ao vivo / Patrocínio do Suco Tomate, o mais vermelho, o preferido das donas de casa / mostrou a foto, um homem de trinta anos, cabelos grisalhos, barba malfeita.

José tinha ido ao sétimo andar, para começar a descer. Havia quatro apartamentos por andar. Todas as portas abertas. Cada porta dando para um pequeno hall. No hall, sentadas ficavam as putas. Duas por apartamento. Estava quente e elas se abanavam com revistas, leques, com as mãos. O edifício se chamava Pombal e estava cheio de gente. Sempre que ia lá, José subia ao último e começava a descer. Mais olhando os que subiam e desciam do que interessado em comer alguma mulher. O prédio tinha cheiro de desinfetante — lixo — suor — porra velha — cerveja. Ele entrou com a mulata do quarto andar e ouviu o barulho. A esta altura, fazia meia hora que o atirador solitário estava na estátua. Foi para a janela. O problema era saber como Gê chegaria até ali para conversar com ele. Num canto da porta havia o sinal, um risco horizontal, quatro verticais, mais curtos: a marca dos Comuns (? Madalena, uma Comum). Madalena

---

1   Presente dos Governos Amigos.
2   Oficial aposentado da Coreia e Vietnã cedido temporariamente para ações na América Latíndia como conselheiro.
3   Aprovados na extinta guerra do Vietnã.

cutucou, apontou o Caminhão do Tape, José entrou para dentro. Talvez desse uma trepada, enquanto Gê não chegava. O problema era saber se ele viria, com a confusão armada pelo louco, lá na estátua (? O que anda querendo esse aí). Se bem que dentro dele, José soubesse. O atirador solitário não tinha a mínima chance, mas conseguira um grande final. Apoteose. Ele tinha vontade de bater palmas, agora mesmo. Não podia olhar pela janela, o Tape estava lá, varrendo o edifício com teleobjetivas. Mais tarde, nos serviços de informação passariam os tapes, examinariam cada rosto na janela, cada rosto na multidão, tentando descobrir Comuns, terroristas, subversivos, criminosos. Havia sessões diariamente. O Tape funcionava. Era melhor desistir, Gê não viria.

Havia um plano de batalha na praça. Batalhões ajoelhados, com os fuzis apontados. Carros tanques, com canhões lança-morteiros de 81 mm, desmontáveis em três cargas. Metralhadoras M2, pesadas. Metralhadoras M 60, calibre 7,62 tipo OTAN, 600 tiros por minuto, munição em fita de elos, com muda de cano, para tripé ou não. As ruas em volta fechadas. O Estrategista dava ordens através de Walk-Talks. Era sua primeira grande missão e queria sair-se bem. Dava declarações aos jornais, falava às televisões, era filmado para os noticiários. O Departamento de Relações Públicas já distribuía sua biografia mimeografada, as batalhas que tinha vencido na Coreia, no Vietnã, nas Manifestações Populares de vários países do Oriente Médio, sua participação na Guerra dos Seis Dias.

O prrobleema é que noss prrrrecisamooss de metrrralhadoras M642-59, alemanhas, atirrraam dos veces mais rapido que M60.

O atirador solitário dava descargas, se escondia. Em cada descarga, derrubava um, dois. As metralhadoras comiam o pé da estátua, as balas ricocheteavam no pé do cavalo. Tinham chamado o melhor atirador para estudar uma fórmula de dar um tiro em tal ângulo que a bala ricocheteando no bronze pega-se o homem pelas costas. Problema: a distância exigia uma arma forte, uma bala dura. Isso faria com que a bala penetrasse no bronze.

Às duas da tarde, o Comandante em Chefe das Repressivas, acompanhado de altas patentes militares e autoridades civis e eclesiásticas, visitou a praça. Reclamou: "estão destruindo a estátua de um herói de nossa pátria". O pedestal estava cheio de buracos de bala. Não, não pode usar granadas nem nada. Pensaram em trazer o Raio Laser, serrar o pedestal, fazer tudo cair por igual depois erguer a estátua de novo. Ninguém aprovou.

O Estrategista ficou irritado (? O que me interessa herói da pátria, porra). Pensava num plano, não achava. Tinha se acostumado à selva, ao inimigo escondido. Mas o inimigo estava ali, visível. Ele passou a mão pelo colar. Dava sorte. Era um colar de orelhas humanas enfiadas num fio de nylon. Orelhinhas secas, como uva-passa. Como os heróis de far-west que marcavam as mortes no cabo do revólver, ou aviadores que colocam bandeiras na carlinga, ele também guardava seus feitos. Queria a orelha do atirador solitário. Não via como.

E / quase / começou a se arrepender do dia em que recebeu o chamado do ex-major Allistair Wicks, de Baker Street. O Estrategista estava no Zambesi Club, em Londres, quando recebeu o telefonema: missão. Na América Latíndia. O Estrategista, depois que o Vietnã terminou, pensara em ir para a África, Índia, qualquer lugar em que precisassem de mercenários. Talvez Oriente Médio, Egito, Israel. Incrível, não estava fácil o serviço. Não entendia o que se passava no mundo. Restava a América Latíndia, uma ideia engraçada. O Estrategista conhecia bem antiguerrilhas na selva e aceitou o contrato: mil dólares por mês, 10 mil dólares de indenização em caso de morte / ? A quem mandar o dinheiro / ou invalidez.

O Estrategista trabalhara com o Coronel Jean Schramme, o belga, e com o francês Bob Denard. Muitos anos na África, envolvidos com Chombe. Ninguém sabia o verdadeiro nome do Estrategista e talvez ele mesmo tivesse se esquecido, acostumado ao apelido. Com 50 anos, vivera sempre de arma na mão, envolvido em batalhas e nos tempos de "paz" convivia com tipos dos quais também nada sabia, a não ser por referências escassas. Um ex-SS, outro da Gestapo, um da OAS, outros da CIA; convivera com exilados políticos, fracassados políticos, idealistas, mercenários, desertores, guerrilheiros, cubanos, alemães, gregos, argelinos, africanos, aventureiros: todo um mundo de clandestinidade, ambições, interesses. Conhecia companheiros que hoje eram chefes de estado em nações pequenas, sustentadas por americanos, ou russos, ou chineses, ou franceses. No mesmo avião em que viera para a América Latíndia, o Estrategista encontrara Bimns e Craig, e Delgay, e Bukuvu, travestidos de jornalista, e adido cultural, e representante comercial, e técnico em telecomunicações / os governos da América Latíndia queriam instalar televisão a cores /, mas três deles eram agentes da CIA e outro pertencia a um obscuro e poderoso órgão do Governo EUA. E era bom saber que eles iam para o mesmo lugar, porque sempre haveria possibilidade de trabalho conjunto, e mais dinheiro.

Mas ali, descobrira. Não era para a selva, era para a guerrilha de cidade, e de cidades ele não entendia, nem queria saber. Odiava a cidade, nela é que tomara os únicos tiros de sua carreira. Desesperado, no Harlem, procurando os negros que atiravam dos beirais, das janelas, dos telhados, saíra para o meio da rua berrando que eles descessem e viessem brigar como homens e tinham quase arrancado sua orelha, o ombro, um dedo, o pé. Ele se demitira na mesma noite, e voara para Londres no dia seguinte, ansioso por voltar à selva, procurando o major Wicks, e esperando um chamado.

Tinha dito que na América Latíndia havia selvas, rios, índios, bichos ferozes, mosquitos, calor, cachoeiras, palmeiras, música, mulheres morenas, homens de bigode, sombreros, sestas, sambas, carnaval e as mulheres se entregavam aos americanos, ingleses, alemães, porque gostavam de homens loiros e fortes, e que os homens de lá eram magros, doentes, subnutridos e morriam sozinhos: seria fácil ganhar mil dólares mensais.

E agora, tinha de desalojar um doido do pé de uma estátua.

Neco garantiu que resolvia. O Comandante não quis polícia civil no caso. Agora, os brucutus estavam apontando os jatos de areia e água. As metralhadoras, protegidas por chapas de aço, se aproximavam. Ouviam-se as balas do atirador solitário batendo nas chapas. Evacuaram os prédios atrás da estátua, colocaram atiradores na janela. Mas as patas e o rabo do cavalo impediam a visão. Com um megafone, o Comandante dirigia as rajadas. De minuto em minuto, as balas vinham dos lados, de baixo, o fogo dos lança-chamas subia, os jatos de areia faziam uma nuvem compacta. E o atirador solitário, indiferente ao barulho, ao calor insuportável, às balas, ia derrubando policiais.

? O que adianta, perguntou Gê. Não adianta nada. Ele está lá, dando tiros, matando gente. Tudo para nada.

. Eu entendo, disse José. Isso é a única coisa que a gente pode fazer.

. Se você quer fazer, venha conosco.

. Pensei nisso. Mas eu não acredito nas coisas que vocês acreditam.

. Por enquanto, basta ter raiva. Com o tempo você vai aprender que somos, vai gostar de nós, lutar como nós.

. Eu não vou, fico sozinho. A minha luta é só minha.

. Mas é bobagem. Você só está com raiva. E quando a raiva passar, acabou. E vai dar em nada. Tudo que a gente faz sozinho dá em nada.

. E tudo que a gente faz junto com os outros, dá em nada. Sozinho, arrisco menos. Um homem sozinho se conhece, conhece suas fraquezas, pode ficar conhecendo suas qualidades. É mais fácil ser solitário.

. É mais cômodo.

. Não, um grupo traz problemas, desconfiança, inveja. Até que ponto todos são fortes e corajosos do mesmo jeito, é uma boa pergunta. Até que ponto alguém aguenta tortura para não delatar os outros. Caiu um, caíram todos.

. Alguém fica e continua. Sozinho, você cai, acabou.

. Se eu caí, nada mais interessa.

. Isso é egoísmo. Você é um cara bom. Nós sabemos o que você tem feito. Feito por fazer. Sem sentido. Podia ser útil.

. Não é egoísmo, não. Cada um, é uma pessoa. Não, não é novidade. Nem vim aqui dizer coisas originais. Só queria dizer que sou eu. Não consigo ser nós. Não é culpa minha. Nasci assim.

. Vai, vai, deixa de bobagem. A gente se faz como a gente se quer.

. Olha, Gê, você nunca vai entender. Um grupo, para mim, é um castelo de cartas. Soprou uma embaixo, vai tudo pro chão.

/ Eu vim para lançar fogo sobre a terra e bem quisera que já estivesse a arder /

Gê desceu. Vestido de mulher, pintado como puta, peruca loira. Não percebeu o Caminhão de Tape, enfiou-se no meio da multidão.

Às três e meia da tarde, histéricos os policiais, as Milícias, o Comandante, o Estrategista, todos gritavam recolhiam mortos, feridos. O Comandante pediu e minutos mais tarde, helicópteros rondaram a praça. Dez metros acima da estátua, eles acionaram as metralhadoras. Estavam na barriga do aparelho, eram circulares e despejavam balas, como se fosse chuva / Minigun 67,62 mm /. Seis mil balas por minuto. Em poucos segundos, o cavalo estava sem cabeça, o herói perdera pernas e espadas. Então, no instante em que as metralhadoras deram um segundo de descanso, o atirador ergueu-se e atirou contra os pilotos exatamente como James Bond nos filmes.

. É meu irmão. Não sei o que ele anda fazendo lá em cima, deve ter ficado louco. Aliás, ficou louco mesmo. Eu sabia, tinha certeza que ia acontecer um dia, não esperava que fosse tão cedo. Adamastor tem só vinte e cinco anos.

A televisão, as rádios, os jornalistas tinham cercado um homem de óculos redondo. Ele tinha visto a foto na TV, viera correndo, conseguira furar a multidão, auxiliado por um guarda. Era motorista de praça e vestia roupas surradas.

. Adamastor só pensava em vencer na vida. Dizia que um dia ia ser alguém. No bairro, ninguém duvidava que ele ia ser mesmo. Estava estudando, mas depois no cursinho teve de parar. Era muito caro. E ele não tinha dinheiro pra pagar a vaga na universidade. O cursinho garantia a vaga, mas era caro, muito caro. E Adamastor teve que desistir. Ficou meio pancada, desde aquele tempo. Começou a trabalhar aqui e ali não parava no emprego, achava que nenhum valia nada. Foi trabalhar em consórcios, acabou se metendo com a polícia, foi se empregar em companhias de investimentos, era uma coisa que dava dinheiro, todo mundo enriquecia. Menos Adamastor. E piorou quando a noiva brigou com ele, porque Adamastor andava esquisito. Mas não é nada disso, ele só quis vencer na vida, se tivessem deixado ele ter um bom carro, uma casa, uma chacrinha, uma bonita mulher, dinheiro no banco, essas coisas que fazem a felicidade da gente, ele tinha sido uma boa pessoa. Agora vai morrer aí, debaixo de um cavalo.

Então, ouviu-se o ronco do avião e os tanques se afastaram, as Milícias começaram a dispersar o povo. Os megafones pediam que evacuassem rapidamente todos os prédios. Às cinco da tarde não tinha mais ninguém. E o avião voltou. Sobrevoou a praça. E se imobilizou em cima da estátua. Um segundo só. Abriu-se a barriga do avião e a bomba baixou. Veio com aquele zumbido que se ouve em filmes. Não ficou um prédio inteiro não só na praça como a muitos e muitos quarteirões em volta. Tremeu tudo. Pedestal e cavalo e homem subiram, pararam no ar e se desintegraram numa poeira de cimento e pedra e bronze e ossos e sangue e ferro. Às sete, nada mais havia, senão uma cratera imensa, enquanto os tratores da prefeitura se preparavam para reconstituir a praça e o Instituto Histórico e Geográfico encomendava nova estátua para o herói e o prefeito providenciava placas: Uma Nova Obra Desta Administração a ser entregue em 180 dias.

LIVRE ASSOCIAÇÃO

Esse filho que Rosa quer, não pode nascer. Eu, também quero. Mas não, sei. Aqui, não tem hoje, nem amanhã. Não tem nada, só alguns instantes. Uma vida, não são instantes, é tudo. O tudo, aqui é a morte, amanhã. A prisão, a impossibilidade de meu filho ser alguma coisa, viver, amar. Impossibilidade de crescer, estudar (matam ele na escola), ter emprego, ter outros filhos. Medo, meu, de Rosa, dos meus vizinhos, geral. Medo pavor, receio.

? O que vamos fazer, se esse filho vier.

MEIOS DE COMUNICAÇÃO

Às 23 horas, como faz todos os dias, o Presidente apareceu na televisão, cortando a transmissão do futebol. Alto, olhos claros, ar paternal, jeito de avô, bonzinho, voz pausada, tranquila (Como é bom esse homem, como é bom esse homem, como é bom esse homem: frações de segundos, os letreiros surgiam na tela: subliminal).

Às 23,04, o Presidente bom-magnânimo-liberal, ergueu a mão direita e abençoou o seu povo, o povo de todo o país (ame-O). "Durma bem, minha boa gente". A população fez o sinal da cruz, e agradeceu.

JACULATÓRIA: *Doce coração de Maria sede a nossa salvação (300 dias de indulgência)*

A ROSA A INVENCÍVEL

Fizeram um cordão de isolamento em torno do túmulo do bandido da rosa amarela. Ninguém mais podia apanhar flores. Os fabricantes da poção foram proibidos de entrar no cemitério. Mas as roseiras cresciam, lançavam raízes por baixo de outros túmulos, desabrochavam no cemitério inteiro. A prefeitura colocava turmas especiais com enxadas, fogo. Não adiantava, as rosas continuavam. O povo dizia que era de Nossa Senhora. Os botânicos descobriram que era de plástico. Multidões faziam filas diante do cemitério: queremos as rosas, gritavam. A polícia vinha e dissolvia tudo com jatos de água e areia fina.

EFEMÉRIDES

Há tantos anos, foi descoberta a vela de cera, a maior invenção depois da lâmpada elétrica.

COMUNICAÇÃO

José, você já tem a resposta do problema. Agora, é só colocá-la para fora.[1]

O MENINO COM MÚSICA NA BARRIGA

Certa manhã, ao acordar estranhando a própria casa, a presença de Rosa ao lado dele, José encontrou um bilhete: "O menino com música na barriga é o filho de Gê. Precisamos protegê-lo."

SITUAÇÃO

Medo de discutir com motoristas de táxi & medo de ser agredido / assassinado lia notícias de mortes absurdas por causa de um troco de ônibus & de uma pinga num bar & de um encontrão & de uma trombada.

Na rua se via alguém vir na sua direção para pedir esmola & informação ficava desconfiado & pronto para reagir ou correr.

ANÚNCIO

Já se encontram em todas as boas lojas do ramo os uniformes para o povo, nas cores estabelecidas pelo governo, de acordo com as classes sociais e profissões. Os uniformes são baratos, acessíveis. Os que não puderem comprá-los à vista, poderão fazê-lo a prazo, através das Caixas, com financiamento do governo. Para isso, basta levar: Escritura da casa, Contas de luz e gás, Carteira Profissional, Identidade, Quitação com a Hora Oficial, Atestado de Residência, Boa Conduta, Antecedentes, Salvo-Conduto, Carnês de Compras a Crédito. Dentro de dois meses, o povo todo deverá estar uniformizado.

RELATÓRIO

---

[1] Quem avisa amigo é.

Ações presumivelmente comandadas pelo líder dos Comuns, Gê, da qual devem ter participado um indivíduo levemente manco, a quem chamam Zé (apelido provavelmente) e um indivíduo alto, bigodes pretos (postiço provavelmente), a quem chamam Herói (apelido, evidente). Destas ações participaram ainda dois japoneses, duas moças loiras (seriam perucas) e catorze indivíduos, dos quais nove identificados, por terem ficha na Delegacia de Roubos, na Homicídios e Costumes.

/ Comentário de um jornal conservador: "os terroristas estão se utilizando dos piores elementos da criminalidade, bandidos comuns, assaltantes, criminosos sexuais, a escória, indivíduos da mais baixa extração moral, revelando bem o que são e o que representam" /

Lista :

1 — Ladrões armados de metralhadoras e revólveres assaltam uma agência bancária em Chora Menino e levam todo dinheiro do cofre, caixa funcionários, depositantes presentes na hora.

/ Instrução de Gê, ao saírem para o trabalho: Só o dinheiro do banco. De mais ninguém /

2 — Armados de metralhadoras e Fuzis FN, calibre 7,62, cinco homens assaltam trem pagador e levam muitos milhões. Um homem foi morto e o crime atribuído a Gê.

/ Comentário do Delegado Dores que é também comandante do Esquadrão Mortífero: "Não foi Gê. Ele não usa fuzil 7,63. Mas deixa pra lá".

3 — Gê ou José ou o Herói ou um terceiro elemento dos Comuns, a quem chama Ávila, ou coisa parecida, deve ser o homem que fugiu nesta ação.

Para executar um assalto cinco homens roubaram o Aero-Willys de um juiz. Mas encontraram no caminho um amigo do juiz que estranhou o grupo e telefonou à polícia. Os cinco homens entraram no banco — próximo à casa do juiz — dominaram funcionários e clientes e apoderaram-se do dinheiro. Quando tentaram sair, estavam bloqueados e resistiram à bala. Atiraram até que a munição acabou. Cinco minutos mais tarde, quatro estavam mortos com 42 balas, esfaqueados e pisoteados. Um fugiu.

Ações com bombas:

1 / Sétimo Regimento. Dinamite. Quatro mortos. Metralhado o carro do atentado. Cobertura em todos os hospitais e prontos-socorros.

/ Sob ameaça de metralhadoras, o mais famoso cirurgião do país, o que faz transplantes, foi levado para um apartamento num ponto qualquer da cidade e obrigado a operar dois homens, um de vinte anos, outro de 45 mais ou menos. "Se eles morrerem, o senhor morre. E sua mulher e filhos também morrem." Telefonema para a casa do médico. Sua mulher apavorada: "eles estão aqui". Dois dias depois, os homens fora de perigo, o médico foi solto no pátio da Quinta Delegacia /

2 / Bomba de fabricação caseira contra sede da Polícia Federal. Um morto.

3 / Roubo de 75 bananas de dinamite numa pedreira.

4 / Cinco ações iguais na mesmo hora: Bolsa de Valores, um jornal que vinha defendendo o Governo, casa do Delegado Dores, Consulado Norte-Americano, Consulado da Tchecoslováquia. Um morto, total.

5/ Bomba na nova Assembleia Legislativa. Destruída totalmente a entrada.

/ José: Não, Gê, com bomba não mexo, não. Nem quero me meter em ações, nos quartéis. Já te disse, esse negócio de grupo não é comigo. Quero trabalhar sozinho. Mê dê trabalho sozinho. Nem com esses amigos meus /.

O BERÇO ESPLÊNDIDO

Depois de andar muito, em direção ao leste, chega-se a uma região de planícies, desabitada, onde as possibilidades de vida para os humanos são mínimas. Ali existem todos os tipos de vegetação encontráveis na América Latíndia. Árvores do Peru. Jacarandá do Brasil. Cipreste do Uruguai. Vegetações da Colômbia, Guatemala, Chile, Paraguai, Bolívia, matinhos da América Central.

Dizem as lendas que milhares de anos atrás havia um só povo na América. Uma grande civilização, depositada naquela região. Mas um dia os rios se enterraram na terra e viraram pântanos. A caça sumiu. As árvores não davam mais frutos. E a subsistência do povo ficou ameaçada. Então, o grande chefe entregou missões aos subchefes. Eles partiram, levando sementes das plantas para novos lugares, para formarem novas civilizações. Onde fosse o melhor lugar, para lá também iriam os outros. Eles foram e se estabeleceram e formaram novos clãs. Que cresceram. Cresceram pobres, em terras ricas. E a terra natal ficou desabitada, selvagem. Para essa região, as Milícias levavam os ladrões, assassinos subversivos, terroristas, guerrilheiros. Abandonados lá. Naquela extensão de terras da América, milhares de pessoas estavam enterradas. Os que sabiam por que tinham morrido e os que não sabiam. Os que tinham morrido por alguma coisa, sabiam que estavam no berço do continente miserável, arrebentado, espezinhado, estraçalhado. Se uniriam à terra e talvez nascessem de novo. Novos americanos para a luta que iria demorar.

> **PENSAMENTO DO DIA**
> *"Granada / tierra sonãda por mi"*

EM VÁRIOS TONS

Era fácil ver mortes e revoluções nos cinemas e nas fotografias e nos livros de história. Agora, José, você vê tudo isso ao seu lado. E a morte é verdadeira, o sangue é mesmo, a revolução caminha. Você está nela, queira ou não. Não tem jeito. Você é meio covardão, amansado, conformado. Pense que daqui para a frente, os ferimentos vão doer e as pessoas vão sofrer por sua causa, assim como você vai sofrer por eles. Agora, José não é mais brincadeira de revólver de pau, mãos ao alto, camomboi, pum, pum, pu, bangue-bangue, deite aí que você está morto. Agora é sério,[1] topar a parada, ganhar e perder, tentar só ganhar.

> *Ler o trecho nos seguintes tons:*
> A) sermão, com voz monocórdia.
> B) conselho, com voz grave.
> C) oração, com voz chorosa.
> D) aviso, com voz de dono da verdade.
> E) gozador, com voz em falsete.

BEBA MAIS CAFEZINHO

De acordo com os planos recebidos num envelope[2] José e seus companheiros partiram para o assalto. Os planos tinham sido trazidos, por Chico Bico Doce, que a polícia dera como morto seis meses atrás e que podia por isso agir tranquilo, sem medo. Desceram todos, eram oito, diante do banco, entraram, apontaram os revólveres. Os funcio-

---

1   José acha aborrecido jogar sempre a sério.
2   Claro.

nários ergueram os braços,[1] o caixa começou a tirar o dinheiro[2] e passar para a sacola de plástico[3] que Átila tinha na mão.

. Abram o cofre, disse Chico.

. Não podemos, disse o subgerente.[4] A chave está com o gerente.

? Cadê o gerente.

. Foi tomar um cafezinho.

. Porra de merda.

. Ele já vem. Sentem-se.

Os oito levaram o pessoal para o banheiro. Não cabia todo mundo, mas o Herói foi dando pontapés na bunda do contínuo — o único que faltava — e o contínuo acabou entrando. Trancaram a porta e esperaram o gerente.

Quando ele chegou, Chico cumprimentou-o e disse: É um assalto, abra o cofre.

? Isso é hora de tomar café, perguntou José.

El Matador estava nervoso (preciso tirar esse cara das jogadas, pensou, Bico Doce) e derrubava os maços de dinheiro no chão, sem acertar a sacola. A peruca loira, o bigode falso, tudo era incômodo.

Retiraram-se.

Ao se retirarem, o guarda conseguiu arrebentar a porta do banheiro. Correu para a perua do Banco parada na entrada.

. Persiga aqueles carros.

? Cadê a requisição da viatura.

. Não tenho.

. Não posso sair, então.

. O banco acabou de ser assaltado.

. Deviam ter requisições prontas para essas ocasiões.

O guarda voltou, apanhou a requisição, mas os carros tinham desaparecido.

Ao Manual foi acrescentado: os motoristas estão autorizados, após os assaltos, a partirem em perseguição aos ladrões, sem requisição.

---

1   Determinação bancária número 7 do Manual de Comportamento durante Assaltos, exclusivo para Funcionários.

2   Determinação 10.

3   Uma sacola muito feia, com flores berrantes. Anda ruim o desenho industrial deste tipo de sacolas.

4   Na ausência do gerente, o subgerente responde pelo Banco. Do Manual de Comportamento.

Depois deverão fazer à Gerência Central uma comunicação de justificação assinada pelo gerente da agência assaltada.

História de Bico Doce, apesar dele aparecer esta única vez: Em junho, seis meses antes do assalto, um homem dirigia um Volks quando bateu num caminhão. Um guarda-civil foi ajudar, mas o homem do Volks saiu atirando e fugiu num táxi, cujo motorista fora tomar pinga. O guarda e uma RP foram em perseguição ao sujeito, houve tiroteio, e morreu o homem que fugira. Vieram investigadores da Homicídio e identificaram o morto como Chico, o Bico Doce / sua mania era comer algodão doce /, um ladrão com 56 passagens pela polícia, aos 29 anos. O verdadeiro Chico Bico Doce estava vivo, mas muito inteligente, mandou sua família reclamar o corpo e enterrar com muita choradeira. E continuou assaltando, calmamente.

ENTREVISTA (sem gravação)

Gê: Esta é a minha vida. E gosto dela assim, não queria ser diferente. Me acostumei a viver perseguido. Se de repente parassem de me perseguir, ia ser estranho, eu teria que me adaptar de novo. Entenda: a gente só se adapta àquilo que a gente quer, ou aceita. Viver escondido não quer dizer nada. É uma coisa que coloca a gente em guarda permanente. Na clandestinidade desenvolvo quinhentas vezes o meu instinto de preservação. Isso me excita, não me deixa acomodar. Medo a gente tem, é claro. Mas quando você cruza uma rua, ou quando espera um aumento de imposto, ou quando pensa no salário que não vai cobrir dívidas, quando vê que não tem casa e não sabe se vai ter no próximo ano, quando vê que pode ser preso de repente e torturado ou morto, quando desconfia do vizinho, do amigo, da pessoa que encontra a rua, e assim por diante, você tem mais medo do que eu. Tem também uma coisa: mais medo têm os que perseguem a gente. Não se esqueça disso.

José: ? Mas você não gostaria de ter uma vida tranquila, ser feliz.

Gê: Antes de mais nada, eu sou feliz. Não sou triste, não faço dramas e nem caio na fossa. Não tenho tempo disso. Sério, eu sou feliz. Estou fazendo o que eu quero, do modo como acho certo. Conta nos dedos: ? quantos fazem isso hoje. Na hora de morrer, se eu souber que estou morrendo, vou ficar triste porque, é claro, gosto da vida, segundo, porque estou sendo cortado de uma coisa, onde eu podia dar mais e mais.

José: ? E a violência, a dor.

Gê: Sabe, eu tenho pavor de sofrimento. Desse tipo assim: dor. Eu tenho medo de ser torturado, de me deixarem louco.

José: Gozado.

/ Fim da entrevista piegas de José com Gê /

O HOMEM QUE FOI COLOCAR O LITRO DE LEITE

Naquela noite, o senhor Carlos Alberto Fernandes terminou de jantar, ligou e a televisão não funcionou.

. Virgínia, vamos ao cinema.

Ela ficou contente como se fosse uma festa. Fazia vinte anos que não ia a cinema. Desde que o primeiro aparelho de TV entrara em sua casa. Virgínia adorava cinema e o último filme que tinha visto era a reprise de um musical de Esther Williams em que ela atravessava a piscina de maiô amarelo.

O filme tinha começado. Nacional, contava a história de um homem que tentava bater o recorde da fome. Na tela, um moço sendo entrevistado. Comia sanduíches, mostrava ao faquir, olhava para a câmara, ria e comia. O senhor Carlos Alberto Fernandes ia dormir quando viu a cena; ele não gostava de filmes nacionais, preferia cenas com legendas. Aquele filme devia ser muito velho, as mulheres usavam vestidos curtinhos. Devia ser da Era de Degradação, terminada quinze anos atrás.

. É ele, é ele!

? Ele quem.

. O assassino. Eu me lembro, bem. Tinha ido colocar o litro de leite, como fazia todas as noites, há vinte e dois anos. Colocava o litro na caixinha, o leiteiro trocava de madrugada. Ouvi, um tiro. Olhei. Era na porta do prédio, em frente. Esse moço da fita atirava através da porta. Tinha uma sombra, no vidro. Depois, ele assoprou o revólver, e foi embora. Tinha matado o Coronel Camilo, bom homem, cumpridor de seus deveres, um homem que nunca se meteu com política, nem nada.

Apreensão do filme, investigadores, interrogatório do diretor: "Não conheço esse sujeito, estava lá, era um sujeito esquisito, irônico, saiu correndo, mancava. Mancava sim, nunca mais vi". Fotografias para os jornais, televisão, para as Repressivas, dedos-duros, cartazes.

DENUNCIE ESTE HOMEM —
ELE PODERÁ ASSASSINAR SUA FAMÍLIA —
ELE PROVOCA A INTRANQUILIDADE —
O DEVER DE TODOS É DENUNCIAR OS
SUBVERSIVOS

AS ROSAS COM PÓ DA LUA

Brigavam. O povo contra a polícia. Muitos tinham conseguido entrar, se entrincheiraram nos túmulos. Com estilingues e atiradeiras alvejavam os guardas que atiravam sem parar. O Governo determinara: todo aquele que for apanhado com rosas amarelas será condenado de 5 a 9 anos de prisão. Comandos saíam destruindo plantações. O povo chorava e era pisoteado / Imaginem, chorar por causa de rosas amarelas /.

O roseiral aumentava. Saltava os muros e atravessava a rua. As plantas subiam pelas paredes brancas dos edifícios.

. Não é coisa de Deus, é praga, diziam os Arautos.

O povo achava que era uma manifestação do Senhor. E queriam as rosas. Os que conseguiam mais de uma, vendiam. Estabeleceu-se o mercado negro. Vieram falsificações em plástico e papel. A polícia prendia também os falsificadores.

Membros do Governo se reuniram para o assunto. Concluíram:

Enquanto essas rosas chamarem a atenção do povo, ele se esquece. Vamos aproveitar para apertar um pouco mais. Há muita liberdade. Alimentemos a coisa.

As rosas prosseguiam. Diziam: são sementes vindas de Marte. Profetas andavam pelas ruas da cidade, gritando:

> *Ó infiéis, finalmente o castigo. O homem jamais deveria ter ido à Lua. É o castigo do Senhor. Essas rosas são alimentadas com pó de lua.*

José encontrou uma rosa amarela em cima da cômoda.

? De onde veio.

. Do quintal. Eu tinha um pé.

? Não sabe que é proibido.

. Sei, mas fui eu que plantei, faz tanto tempo, só agora deu. É bonita e deixa ela aí.

De repente o quarto inteiro estava amarelo, José sentia tonturas. Encostou-se à parede e viu um poço aberto, muito fundo. Um poço triangular.

SURGE (UMA ÚNICA VEZ) JORGE DAS CALÇAS

Jorge das Calças era excelente profissional. Há seis anos fazia vestibulares, passava, mas não conseguia entrar para uma universidade. O apelido vinha dos tempos de criança. Jorge só usava as calças do irmão que era cinco anos mais velho. E as calças ficavam largas. Duas coisas fizeram dele um marginal, segundo os psicólogos entrevistados: ser excedente e não ter tido calças próprias. Por isso Jorge tentou roubar as lojas Ducal e foi preso. Como era primário, teve sursis. Além disso, estava sendo procurado por jogar bombas Molotov nas faculdades: "Nem eu, nem ninguém", ele dizia.

AÇÃO

Eram sete: José, o Herói, El Matador, Malevil, Átila, Peitada e Jorge das Calças. Tinham recebido uma Rural Willys. Dentro dela, duas metralhadoras, um mapa de um banco e um mapa de rua. A entrada, a saída, horários de maior movimentação, de menor, troca de guarda, chegada do carro blindado / bobagem atacar carro blindado, isto não é fita americana /, entrada do banco, localização dos banheiros, do cofre, saídas pelos fundos.

A ação não deveria durar mais de alguns minutos, tudo deveria ser cronometrado / Acertemos nossos relógios /, quem guia é o Herói. Jorge da Calças entra com José e Átila. El Matador fica vigiando. Malevil dá cobertura de um carro que deve ser roubado.

Os planos dos Comuns eram completos. Mimeografados, bem explicados. Dividiam-se em:

1) Estudo exterior do local
2) Estudo interior do local
3) Planta do banco
4) Mapa da rua
5) Tráfego: problemas, sinaleiros a serem encontrados, duração das luzes vermelhas, opções de saídas
6) Memorial descritivo do assalto: entrar, apontar armas, dizer: isto é um assalto, todos de mão para o alto, levar os funcionários para o banheiro, localizar o gerente, recolher o dinheiro, se afastar, não dar tiros desnecessários, não correr na rua
7) Usar disfarces: aloirar os cabelos, usar perucas, óculos, bigodes, dentes postiços, falar errado durante o assalto, pronunciar nomes

falsos, gritar apelidos inventados, usar um pouco de espanhol, mucha-cho, hombre, hijo de una puta, la gaita

Leram, decoraram, foram ver o banco. Passaram em frente várias vezes. Examinaram os guardas que ficavam de metralhadora na mão. Observaram o movimento. Conferiram com os dados dos relatórios. Tudo pronto.

Eles partem para a primeira ação conjunta.

Criiiiiiiiiinnch, os pneus rangem com a brecada. As portas batem. Jorge das Calças salta na frente, pistola Luger na mão. Corre para o banco. Os outros saem devagar, enquanto Jorge chama a atenção. Os guardas erguem as metralhadoras. Era a hora de Malevil apontar a sua e gritar: não se mexam. Malevil perdeu a voz,[1] não disse nada. Os guardas metralharam Jorge das Calças. As balas fizeram com que ele se erguesse no ar e voasse para o meio-fio, todo estraçalhado. Nesse meio tempo, José e Átila estavam dentro do banco. Guardaram rapidamente os revólveres. Respiraram fundo e se encaminharam para o balcão. Enfiaram a mão nos bolsos. Tiraram trinta cruzeiros cada um e disseram para a funcionária apavorada:

Queremos fazer um depósito.

LIÇÃO NÚMERO I

(Aula prática)

Deixava o copo debaixo da torneira e tentava dormir, ouvindo os pingos baterem na água. Sabia que havia uma tortura chinesa assim, para enlouquecer a pessoa. Devia treiná-la, para suportar, se neces-sário. Não dormia, ficava contando os pingos, até que uma irritação muito grande entrava nele, pulava nervoso da cama, ia retirar o copo, às vezes com tanta raiva que partia tudo na kitchnette.

> **PENSAMENTO DO DIA**
> *Nove entre dez estrelas ainda preferem*
> *Lux (ex-Lever)*

VISÃO

Loirinha de minissaia, vendedores de flores, meninos, meninas dormindo nas portas, putas entrando nos carros disfarçadamente.

---

1 Não perdeu. Não acredito que tenha perdido. Vocês saberão mais tarde por quê.

O HOMEM DO CARTAZ

PROCURA-SE:
ELES ROUBARAM E MATARAM PAIS DE FAMÍLIA:
ATENÇÃO:
SE VOCÊ CONHECE UM DESTES:
DENUNCIE-OS AO POLICIAL MAIS PRÓXIMO

José fica junto ao cartaz com a sua fotografia. Uma fotografia granulada. Passa gente, olha o cartaz, vê José. Continuam. Ele vai a um guarda.

. Seu guarda, vi um cara ali que parece com um cara do cartaz.
? Onde.
. Perto da banca de livros.
O guarda olha desconfiado.
? Estava sozinho.
. Eram dois.
. Xi, acho que vieram pôr bomba.
. Vai prender ele, porra.
. Eu vou. Daquiapoco. Vigia aí que vou telefonar.
O guarda se afasta.
Fim da primeira experiência de José.

A PERGUNTA

? Seu guarda, onde fica a Rua Maria Antônia.
. Fica longe.
? Puxa, como será que eu vou lá. Num tem ônibus esta hora.
? O que é.
. É que morreu a mãe de um amigo, preciso ir avisar.
. Vem, nós te levamos.
Os carros da Radiopatrulha levam José que bate papo animado sobre terrorismo, clima da cidade, que filhasdaputas esses Comuns, hein.
. Obrigado, seu guarda.
Fim da segunda experiência.

JACULATÓRIA: *Quem pode mais chora menos (500 dias de indulgência)*

A ENTREGA DA RAPADURA

. Aí está ele, doutor. Diz que tem informação.
? Tem.

Ele sacudiu a cabeça. Aquele era o delegado que chefiava o Esquadrão, a Operação Antiterror. Um homem imenso, de ombros largos e olhos azuis de criança.[1]

? Quanto pagam.

. Depende da informação.

. Diz, mais ou menos.

? Bandido ou terrorista.

. Acho que é tudo misturado.

. Não é muito, a verba anda esgotada. Olha só hoje, quantas informações. Todas quentes, umas cem. Parece que todo mundo precisa de dinheiro.

(Concorrência filhodaputa essa)

. É boa, um cara que vocês procuram. Está nos retratinhos das rodoviárias, bares e cinemas.

. Bom, a gente pode te prender, botar a maquininha de choque, você fala sem que a gente pague.

Ele riu. Riu de medo e da própria bobeira.

. Trinta dólares.

? Trinta.

. É bom, hein. Em dólar, mesmo.

? Que se vai fazer. Que vale mais, isso vale.

. Diz.

Ele caminhou até o cartaz, atrás da mesa do delegado. Apontou José.

. Não é que valha muito, não.

. Vocês que pensam. Vale muito. Ele conhece Gê.

. Gê está morto. Enterrado.

. Outro engano.

? Engano, eu participei da operação.

. Pelo que ouvi dizer, não era Gê. Vocês enterraram outro.

? Que outro.

. Um outro parecido com Gê. Ouvi dizer que quando a Repressiva recebeu a denúncia e foi caçar Gê, ele foi avisado por uma das mulheres. Que o esconderam. Havia no grupo, um sujeito tímido, sósia de Gê, que se ofereceu para ficar em seu lugar. Era um pé de chinelo, maníaco depressivo. Vivia na fossa. Tinha pavor de assaltos, de bombas, medo de tudo. Só teve coragem nesse dia. Ficou encurralado, vocês o mataram, pensando que foi Gê. Mas

---

1 Os olhos não são o retrato da alma.

vocês não viram que Gê saiu carregado pelas mulheres, embrulhado num lençol.

? Como você sabe disso.

. Sou amigo de José, José é amigo de Gê.

. Acho que você é mais. Você é dos Comuns.

Havia três notas verdes, estalando, nas mãos do delegado.

. Trinta. Se a gente pega Gê, você ganha 300.

. Vocês vão pegar muita gente. O Átila, o Herói.

? Quem são esses.

. Do grupo de José.

. Não conhecemos.

. Entraram faz pouco. Antes, eram só porraloucas.

? Quando.

. Depois de amanhã, domingo. Eles vão correr a Vila Branca para descobrir o menino com a música na barriga.

? Esse que os jornais andam falando.

. Andavam, o menino sumiu.

? Sumiu.

. O menino é filho de Gê.

. De Gê.

. Era. Desapareceu. Agora a turma do José foi encarregada de procurá-lo. Sabemos que está na Vila Branca, em alguma parte.

? E como fazemos.

. Eu aviso.

(O delegado pensa: para mim esse José não é de nada)

? Como.

. Ele vai estar junto com a mulher dele. Quando estiver perto dela, dou um beijo nela, vocês entram.

(Besteira, quando esse cara se reunir com o grupo, metemos a mão no grupo, prendemos todo mundo, até ele)

E então, o delegado teve uma ideia.

HORA OFICIAL

Expulsão de professores que tentam destruir a universidade nacional — Troca de paralelepípedos por asfalto em todas as cidades; nas últimas rebeliões, os estudantes usaram os paralelepípedos para fazerem barricada — Polícia acaba de comprar cinquenta milhões de toneladas de spray antipovo, usado para reprimir manifestações de massa. Trata-se de um spray que solta um gás enjoativo: o estômago vira, os ouvidos zunem de arrebentar.

FAÇA O AMOR, FAÇA A GUERRA

(A guerra é o amor)
? O que há, Zé.
. Não há nada.
? Não me procura mais.
? Tem outra.
? Responde.
? Já pensou que eu gosto, que eu preciso.
(Amanhã tem um assalto. Eu não gosto dessas coisas em grupo. Se fosse sozinho, talvez eu conseguisse fazer tudo direitinho. Se eu assalto, quero também uma parte. Gê diz: é pra fim político. Eu não tenho nada com isso. Quero o meu, para fazer a coisa ao meu modo. Os caras outro dia raptaram o Embaixador. Isso é que é. Ir raptando gente, exigindo coisas. Isso é genial. Governar pra trás)
? Não gosta de mim.
. Já sei. Mas você tem tanta culpa quanto eu.
. Fala, pelo amor de Deus, fala.
. A gente não queria, Zé. Aconteceu. Me deu uma coisa. Nucê também.
? Lembra. Você devia estar bêbado, com bolinha, cansado, atacado, sei lá.
. Eu nem me lembro mais. Apaguei tudo.
. Tenho meu castigo, Zé. Essa dor de cabeça, o corrimento cada três dias.
(Eu sinto, às vezes, uma sensação de flutuação. A gravidade desaparece, eu me ergo no ar, alguns centímetros. Começa com a impressão de bebedeira. Depois, perco a direção. Então, fico leve. Dois segundos. Fiquei assim depois de ter cheirado a caixa)

> **PENSAMENTO DO DIA**
> *Quem não é o maior tem que ser o melhor:*
> *Atlantic, Serviço Nota 10.*

SUOR NOS PÉS

Use Sonsock. Elimina o mau cheiro na hora: em todas as drogarias.

BÊNÇÃO DOS BARBADINHOS

José trepava, levantava-se, ia lavar os pulsos com água, deixava o corpo esfriar e depois voltava, com violência, fazendo a mulher gemer, gritar, gritar. Depois foi receber a bênção dos Barbadinhos que segundo a crença popular afasta o azar e propicia bons negócios, saúde e felicidade no amor.

CUIDADO

O bom terrorista nunca deixa os cartuchos por perto. Prevenção.

BEBÊ JOHNSON

Jornais guardados (pela mãe de Rosa) dão notícia de que a eleição para Bebê Johnson foi vencida por Rosa que era robusta e corada.

GOVERNO APROVA DECÁLOGO PARA AS MULHERES

1 – Abaixar a saia
2 – Fechar os decotes
3 – Encompridar as mangas
4 – Não sair de casa
5 – Não participar de divertimentos profanos
6 – Não dançar danças eróticas
7 – Não frequentar piscinas
8 – Aprender a tocar piano, a bordar, costurar e cozinhar
9 – Aprender a cuidar de crianças
10 – Ser piedosa

CARTA AOS JORNAIS

"Terminei a pintura de casa e no dia seguinte vi, com tristeza, que lá estava escrito a piche, uma série de slogans feitos por alguém frustrado, derrotista, que acha poder derrubar o governo com tinta e pincel. Que se tomem providências, porque não é possível que nós, os cidadãos, tenhamos que gastar dinheiro para a melhoria e progresso e esses comunistas virem estragar tudo".
A/ Carlos Mueller.

PERCEPÇÃO

Vocês repararam que até agora José não levou tiro, não se machucou. Não porque seja um super-herói. Ao contrário, é um infra-herói e passa despercebido, inatacado, desprezado.

FALTA DE CUIDADO

O Delegado Dores chamou a imprensa para declarar que os bancos não têm auxiliado na segurança, por falta de cuidados. Eles não possuem salas especiais para grandes depósitos ou saques. Os sistemas de alarme são falhos e antigos. Não há circuito interno de TV para gravação do que acontece dentro do banco.

CONFIDENCIAL

O Delegado Dores, extremado, declarou a um amigo: os bancos devem estar colaborando. Eles não andam contentes com a política econômico-financeira e querem derrubar o regime, tenho toda a certeza.

O MENINO COM MÚSICA NA BARRIGA

Herói proclamou: "Quero ver esse menino. Tenho ideia pra música. Música pra festival. Tenho até o título: Como Fui a um Bairro Popular e lá Encontrei Miséria e Vi Alegria. Ou Barriga Vazia, mas Música na Barriga.

Conversa de táxi:
. Você estava no interior, aquele dia, Rosa.
. Não, não estava não. Tinha ido para o Pronto-Socorro.
? Pronto-Socorro.
. É, tive hemorragia, estava perdendo sangue.
? E José.
. Andava sumido.
? E você.
. Quase morri de aborto. Perdi muito sangue. Só depois é que fui para casa. Um amigo de José me levou.
. Esse teu marido!
. Encontraram José em casa, dias depois. Caído na sala, tinha mordido a língua, a cabeça toda machucada.

. Me deixa ali na esquina, vou comprar um soutien.

A PROCURA

Faz três dias que os auxiliares da Velha Ige-Sha andam pela cidade procurando a Enviada. Sabem que receberão um sinal. Já andaram por onde precisavam andar, agora estão na Vila. Porque o dia se aproxima e a Enviada (? teria mesmo uma) está para chegar.

LIÇÃO NÚMERO I (repetição)

Deixou o copo debaixo da torneira e tentou dormir, ouvindo os pingos baterem água. Sabia que havia uma tortura chinesa que era assim, para enlouquecer a pessoa. Devia então treinar para suportá--la no dia necessário. Não dormiu, ficou contando os pingos, até que uma irritação muito grande entrou por dentro dele. Pulou nervoso da cama, foi retirar o copo, com tanta raiva que quebrou tudo que havia na kitchnette.

A ESCALADA

O chefe da Política informou
o chefe da Federal, e o chefe da federal informou
o chefe da Supersegurança, e o chefe da Supersegurança informou
o chefe do Conselho Repressivo Político do Terror e da Subversão Para a Manutenção Coesa da Ordem no País (CRPTSPMCOP) que, por sua vez informou
o chefe da Ordem Geral Nacional que, por sua vez, informou
o chefe das Milícias Repressivas que, por sua vez, informou
o Presidente do Governo que, por sua vez, informou
a quem de direito.
E então, quem de direito decidiu. E após decidir, consultou seu Conselho. Consultou, por consultar, porque de direito tinha ideias próprias, imutáveis, seguras, definitivas.
Ratificada a decisão, o Presidente do Governo foi informado e ordenou:
"Matem todas as crianças de Vila Branca, no domingo. Entre elas está o filho de Gê".[1]

---

1   O que prova: a história se repete.

MEIOS DE COMUNICAÇÃO (Tribalização)

Quando matei o animador de auditórios, devia me sentar no trono do Mais Odiado Por Um Dia. Fui andando atrás dele. O animador se virou, manquei um pouco, ele pensou que eu fosse um fã. Aí ele se apressou, achando que eu ia pedir um favor qualquer. Sei disso, porque quando me aproximei, ele sorriu e disse: "Estou muito cansado. Passei o dia inteiro selecionando casos para o meu programa. Atendi mais de 400 pessoas. Escolhi dez, tenebrosas. Portanto, meu amigo, se quiser falar comigo, me procura na sexta-feira, pela manhã". Falou como se fosse para uma câmara de TV. Sorria, o sorriso enorme do homem que venceu na vida, está rico. Sorria quando atirei bem no meio da testa dele.

> *Dias que a gente se sente/*
> *como quem partiu ou morreu*

Pegaram o ônibus, sete e meia. El Matador olha Rosa, louco para comê-la. José, de porre, diz para Herói:

. Minha vida é igual a do Scott Fitzgerald. Trágica, com uma mulher louca.

. Num vem com fossa, não.

? Sou chato, não sou.

. É, mas reage.

. Amanhã, hoje não tenho vontade.

O ônibus, pela Marginal. Bombeiros tiravam um corpo decapitado do rio.

. Deve ser o Esquadrão.

LIÇÃO NÚMERO I

(Ouvindo a gravação)

Plimpim, plim, plim, plim, plim, plim, plim, plim, plim, plim, plim, plim, 16/50 segundos.

Plim, plim, plim, plim, plim, plim, plim, plim, plim, plim, plim, plim, plim, plim, 32/95 segundos: 1 minuto e 35

Quatro horas e dez minutos: plimplimplimplimplimplimplimplimplimplim — plim prararaaaararaaaaa, preim, pra, crash, treim, troc, troc, troc, troc, pum, plearein, plim.

VISÃO

Placas:
custo total desta obra: 2 bilhões.
Sacos de papel — carcaças de caminhões —
lama — viadutos —
entradas para vilas,
desvios — caminhões — postos
borracheiros — óleo —
lixo — fundos de casa —
trocamos sua bateria
por uma nova — fábricas
de asfalto — misturadoras de
concreto — caminhões listrados,
momentos tropicalistas.

PONTO FINAL

Perto de Rosa, a menina com cara velha, olhos cansados, ouvia um locutor dizendo no rádio: "Vamos pedir ao papai do céu que acabe com todas as guerras. Que ele estenda as mãos e que todos os homens se entendam".
Ponto final. Cobrador:
. Sobe na primeira à esquerda, sai na pracinha do maracujá, procura a casa de material de umbanda, dá a volta por trás, anda um pouco até encontrar um barraco de zinco com parede de lata de reclame. Fala lá, eles informa.

LAR

pais e filhos disputando o lixo a imundície o resto da sujeira da cidade colocado em montes imensos — coisas podres — urubus — gente catando — separando — selecionando — o cheiro deteriorado.

ENCONTRO

O encontro com o pai do menino que tinha música na barriga:
. Bem-vindo, irmãos. Venham. A minha casa é a casa do mundo, a casa de deus, a casa do espírito.

Quarentão magérrimo, dois dentes na frente, cuspia quando falava. Ofereceu uma Coca-Cola a José, ele recusou. Rosa disse que tomava Tubaína.

. Coca-cola bem gelada, ou chá de catuaba, irmã. Nada mais temos.

Foram para trás da casa, conversar. Fazia calor, sol. Paredes da casa, rachadas. Da casa, vinha uma musiquinha.

. Será da barriga do menino?

. Fajutagem, fajutagem, já, já a gente descobre. Vim preparado, disse El Matador.

Estava excitado, contente, olhava os outros com superioridade.

(Nunca suportei esse olhar de superioridade, pensou Rosa)

A porta do barraco fechada, corrente, cadeado. Eles deram a volta, outra porta dos fundos, fechada, corrente, cadeado. Pedras, folhas, papéis, garrafas, paus, resto de comida. Um cachorro sarnento, amarrado, corrente. Um varal, sacos de estopa pendurados, calça Lee lavada, duas meias de cores diferentes. O barraco, na ponta de uma elevação. Duzentos metros abaixo o mato, o rio, fábricas em construção, fábricas prontas construindo coisa para o povo comprar, chaminés.

. Como fede esta cidade, disse Zé Scot.

. Não tem cor nenhuma, disse o Herói.

(O Herói sempre pensa que é original, pensou José)

ESPERA

. Vamos ver o menino!

. Agora, não. Ele está com Josué. O grande capitão. Agora não.

? Que hora, então.

. Daqui uma hora e meia, duas.

? Duas horas. E o que a gente vai fazer.

? Vocês conhecem a Família.

? Que família?

. A Família. Só posso dizer isso.

. Que família é essa, velho. Fala!

. Num posso. Num posso mesmo! Mais vale a pena. É legal! Que vale, vale!

. Ora, seu, diz!

. Num digo. Que o Vampiro num quer. Mais procura o Criôlo Inglês. Ele te encaminha.

? Que Criôlo é esse.
. O Inglês. Tem venda ali embaixo.
. Saco. Vamos, pessoal.
. Eu não, disse Átila.
José e El Matador tinham sumido. No ar, um barulho, de tamborins e frigideiras.

LIQUIDAÇÃO

>Milícias repressivas adquiriram a bom preço um estoque de bombas napalm para usarem no natal, 1º de maio e outras datas importantes.

FUMANDO ESPERO

Plam, plect, prum, blein, ruuuum: máquinas, escavadeiras, abriam buracos. Homens como formigas furavam a terra. Arrancavam árvores, derrubavam casas, enfiavam estacas de ferro, enchiam buracos com ferro e concreto: o metrô.

Duas horas depois:

. Olha como cortam as árvores da margem do rio. Estão destruindo o verde desta cidade, disse Malevil.
(Malevil tem um profundo senso cívico)
Selva de asfalto — cidade desumana — metrópole voraz — comedora de gente — antro de neuróticos — túmulo de vidro — floresta de cimento armado — cidade que mais cresce no mundo — locomotiva puxando vinte vagões — o maior centro industrial da América Latíndia

Duas horas depois:
. Estão engrupindo a gente.
? O que a gente faz, espera ou vai embora.
. Agora espera.

. Esse menino num existe.

. Eles são desconfiados. Eles têm de esconder o menino, se ele for filho de Gê.

. Mas eles não podem esconder agora que todo mundo sabe da música na barriga.

Átila olhava Rosa:

(Quero comer essa mulher)

Rosa estava sentada numa grande lata de óleo A Patroa, virada de borco. Coçava as coxas violentamente: pernilongo.

Uma hora mais tarde:

Meninos tocavam tamborins, frigideiras, cuícas, reco-recos, surdos, pandeiro. Passaram por trás de um terreno, desapareceram, ficou o barulho do samba.

. Solão.

? Que tem aqui pra comer.

. Mortadela, pão, goiaba e pinga.

? Tem cerveja.

. De lata. Sem gelo. Hoje é domingo, tomaram tudo.

Mortadela cortada a faca, fatias grossas, mosquitos,[1] cheiro gorduroso, torresmos secos num prato, tira-gosto de linguiça ao vinagrete, salsicha, pasteizinhos magros.

? O que oceis vem fazê aqui.

. Ver o menino com música na barriga.

. Fajutice, nego.

. Que nada, tem vindo tanta gente vê.

. O pai do garoto é vigarista, nois da vila conhece ele.

. Mais mortadela.

A EUROPA SE CURVA

Teve alta do hospital, devendo se dirigir a sua residência, o sr. Raphael Luiz Junqueira Thomaz, o centésimo homem em nosso país a ter coração transplantado. Depois de quatro meses, ele passa muito bem e é o único transplantado vivo do mundo, atualmente.

. Mais mortadela.

---

1   Para dar o clima tropical.

. É a úrtima daqui a poco fecho nois vai tê jogo contra o Unidos da Abril.

José comeu toda a mortadela, mandou embrulhar uma porção. O homem fechou o barraco. El Matador ficou com uma garrafa de pinga.

. Domingo mais filhodaputa.

. Vamos achar o menino, de qualquer jeito.

. Eu, já me desorientei.

As ruelas subiam. Se dividiam e subdividiam. Casas iguais. Tudo fechado. As ruelas vazias. Som de tamborins e frigideiras, no ar.

VISÃO

nos barracos as inscrições: abaixo o governo morte ao esquadrão punitivo viva os comuns cada polícia morto será trocado por vinte bandidos mortos símbolos

LIVRE ASSOCIAÇÃO

Aquele ataque que José teve durante a lua de mel, em Águas de São Pedro. Ficou vinte e quatro horas desacordado e quando voltou, me olhou estranho. Depois saiu, queria passear sozinho. Fui atrás, vigiando. Ele foi até uma moita, olhou bem, fez cara de quem não estava entendendo. Ficou olhando a moita, o gramado.

? Onde é o córrego.

? Que córrego.

. Ontem tinha um córrego aqui.

. Nunva teve córrego aqui. O chato das Águas é que não tem um córrego.

. Ontem eu vim aqui.

. Ontem você estava desmaiado.

Desde aquele dia, José me olhou estranho. Uma vez disse: você está louca, de tudo. Depois ele perguntou dos velhos, do crime, eu disse que não tinha havido crime nenhum.

? Ou tinha havido um crime.

O CRIOULO INGLÊS

Atravessaram o campo de futebol careca, esburacado, traves de gol empenadas. Chegaram ao boteco. Meninos magros brincavam com um rato preso num barbante. E um gato também preso num barbante. Um menino segurava o barbante do rato, outro o do gato. Eles soltavam ao mesmo tempo o rato corria do gato e os meninos controlavam o barbante.

/ Não, José não se lembrou de sua infância, nem do tempo em que caçava ratos no cinema /

? Onde é o Crioulo Inglês.

. Vai reto, quando enxergar a Coca-Cola, é lá.

Era uma garrafa de coca de dois metros de altura. A tenda do Crioulo era construída com placas de latas que anunciavam margarinas — óleos — cerveja — fantas — pepsi.

O Crioulo piscou para Rosa: era bonito, magro, enxuto, risão grande na boca, camisa de linha vermelha, um jacaré desenhado.

/ Não, nunca tinha jogado futebol, nem era de nenhuma escola de samba, era só um crioulo /

Rosa riu para ele.

? Tem goiabada.

? Cica.

. Bons produtos indica. É a família.

? Família.

. É

O crioulo caiu, chamou o Herói.

? Quem mandô oceis.

...

? O astronauta.

. Sei lá.

. Se oceis dissero Cica é qui querem vê a Família.

? Qui família.

? A moça vai.

. Vai.

. Olha que é forte.

(? Que merda toda será essa.)

Quando a rainha da Inglaterra visitou o país, o Governo mandou fazer painéis imensos, com jardins desenhados, casas bonitas, edifícios, fábricas, e colocou em frente de todas as favelas e bairros pobres.

Mas havia um crioulo que queria ver a rainha de qualquer jeito. Ele sabia que o carro real passaria em frente ao painel de sua vila. Enganou a polícia que obrigava os pobres a ficar em casa naquele dia e foi até o painel. Justo na hora que a rainha passou, o crioulo rompeu o pano com a navalha e gritou: tanquiú, tanquiú. Ficou conhecido como o Crioulo Inglês.

. Não faz mal. Ela é puta.

. Putaqueopariu.

LAR

a mãe e o pai concordaram e se despediram dele Dizendo que preferia se matar a cair nas mãos do Esquadrão da Morte um assaltante de 20 anos terror da Vila suicidou-se com um tiro no ouvido tendo o cuidado de sentar-se num banco.

BLACK POWER

Cavalo! Cavalo! Ô Cavalo!

Sol nas paredes. Uma casa se abriu, saiu uma preta velha, uma preta mais moça, uma preta mocinha, uma preta menina vestida de branco, um Pax vermelho no peito, véu, luvas brancas, vela enfeitada na mão. Depois, veio um preto velho, um preto mais moço, um preto mocinho, dois meninos pretos.

? Já vai dona Arminda. Puxa, a menina ta cuns panos qui num é pixulé. Passa depois para tomar uma.

Os pretos começaram a descer a rua.

. Cavalo, cavalo, cavaaaaavaaaaaaloooo.

? A gente vai ficar aqui, perguntou Rosa.

. Não sei.

? Ei, moço, a gente espera ou volta daqui a pouco.

. Esse cavalo desgraçado. Sumiu.

VISÃO

era uma briga um chutou a cara do outro e levou um tiro

HEROICO

. Rosa e Herói desceram à rua. Lá na frente, os pretos entraram numa casa de tijolos. A rua se dividiu em quatro becos que também se dividiam em outros becos, tortos. Quando a rua fazia a primeira divisão, formava uma praça. Na praça, havia uma torneira.

A torneira estava aberta. Perto dela, um homem urinava. Da casa em frente à torneira, um grupo de meninas olhava. Rosa também.

Dexa quieu chacoalho!

LAR

meu pai é doente do fígado minha mãe sofre de epilepsia ninguém quer me dar emprego porque estou na idade militar Por isso roubo

FRACASSO

A rua se dividiu em quatro becos, que se dividiam em outros becos, tortos, e os becos formavam vielas. O armazém se chamava Que Amor Ltda. O dono, um nordestino enrugado. Armazém de balcão sebento.

Dona Arminda é fazedora de anjinhos. Tem quarto na cidade e ganha uma nota firme. Faz um mínimo de dez por dia, sem complicações com a polícia, a quem paga bem.

. Tatuzinho.

? Duas.

. Uma só.

O Herói viu o moço sentado no saco de feijão. Magro, roupa puída, a camisa com um remendo do lado. Achou que o conhecia, vagamente. O moço tinha barba cerrada e um braço na tipoia.

? Acho que te conheço. ? Como você chama.

. Jornalista.

? Jornalista.

. É.

. Não. Quero o nome.

. Jornalista.

. Ele chama Bernardo. Mas como a turma chama ele de jornalista, ficô assim. É como pancada. Tem dia que tá bom. Tem dia que tá apagado, disse o nordestino.

? Como que a gente sai daqui.

? Saí pra onde.

. Pra Marginal. Pra pegar condução.

. Condução pra cidade tem qui i reto até a Sociedade, virá a esquerda e continuá, até achá o galinheiro do Sandro (Tudo galinha robada). Rodeia o galinheiro, desce a escada, pega o Atalho dos Puto, e vai reto, sai na Marginal, o ponto fica duzentos metros pra baixo.

? Atalho dos Puto.

. Os puto aqui da vila vão tudo lá di noite, achá home. Quem gosta de puto fica lá esperando.

VISÃO

atirou na mulher e jogou-a debaixo do carro e passou por cima dela era um traficante de tóxico e a polícia andava atrás dele e o esquadrão colocou-o na lista.

Os enviados da velha Ige-Shan pararam debaixo do poste cheio de fios de alta tensão e havia um zumbido vindo dos fios. Eram quatro paus atravessando os postes e sustentando os fios e o sol batendo de lado projetava no chão um risco horizontal com quatro verticais transversais.

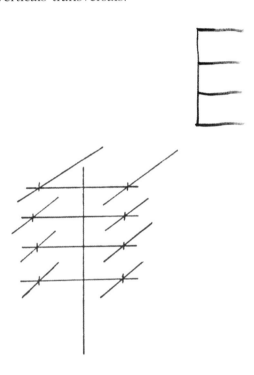

EU TENHO UMA MULA PRETA

pocotó, pocotó, pocotó
riiinch, riiinchhhh
. Branco, ô branco, riiiinch. Nego branco! Oooooo, ocê da muié.
Um moreno encorpado, chamava. Estava arreado, tinha barrigueira, freio na boca, tapa-olho. Atrás na bunda, um rabo preto, de cabelo

verdadeiro de rabo de cavalo. Uma bota imitando casco, com salto de madeira. Na mão direita, o chicote. A boca do cavalo, verde. Ele não parava no mesmo lugar, escavava o chão com o pé-pata esquerdo.

. O Crioulo Inglês disse que tá tudo aprumado. Pode i

riiiiinch, riiiiinch

pocotó, pocotó, pocotó

Seguiram o Cavalo. Rosa com um olhão deste tamanho. O cavalo trotava rápido, ladeira acima. Dava chicotadas nele mesmo, refugava, continuava. Passou na tenda do Crioulo Inglês.

crurfr, crurf, crurf

Ganhou uma mãozinha de açúcar, caiu de quatro, foi para um canto, ficou mastigando graminha, olhando Rosa e o Herói.

. Oceis tão aí! A famia tá esperano, preparada. Dexa o Cavalo comê, depois segue ele. Si quisé muntá, ele fica satisfeito.

? O que é esse cara.

? Num tá veno. É um cavalo. Manso, mansinho. De veis em quando dá coice, ou mordida. Só. Ele pensa qui é cavalu. Fizeru até uma cochera prele durmi. Anda pur aí, dá recado, puxa carrocinha dos feirante, carrega a molecada. I com perdão da palavra, minha senhora. Olhi, se digo isso, é purque a senhora vai vê a famia, eu sei que a senhora é honesta, num liga pressas bobagi. O Cavalo comi umas éguas que tem no pastinho do *Vampiro*, lá embaixo, perto da leiteria. Tem um barranco, as égua viciada si encosta, ele fatura. Iiiiih, oooooohh, iiiihh!

? Onde que a gente vai.

? Os outros, onde andam os outros. A gente vai acabar sem ver o tal menino.

? Que família é essa que a gente procura.

. Sei lá.

Os pretos passavam, lá embaixo. Todos de branco, ternos de linho 120. Por trás dos pretos, surgiram manchas vermelhas.

FAMÍLIA

mãe esfaqueou o filho em plena rua às três da tarde e o filho antes de morrer pediu a bênção da mãe

RENOVAÇÃO ÀS VELHAS

José e El Matador viam as manchas vermelhas.

? Os outros, onde será que estão.

Estavam numa pracinha de onde saíam ruelas tortas. E nas ruelas havia outras pracinhas, casas verde-amarelas, uma placa de Bromil, um anúncio de um homem comendo um boi. *Faz o passe aberto para Parada. Parada devolve para Eduardo, Eduardo tenta a finta, perde a bola. Paulo Henrique despacha para o meio de campo. Salta Dirceu Alves, cabeceia.* José, parado, olhando para dentro da casa. Um rádio, caixa de madeira, olho mágico, transmitia o jogo para mulheres gordas, em vestidos de cetim azul, colar de pérolas, batom vermelho. Elas enfiam a língua no meio do lábios e giram velozmente.

. Vem morenão, vem.

Uma velha escarrapachada num pufe dourado, arqueja como um cachorro cansado, a língua de fora pernas varicosas à mostra as coxas cheias de veias azuis sem calça mostrando a intimidade meio careca.

José ficou excitado, olhando a velha.

? Como é morenão. ? Vem ou não vem.

(? Vou com a velha.)

. Se não vem, desocupa o caminho.

O time marcou um gol, elas riram um riso sem som; umas, um riso sem dentes. Da casa, vinha cheiro de hábito velho amanhecido estômagos fervendo e soltando gazes peidos soltos lentamente e que ficam conservados dentro das roupas pés mal lavados suor conservado em axilas sem desodorante bocetas usadas e mal lavadas.

Uma das mulheres vomitou em cima do vestido as outras correram abanaram. José saiu da janela. Um homem segurou o braço dele.

? Entrou aí.

. Não.

. Fez bem. Tudo mulher doente. Tem coisa melhor.

. Não quero nada.

. *Filhodaputa!*

A velha gritava da janela, agitando um leque verde e amarelo cheio de fitas.

Vampiro filhodaputa, vai embora! Chega de prejudicar a gente!

O homem cuspiu na velha. O cuspe subiu, não alcançou. A velha cuspiu no homem.

. Deixa a gente fazê nosso negócio. Siucê não gosta, tem gente que gosta. E precisa.

. Só precisando muito, um homem entra no teu asilo de paraplégicas.

. Paraplégica é tua mãe.

. Vem comigo, disse o homem.

José sem saber o que fazer. El Matador estava no meio da praça, assobiando hinos patrióticos. El Matador adorava hinos patrióticos.

. Cuidado com esse homem, meu filho! Cuidado!

. Vem visitar a família.

? Que família.

. Uma família exemplar! Você vai gostar.

. Não estou entendendo.

. Vem por mim. Pode pagar depois de ver. Confia em mim.

. Não entendo mesmo nada. Nada do que o senhor fala.

. Confia em mim, rapaz. Sou o presidente da Sociedade Amigos deste bairro. Uma pessoa honesta, direita.

. Politiqueiro, ladrão, assassino, cafajeste.

. Te mando prender, qualquer dia, velha!

. Manda, você é bem capaz!

. Não. Você vai é ser despejada. Por imoralidade. Você e essas doentes todas. Sifilíticas.

. Tua mãe, assassino.

. Vem, rapaz. Vamos ver a família. Não liga para as conversas dessa velha. A gente deixa ela ir vivendo, porque é a puta mais antiga da vila. Do país. Ensinou a meninada toda, os pais, talvez os avós.

As manchas vermelhas se moviam. A massa branca tinha desaparecido. José protegeu os olhos do sol. As manchas pareciam se movimentar com o vento.

(? O que será que tem lá embaixo.)

. Tem sessão às quatro e meia.

(Esse homem já começa a me encher.)

? Quatro e meia. Tem tempo ainda. Deixa a gente pensar. Se a gente resolver, vai. ? Como é que se vai lá. ? Tem endereço.

El Matador assobiava, recebe o *afeto que se encerra, em nosso peito juvenil.* Contemplou as ruelas que se dividiam e subdividiam.

(? Achar o quê no meio dessa puta confusão.)

. Faz o que você tem de fazer. Te mando buscar, às quatro aqui mesmo.

. Tá certo. Fico esperando, com uns amigos. Acho que eles vão também.

. Então, até logo mais ver. Desculpe de alguma coisa.

José se aproximou da janela das velhas. A Decana sentada no

pufe dourado, sacudia o leque verde-amarelo. A mulher que vomitara tinha trocado o vestido. Com um aparelhinho de asma sugava o ar gulosamente. A boca aberta mostrava a dentadura flácida, que se soltava.

. Vem filho, vem. Aparecida! Vai abrir a porta!

Duas casas adiante, um portão se abriu, uma japonesa negra saiu, fez sinal para José. Eles atravessaram um quintal com Primaveras roxas, Dálias. Margaridas, Bocas-de-Leão. Hortênsias.

USOS E COSTUMES

foi pedido ao governo que instaure a forca e a guilhotina e a cadeira elétrica e a câmara de gás além do fuzilamento e do linchamento

A PRIMEIRA COMUNHÃO

As meninas continuaram, enquanto os grandes entravam num galpão de madeira enfeitado com papel-crepom palmas de Santa--Rosa, folhas de coqueiro e bandeirinhas.

As meninas foram até um cruzeiro, as catequistas bateram palmas, eles se ajoelharam, cantaram, *o meu coração é só de Jesus, a minha alegria é a Santa Cruz*. Rezaram um pouco pela alma de uma menina morta em desastre, como dizia a catequista, mas os meninos que vinham perto de Átila diziam, *que desastre, que nada, aí morreu aquela biscatinha currada pelo bando do Galo Cego*.

As meninas ajeitaram os vestidinhos, recompuseram a piedade, começaram a voltar. Menos uma pretinha que ficou para trás, rodeou uma cerca e andou até achar uma touceira.

As meninas entraram no galpão enfeitado. Logo depois, saíram um preto velho, um preto mais moço, um preto moço e dois meninos, olhando em volta, procurando alguém.

Átila foi em direção da touceira.

(A menina veio mijar aqui.)

Ela não estava lá; ele continuou até o terreno cheio de latas, entre duas casas pintadas de preto e roxo. A menina estava no meio do terreno, rodeada por um bando de moleques.

Os moleques corriam, iam e vinham e perto da menina saltavam para dentro das poças dágua. Poças de lama que espirravam no vestido branco. Ela tentava correr. Os meninos faziam de conta que deixavam, quando ela passava perto de uma poça, alguém saltava dentro, a lama subia. Depois, com bosta de cavalo, tentavam acertar nas letras vermelhas, Pax, que ela tinha no peito.

. Me ajuda, moço!

Átila apanhou um troço de bosta de cavalo e atirou também. Os meninos riam, pulavam.

. O padre num dexa a gente fazê primera comunhão, nois bagunça o coreto dele. O padre só gosta de menina. Vamos jogá bosta no padre.

Correram com a mão cheia, aproximaram da igreja, bostearam a parede. Gritavam infernalmente, dá chocolate pra gente, dá chocolate. Davam a volta na igreja, jogando bosta. Encheram as mãos, correram para o galpão enfeitado. As mulheres foram para dentro. Os homens começaram a sair, tirando os paletós. Os meninos bostearam os homens e desapareceram nas vielas tortas que se dividiam e subdividiam.

LAR

soldado tentou violentar menina foi linchado pelo pai mãe e irmãos parentes

DEFENDENDO A FAMÍLIA

Os estandartes brilhavam, as meninas rodeavam, os homens de pranchetas eram impacientes.

. Só dá analfabeto aqui.

. Pega aquela lista de assinatura de analfabeto. Chama o Maurício que ele sabe fazer mil assinaturas diferentes. O sujeito dá o endereço, aprova. O Maurício assina. O negócio é assinatura. Quanto mais, melhor. Vamos depressa, que ainda tem a vila inteira.

Os estandartes começaram a subir. Átila sentiu o sol, estava meio tonto. Fome. A vila de um lado, o rio do outro, grosso, visguento. Tinha uma draga parada, um cano grosso ia até a margem. Dele, escorria lama espessa, bosta líquida.

(? Onde será que está a turma.)

Assina aqui! Vamos! Assina aqui!

Vinha num bando. Lado a lado, um moço com o estandarte vermelho e outro com uma prancheta, papéis, esferográficas. Caminhavam esticadinhos. Em ternos cinzas bem passados, gravatas escuras. Os estandartes, com figuras douradas, brilhavam e os que carregavam davam a impressão de estarem puxando um exército. Num campo de batalha. Baixos e franzinos, mas (pensavam) guerreiros altos destemidos.

. Assina aqui, moço! Contra a infiltração comunista na igreja! Assina, vai!

Puxavam as pessoas. O padre que tinha saído à janela do galpão, ia chamando cada um. Mandando para os homens com as pranchetas.

. Assina aí, vai!

? Pra quê.

. Assina. Estamos defendendo sua família.

. Sou solteiro.

Melhoral, Melhoral é melhor e não faz mal.

pocotó, pocotó, pocotó

riiiiiiiinch, riiiiiiiicchh

pocotó, pocotó

Encostado numa casa, sem vontade de ir para lugar nenhum, Átila ficou ouvindo o trotar do cavalo.

O Cavalo, todo arreado, passou por ele.

. Vem cá, ocê aí. Ei, vem cá seu ! Porra, esse é louco!

O Cavalo parou.

? Onde é a casa do menino com música na barriga.

? O que eu ganho.

. Dinheiro.

. Não.

. Tá bom, aveia.

O Cavalo começou a trotar. Rua acima, através das vielas. Átila teve que correr. Não conseguiu acompanhar. Suas pernas, bambas. O cavalo tranquilo, trotava e relinchava, sem olhar para trás. O pé de Átila doía. A cabeça rodava, o estômago grudava, as mãos repuxavam.

LAR

lésbica matou homossexual acusando-o de lesbianismo: o outro estava com a mulher da lésbica na cama

Vinham, como escola de samba. Tocando tamborins, frigideiras, cuícas, apitando. Os meninos esfarrapados. Com muito ritmo. Os da frente, não tocavam nada, só dançavam samba. Passaram por Rosa e o Herói, fazendo um barulho dos diabos.

USOS E COSTUMES

apareceu a 36ª vítima do Esquadrão Punitivo: 65 litros peneiraram o homem que estava só de calção.
. Documento, documento, documento.
Rosa e o Herói mostraram.
? Qui tão fazendo aqui.
. Viemos ver o menino com música na barriga.
. Ah, ummm.
Barulho de sirenes. Ali, do alto, podia-se ver as ruelas lá de baixo. Cheias de carros pretos e amarelos, as novas cores da polícia. Eram muitos. Buzinavam, tocavam sirenes, ouviam-se tiros.

VISÃO

cadáveres amontoam-se no Instituto Médico Legal: não há mais lugar médicos decretam falência do IML e se retiram.

A NECESSIDADE DA POLÍTICA

Filho, ele manda aqui. Os grandão da cidade apoia ele. Alguma coisa ele faz. O bairro tem dinheiro em caixa. Lá na caixa da sociedade. Agora, ele vai ser vereador. Até eu vou votar nele. Não é ruim pra nós. Perturba um pouco, mas é um sujeito bom, no fundo. Tem suas coisas. Todo mundo tem. Eu, e você, essas meninas.

As meninas (velhas) se abanavam com leques antigos. Uma delas saiu, voltou com defumador Pai João, o cheiro se espalhou pela sala. O sol peneirava lá fora, José tinha sono. El Matador no meio da pracinha, assobiando.

? Filho, por que não vamos para a cama. Eu e duas ou três dessas meninas. A gente conta lá toda a história do Vampiro pra você. E é agradável as coisas que sabemos fazer.

(Experiência secular, milenar. Elas trazem os ritos de amor, gregos, egípcios. Talvez de muito antes, a arte das cortesãs messalinas gastando sua sabedoria com o rebotalho desta vila.

? O que será que essas mulheres sabem fazer.

Com suas coxas enrugadas e varicosas, e seus peitos flácidos. Os bicos dos peitos delas não ficam mais duros, nunca mais. Gerações passaram chupando, sugando tudo que tinham dentro. Esgotados, exaustos, exauridos.

? O que ando pensando, putamerda. Intelectualizando puta velha.)

? Não quer ir já. Vai depois. Ah, o Vampiro. Ele é presidente da Sociedade Amigos do Bairro. Faz mais de dez anos. Ninguém tira ele dali. Um grande cachorro, esse cara. Senvergonha, ladrão. Cobra dinheiro da gente, pra gente ficar nessa casa. Mas ele sustenta uma casa de meninas; pertinho daqui. Tudo de dezesseis anos. Me diz: ? Ele te convidou para ir visitar a Família, não convidou. Claro, a família rende um dinheirão pra ele.

(Ih, eu tinha me esquecido da família.)

? A senhora tem alguma coisa pra comer. Ou beber.

. Sanduíche de mortadela. E cerveja. Mas custa caro. Sabe, isto aqui é uma casa de mulheres. É caro, bem caro, Adelelma, traz aí um sanduíche reforçado.

? E o Vampiro.

. Ele manda por aqui. Protege ladrão, vende coisa robada, paga a polícia, pra polícia não prendê ninguém por aqui.

? Por que se chama Vampiro.

. Meu Deus, esqueci! Caluda, ele se acostumou com o apelido agora. Mas antes, brigava. Matou um, logo que o apelido nasceu. Quer dizer, ninguém provou que era ele.

(El Matador conversava com um cara. Todo arreado. Como brilha aquele arreio.)

. É que o Vampiro, quando tinha vinte anos, trabalhava nas Clínicas. Mas o dinheiro que ele tinha era muito. O pessoal não entendia. Até que descobriram. O Vampiro trabalhava também para outro hospital. Um particular, de ricos. E roubava sangue das Clínicas. Trocava os vidros de sangue de gente. Por sangue de cachorro, de cavalo, do que desse. Num sei. Deu bagunça, Vampiro desapareceu. Voltou uns ano depois, mudado. Mais velho, mais sacana. Polícia sabe quem ele é. Num liga. Misterioso esse cara.

(El Matador me faz sinal. Está montado nas costas do sujeito arreado, bate com o chicote na bunda dele.)

DIVERSÃO: PANES ET CIRCENSES

. Mergulha de novo, dizia o homem.

. Chega, pai! Tô cansado. Chega!

. Vai, minino. Só mais uma veis.

. Chega pai! Tô com dor de cabeça. Chega, vá!

. Mais uma veis, minino. Vamo!

No quintal de um barraco, o homem mulato, grisalho, idade que podia ser 40,50 ou trinta, olhava para uma tina de água suja. Dentro da tina, o menino magro, idade que podia ser 12, 15, 18 ou 20, respirava forte e se agarrava à borda, olhando o pai.

. Vamo, minino, mais uma veis. Sinão, ocê num ganha nada.

. Eu num quero ganhá, pai! Eu tô com medo.

. Qui medo, coisa nenhuma, minino! Mergulha aí, qui vô contá!

O menino magro se afundou na tina. Rosa se encostou na cesta de pinhão. *Marias-Fedidas* corriam pelos troncos, com suas cascas pintadinhas de cores alegres. O Herói matou uma, ficou com aquele cheiro na mão, Rosa riu (*gente da cidade não conhece Maria-Fedida, bem feito*).

O menino tirou a cabeça da água, ofegante.

. Hoji num dá mais, pai.

. Tem que dá.

. Num dá, pai! Vô morrê! Qui nem o Zé. Qui nem o Pedro.

. Num vai morrê nada. Tô vigiando. Vai, mais uma veis.

. Chega, pai! Chega.

. Minino, tu vai morrê purque vô matá. ? Num vê qui a gente percisa do dinheiro.

. Sei, pai. Eu sei, mas num dá mais hoje.

pocotó, pocotó, pocotó

riiiinnch, riiinnch

? Trenano o minino, seu Zé.

. Trenano, Cavalo. Mas ele num qué. Meus filho qué mi vê mesmo na miséria.

. Já matô dois, seu Zé. Vai matá otro.

. Não, dessa veis, vô ganhá o prêmio! Jatniel tem fôlego pra chuchu! Tá quasi aguentando cinco minutos e meio.

. Cinco e meio num dá mais, seu Zé! Sextafera um cara ficô 6 minutos.

. Filhodaputa.

. Foi um cara de Vila Gumercindo. Tinha uns peito deste tamanho!

? Será que vô perdê esse prêmio.

. É, seu Zé, aquele cara de sextafera num é mole, não!

. Deis milhão! Preciso esses deis milhão. Si pego o prêmio, vô mi embora.

. Dêxa de bobagem, seu Zé! Disseru que a televisão num paga, nada! É cano!

. Paga, sim. Num ano passado pagô. Vi as bufunfa na mão da dona Éle. A qui fais as entrevista. Pagô o cara, uma em cima da outra! Esse ano, pego eu, Cavalo.

. Riiiiinch, riiiiinch, pega nada. Vai matá seu mino, qui nem matô os otros dois. Tamém, é bão, né, menos boca pra comê.

. Jatniel vai ganhá, Cavalo!

. Vai ganhá uma cova lá na Quarta Parada. RIIINCch.

pocotó, pocotó, pocotó

A ENVIADA

Ela estava na Vila, mas ninguém a reconhecia. Nem mesmo ela sabe quem é. Nem sabe que será encontrada para um Ebó de purificação. Talvez a última que a velha Ige-Sha fará. Porque a missão desta didiberê está completa e seu espírito deve voltar à África (? que coisas estão acontecendo na África.)

OS CRUZADOS ATINGEM JERUSALÉM

. Mas eu preciso ir embora, minha senhora. Não posso mais ficar aqui.

. Um minuto, só.

(El Matador sumiu, montado no sujeito. E essa velha agora!)

. Preciso ir. Tenho um encontro.

? Vai ver a Família, não. Juro que você vai ver a família!

? A Família.

. Quem vem para cá, vem ver a Família. Claro. É a atração.

? O que é a Família.

A mulher que tinha vomitado abria as pernas e mijava no chão. Era uma urina escura como Coca-Cola. A mulher era amarela.

? E essa agora. Tá cada dia pior, não pode mais trabalhar.

. Eu vou me embora, minha senhora.

. Ô, meu filho. Que ingratidão! Os moços são mesmo assim. Nós temos esta casa há vinte e cinco anos. De mãe para filha. Uma tradição. Todos os moços desta vila começaram aqui. Desde criança, eles vinham assistir aula aqui. Olha a amarelona. A que mijou. Ela gostava de abrir as pernas, pegar a cara dos meninos e enfiar a cara deles no meio da perna dela. A meninada adorava ela. Todos esses bandidinhos que anda por aí começaram aqui: O Sete e Meio, o Fiozinho, o Vento de Maconha, o Transistor, o Fósforo, o Eleitor. Teve muitos que a polícia matou.

. Eu tenho que ir, dona.

. Você é mal-educado, antipático, sem consideração. Ficou empatando a gente. Enquanto consersamos, podíamos ter trabalhado. Sempre tem freguês.

Na pracinha começaram a chegar os estandartes vermelhos. Eles se agruparam. Três vieram para a janela da casa das mulheres.

. Por favor, minhas senhoras.

? O que é.

. Estamos recolhendo assinaturas contra a infiltração do comunismo na igreja, em defesa da família, da tradição e da propriedade.

. Venham meninas. Vamos defender a igreja do comunismo.

. Isso mesmo. Muito bem minha senhora.

. Que rapazes simpáticos.

A velha assinou. Passou para as outras. Elas foram assinando.

José estava saindo para a cozinha, procurando o corredor dos fundos. A de olho amarelo que vomitara e mijara, viu.

. Espera aí, seu, espera!

. Vem cá, vem assinar também! disse a velha.

O rapaz estende a prancheta para José. Ele assinou logo, sem olhar o que era.

. Entra aqui, benzinho. Vem recolher mais assinaturas. Adelelma, vai abrir a porta. Chama teus amigos, menino, chama.

José seguiu Adelelma, saiu à rua, os moços da flâmula-vermelha e dourada na lapela entravam na casa da velha.

(E agora. ? Onde está El Matador.)

Voltou.

? Cadê o moço que pega assinatura.

Mostraram. O moço estava junto de uma mulata com cara de macaco doente. José viu a prancheta no pufe. Arrancou a página com sua assinatura. O moço da flâmula vermelho-dourada se levantou, acertou um murro no olho de José. Ele respondeu com soco no estômago. Veio outro, José levou um pé no ouvido, um soco na testa, outro na nuca, alguém mandou os pés no seu peito, e os pés no nariz. Sangrou. Caiu, deram pontapés, no estômago, no meio das pernas. Desmaiou. Continuraram batendo. As velhas olhavam. "Vai ver, esse aí era um comunista." Os moços continuavam batendo.

pocotó, pocotó, pocotó

Pegaram o José desmaiado, foram jogar na pracinha vazia.

O cavalo vinha chegando.

USOS E COSTUMES

operário matou patrão que não queria dar aumento e foi morto pela segurança da fábrica estava há cinco anos sem aumento.

A ESTRELA INDICA A FAMÍLIA

O Herói e Rosa desciam pelas ruelas. Havia um menino vendendo leite de cabra.

? Você sabe onde mora a Família.

. Segue a estrela.

? Que estrela.

. Lá embaixo. Olha a direção das pontas dela. É a casa azul.

Os dois desceram. A estrela era feita de madeira e lâmpadas coloridas. Tabuleta do *Mercadinho Xram*. Guiaram-se pela ponta da estrela, chegaram à casa. O Vampiro estava esperando.

VISÃO

malandros atiram no disco voador que apareceu num terreno: acharam que era a polícia disfarçada.

QUANDO OS CAVALOS TREMEM

. O Cavalo ia te levando, te largou.

. Ele viu uma égua, num quintal. Me jogou no chão.

José e El Matador pegaram a primeira ruela. Os tamborins se afastavam, à medida que eles caminhavam. Pareciam seguidos pelo ritmo. As ruelas se dividiam e subdividiam. Difícil se orientar. Chegaram a um campo de futebol. Redes furadas balançavam, campo de poças e lama. Um menino estava no meio do campo, cagando. José chamou, o menino saiu correndo.

pocotó, pocotó, pocotó

riinch, riiiiiinch, rinch

. Monta aí. Os dois.

? Os dois.

. Os dois.

Subiram no Cavalo. Era difícil ficar montado. O cavalo era forte, subiu rápido a ladeira. De repente, se atirou para um vão. Ficou tremendo.

? O que foi.

. O Esquadrão. Se pega a gente, tamos fodido. Eles vêm todo domingo de tarde. Fazem limpeza. Domingo passado, mataro seis. Na rua, na frente de todo mundo. Antigamente eles matava escondido. Depois, ninguém ligô mais. Eles vêm, mata e vai embora. A polícia qui tem por aí, protege eles. É fogo, seu, é fogo, sê bandido num dá mais pé. Bandido mata bandido, polícia mata bandido, riiiiiinch, iuuuummm, iummmm.

Os homens tinham desaparecido. Cavalo saiu do vão. Suava e tremia, cuspia e peidava com cheiro de grama.

. Ali, agora voceis vai sozinho.

. Eu queria ir embora, disse Zé.

. É, já encheu o saco, disse El Matador.

PREVISÃO DO TEMPO

> / ou homenagem e agradecimento a Ernesto Cardenal /
> "el hombre que está en el poder /el gobernante gordo lleno
> de condecoraciones/ y se ríe y cree no morirá nunca / y
> no sabe que es como esos animales / sentenciados a morir
> el dia de la Fiesta."

DE PEQUENINO SE TORCE O PEPINO

Subiam, em grandes grupos:

as Milícias Repressivas, capacetes brancos de aço;

os Esquadrões da Morte, ternos cinza;

os Cruzados da Democracia, estandartes vermelhos brilhando;

os Defensores da Tradição, suas calças brancas e fitas azuis no pescoço;

os Paladinos da Família, fitas vermelhas e ternos pretos.

Subiam. E, cada um, na mão:

Revólveres,

Fuzis (excedentes da Coreia, cedidos por governo amigo),

Metralhadoras (novas, do esforço de guerra das Nações Aliadas),

Baionetas (orgulhosa indústria nacional do aço),

Punhais.

A operação era simples. A Vila inteira cercada. Todas as saídas e prováveis saídas. Havia caminhões, jipes, carros, ônibus, blindados, metralhadoras ponto 50, bazookas. Como um cerco em cidade medieval, os guerreiros acampados, a cidade sitiada, destinada a morrer ou se entregar, muros, fossos, escadas, caldeirões de óleo fervente. Só que a cidade já estava tomada.

Em grupos paravam diante das portas.

? Tem criança nesta casa.

. Tem.

? Quantos anos.

. Um.

. Traga.

A criança era erguida por um Paladino, enquanto o Cruzado a atravessava com punhal, certeiro no coração. Do mesmo modo com que o caboclo experiente mata porquinho. Sem que este dê um grito.

Entregavam a criança aos pais, batiam na próxima porta. Assim, se ouviram grandes gritos, na tarde de domingo.

E todos os gritos se fundiam apenas num. Das centenas de casas ensanguentadas subiu um clamor, naquela tarde de domingo.

QUERER NÃO É PODER

Rosa corria, os homens corriam. Ela virava, entrava nos becos, virava de novo, entrava em novos becos. As ruelas desciam e subiam, a visão da cidade ao longe tinha desaparecido e com ela a sensação de segurança. As casas iguais, ela correndo, os homens corriam também. Uma praça, os homens chegando, ela se meteu por uma cerca, o terreno em declive, ela perdeu o equilíbrio, caiu no teto de um barraco, rolou para o chão.

Rosa corria, os homens corriam. Ela descia pela ladeira, sentia o cheiro fedido do rio. Chegando ao rio, ela corria pela marginal, encontraria alguém.

Rosa corria, os homens corriam mais. Um agarrou o pescoço dela. Ela parou. O homem largou.

? O que vocês querem.

Os homens riram. Rosa riu com eles.

. Vem co'a gente, menina.

. Não vou.

(? Será que eles não querem me comer)

Vem até ali.

Um soco, na cara. Outro soco, ela mordeu a língua, o sangue formou uma pasta na boca. E outro soco no nariz, a dor, o sangue escorrendo e empapando a camisa, tudo escurecendo. Mas antes de escurecer, o novo soco, apagando o cheiro fedido (e bom) do rio que devia estar muito perto, a orelha zunindo.

(Minha mãe! Vão me matar)

Antes de tudo se apagar, sentiu que caía de cara no chão. E sua cara estava num tufo de grama. Perto dali, alguém cagara, havia um cheiro de bosta apodrecendo.

APRONTANDO-SE

Paulo leva cartões perfurados para o computador. Os últimos, seu turno acabou. Sai da sala condicionada, passa pela revista. É meia-noite, tem de se apressar. Senão, a velha não vai poder fazer a passagem. Hoje é dia de ebó, lançamento. Quando ele saiu de manhã, as bases estavam prontas, a velha preparada. É preciso chegar antes do O bater. O duro é a condução, a esta hora da noite. No dia em que for um técnico da IBM, Paulo irá de táxi, ou comprará um carro. Mas Paulo está iniciando carreira. Na IBM e com a velha Igê-Sha.

A FUGA PARA O EGITO

Tudo que José se lembra é do homem com martelo, pregando uma placa.

. Se vieram ver a Família, acabou.

? Acabou.

. Polícia deu em cima. A Família fugiu. Pai, mãe, filhos. Saíram daqui numa carroça, levando tudo, a lona da barraca.

? Foram para onde.

("Eu nem sei o que era a Família. O que faziam, o que me interessa onde foram")

. Para a Vila Egito. Uma cidade a duzentos quilômetros daqui. Mas num vai dar mais pra eles fazerem.

? Num vai dar. O quê.

. A trepada unida.

? Unida

. Da Família unida. Ganharam muito dinheiro com isso.

Então, Rosa começou a correr e José viu uns homens dobrarem a esquina. Correndo. Atrás dela. José correu também.

EVOÉ

Ela fez que sim, com a cabeça. Tinha examinado o Itá de Xangô, puro, legítimo. Agradeceu a Oba-Ol-Orun. Paulo, chefe dos adaquadéocoré de Igê-Sha respondeu que sim. Levaram a moça morena, gorda, para dentro e colocaram numa mesa branca, cirúrgica, presente dos seguidores. Para o ebó do capeta. Muito boa.

O SALTO NA TERRA

José precisava correr. Sair dali, da cidade, do mundo. Agora podia. Se corresse sem parar, conseguiria saltar para o espaço. Queria subir, entrar na órbita da lua e não sair mais. A terra estava impossível, a vida não era mais para ser vivida. Chegar à lua e ver que ela era cinza, de gesso, morta. Mas a terra era mais morta que a lua. E se a terra parecia azul, era mentira. Dar voltas. Vendo a terra longe, longe. José e todos os homens girando em órbita. Em volta da terra. Cada um girando com sua própria vida, sem aterrissar. Astrohomens mortos no espaço, rodando.

LIVRE ASSOCIAÇÃO

a bunda branca e a bunda amarela, a bunda branca amarelando, o cheiro das bundas, o branco amarelo grosso cada vez mais grosso, enchendo tudo, escorrendo, indo para o rio, para o mar, o mar enchendo a cama, o corpo envolvido no mar, ela se afogando, preciso salvá-la, mas tenho nojo dela, como enfiar minhas mãos no mar cama, e tirá-la daí, se o mar traz o cheiro dos esgotos, eu posso ter febre, ela morre, por minha causa, do meu medo, de entrar e tirá-la da cama mar.

BESAME, BESAME MUCHO

José, parado perto do Rotedogue Caçula. Átila via os carros se afastando, sirenes abertas, buzinas: dia de festa. José sentiu tontura, o cheiro podre do buraco, fechou os olhos, e Rosa ao seu lado procurava o fundo do poço, havia uma coisa no fundo. José sabia: era dele. Esqueceu o que era, mas era uma coisa que tinha feito, ou criado, ou estimado muito e não existia mais.

Bateram em seu ombro. Abriu os olhos, era Malevil.

? Tudo bem, velhão.

. Tudo.

. Tô com uma puta fome.

José viu oito homens se aproximando.

JOSÉ É PRESO – I

Comiam ainda quando viram os oito homens se aproximarem com metralhadoras, revólveres, cacetetes de metro e meio. Rosa se agarrou a José. Malevil havia dito aos oito: Eu chego no cara, bato no ombro dele e pergunto: ? Tudo bem, velhão.

JOSÉ É PRESO – II

Malevil havia dito aos oito: eu chego no cara, bato no ombro dele e pergunto. ? Tudo bem, velhão. Aí, vocês prendem o cara. É José.

Malevil se aproximou.

. Oi, turma, me perdi por aí.

Chegou perto de Rosa e deu um beijo no rosto.

? Que qui há Malevil, perguntou José.

Nisto, os oito se aproximaram e prenderam José. Átila puxou o revólver, atirou, cortou a orelha de um dos oito. Então, José disse para Átila: Besteira, velho. Estamos fodidos. E vocês não têm nada com isso. Entraram de alegres, só para se divertir / ? E com você, José, por que está /.

O sujeito sem orelha queria matar Átila. José falava.

. Ia acontecer isso, velhão. Se ia acontecer, acontece. Eu podia pedir socorro e Gê vinha com doze batalhões de Comuns. Mas não é para ser assim.[1]

REFLEXÃO

José: É merda. Nada. É se apagar mesmo. Basta, eu devia ter fugido. Mas fico com minhas frases. Me fodi de verdeamarelo.

O QUE ENTRA E O QUE SAI

Correndo, José tem os olhos amarelos e o gosto de sal na boca. Correndo ele percebe que as vielas e becos da Vila são o seu corpo,

---

1   Nunca entendi esse conformismo de José. Não levanta uma palha, nem para viver. Ou está despistando.

assim como o viu projetado aquela tarde, na barraca do Homem. Vielas onde ele não consegue entrar, apesar de estar dentro, e não conseguir sair, apesar de querer. Ruelas, becos, vielas, atalhos que ele não consegue compreender. Um labirinto. Dentro, querendo sair. Como aquele dia em que entrou / na porta proibida / e se viu saindo. Porque esse, sou eu, José. Dois. Um, eu mesmo, saindo de mim. Outro, eu mesmo, entrando em mim. Um e outro coabitando. Um, recusando o outro. Divorciados. Camas separadas, mesmo quando vou, me encontro voltando. O que volta, quer impedir o que sai, de sair. O que sai, não quer que o que vai, entre. Eu queria me sentir um instante sem Um e o Outro. Vazio. Esse instante pode ser o de minha morte. Não que um e outro sejam opostos.

Conversa de táxi:
Porra, Zé, não vem com discurso, não vem com essa pregação, não. Minha vida é minha e eu faço com ela o que eu quiser. E eu não quero fazer nada. Nada. Quero desperdiçar minha vida. Isso mesmo. Desperdiçar. Ficar por aí sem fazer nada. Vendo a vida passar. Ela que se foda. Estou perdendo tempo, ficando velho, é isso mesmo que eu quero. Perder tempo, morrer, se foder. Que mania sua, e dessa gente. Ter que fazer alguma coisa, construir alguma coisa. Eu não sou pedreiro para construir nada.

ASSALTO: ? E A SAÍDA

As paredes das malocas pichadas: O Esquadrão Punitivo vem aí — Bandido não tem vez — Abaixo os comunistas — Viva o governo — Abaixo o arrocho salarial.

Manchas de sangue, marcas de mão impressas nos muros, desenhos de caveiras.

Na frente das inscrições, o negrinho, o branco nervoso e um japonês, riam.

. A grana, velhinho, passa a grana.

. Não tenho.

(Não tenho mesmo.)

Um soco, de soco inglês, na cara.

. A grana, branco. Num banca o marrudo não!

Outro soco, dentes partidos, El Matador sentindo os caquinhos do dente, o sangue misturando, uma pasta se formando na sua boca. E o outro, partindo o ossinho do nariz, a dor, o sangue escorrendo e empapando a camisa, tudo escurecendo. Mas antes de escurecer, o novo soco, apagando os ruídos do mundo, a orelha zunindo.

Antes de tudo se apagar, sentiu que caía num colchão macio. E havia um cheiro forte de asfalto. E o colchão envolveu El Matador, como um abraço. Ele se sentiu protegido, ficou aliviado. Podia dormir.

A LUZ DO ITÁ DE XANGÔ

Quando os homens chegaram, viram a luz da pedra. O anel refletia, a lâmpada do poste. Sentiram o cheiro podre de bosta e souberam: ali estava ela, pronta para o Ebó, anestesiada. O anel era um Itá de Xangô: um anel feito com uma pedra de Santa Bárbara. Os pretos pensaram: ela teve muita sorte a vida toda. Está tendo agora. Ela é a Enviada e tudo está reservado para ela. As pedras de Santa Bárbara: caem durante chuvas e trovoadas fortes. Penetram sete braças na terra e voltam à superfície depois de sete anos. Quem encontra uma é privilegiado.

JULGAMENTO E SENTENÇA

A gente tá di campana há muito tempo tá ti procurano sem pará os arcaguete dizeno telefonano apontano os home tão aqui mas os home num aparecia porque os home era só ucê qui a genti buscava até qui um dia um tira nosso levantô o segredo e descobriu qui era ucê e a genti num entendeu ucê num tem cara nem percisão a menos que teja cum esses subversivo filhodaputas ficamo seguino ucê é estranho passa meis e meis sem fazê nada qui possa dá razão pra ti prendê em flagra num briga cum ninguém num roba num mata e quano a genti ia desistí um arcaguete bom disse qui era ucê mesmo e qui tava mitido na história do terror que filhodaputa pensei ele tá com esses Comuns do caralho vai vê a genti pega ele e os otro e a genti investigava os cara qui ucê matava mas os cara num tinha nada qui vê cum nada nem nada qui vê cuntigo cumu aquele dia que ucê matô um cara cum tiro nas fuça e saiu andano e foi num cinema vê aquela comédia e morreu de ri e a genti ti querendo sabê se era um loco qui andava matano pur aí e num era loco nem nada e se lembra aquele gordo de bigode que vivia no bar do Trufô o francês que vendia bolinha e nois sabeno que ucê apagô ele e nois num conseguia te pô a mão purque ucê é um peixe ensaboado esse que era teu apelido na polícia sem a gente sabê tua cara nem como era mas a genti deixava o caso para polícia federal purque pensava qui era caso deles por causo do coronel que ucê matô e depois dos sordado da força pública e dum dedoduro qui trabaiava pra genti dano bom serviço e também pur causa de um delegado do esquadrão e dum cara que chefiava o anticomunismo que ucêis são uns filhosdaputas de merda eu queria arrebentá tua cara a tiro e pontapé antis de ti matá eu quero fazê ucê sofrê muito te dando cachuletadas arrebentano teu nariz sabe qui ucê vai levá umas cincoenta azeitona pra furá tudo esse corpo dexá qui nem penera e a primeira o chefe dá no olho é de 45 e vai vará tua cabeça sai toda remela pelo fundo junto cos teus miolo de bandido comunista de filhodaputa.

> **PENSAMENTO DO DIA**
> *País subdesenvolvido, uma ova. Visite o*
> *Salão do Automóvel.*

A NÃO EXECUÇÃO

. Cala a boca, Esqueleto.

O que fala sem parar. E continua quando o chefe manda calar, é de cabelo cheio e liso, com um risco no meio. O Esqueleto. Treme, a boca se retorce, as palavras saem estropiadas, como se todas quisessem sair ao mesmo tempo.

. Cala a boca, cala, eu já disse, cala.

. Dexa ele falá, chefe, ele só tem corage quando fala.

Vão me matar. Estou com medo. Estou com frio. Não devia ter medo. Ia ser assim, alguém me pegaria. Só tenho que pensar: vão me matar. E eu, não queria morrer. De jeito nenhum. Antes, eu pensava: o que será que vou pensar na hora em que me pegarem. Não penso nada, só tenho medo. Se ao menos eu apagasse logo. Mas vão me torturar. Vão querer que eu diga coisas. Que nem sei. Não cheguei a penetrar. Esqueleto se baba, quer partir para a porrada. É só olhar a cara deles, dos oito débeis mentais. Olhar de quem espera orgasmo. Com rifles, revólveres, espingardas, cinturões da bala atravessando o peito, como faixa: Miss Violência, Miss Assassinato, Miss Sangue, Miss Tortura, Miss Agonia, Miss Espancamento, Miss Mutilação, Miss Carrasco.

? Adiantou a minha violência.

Adiantou. A gente tem de cuspir, em vez de engolir o catarro e se envenenar. Cuspir no olho e na boca de quem está querendo pisar na gente. Dar troco. Não ficar devendo. O que eu fiz foi para não ficar sufocado, poder gritar. Um minuto meu é a eternidade deles. Vivi 130 anos, mãe. Era isso, a salvação meu filho, salvar sua alma, era o que você dizia cercada de velas e incenso e flores e santos. Vivi 130 anos diante de cada homem a quem apontei o revólver.

ACOPLAMENTO COM O DEMÔNIO (EBÓ DO CAPETA)

Earth orbit insertion   get   00 − 11 − 53
                                 cdt   08 − 43 A.M.

A área à volta da plataforma de lançamento é totalmente evacuada e começam a ser feitos os testes de segurança.
Uivos gemidos silvos gritos bater de pés palmas velas cachaça suor defumadores incenso. Rosa tem os pés e mão amarrados. Na sala enfumaçada a preta velha se debruça, jogando fumaça nos seus olhos, nariz, ouvidos e boca. Rosa fechou os olhos, ouviu ganidos e sussurro leve, vento em capinzal. *Ela corria e o colono corria atrás o vento cortava e o colono levou um tiro na nuca caiu ensanguentado e ela nunca disse para ninguém e dali para a frente tivera a certeza, estava protegida, fechada.*

Apocíntio
No dia do seu nascimento a parteira correu com Rosa até a casa de Emerenciana que chupou de sua boca, nariz e ouvido, o mal que atraía o mal. E cuspiu tudo dentro do baú de cobre.

Contagem regressiva
Onde já havia pitangas vermelhas e um ovo de pardal e uma oração de Santa Agatha sem as linhas ímpares. Com a velha a soprar o charuto Rosa se lembra daquele dia — estava nascida há doze horas — sabendo que Emerenciana tinha levado o baú para o Córrego da Servidão para que a água levasse ao grande rio e o rio para o mar, o grande pai, e o mar guardasse a vida e o espírito de Rosa.

Preliminary check-out
Rosa sentiu a mão calosa passando pelo seu rosto. Abriu os olhos, atordoada, havia grande povo a sua volta, aos gritos, palmas, assobios, uivos, gemidos, silvos. Vinha dos alto-falantes. O povo estava silencioso, sentado em bancos, junto à parede, deixando o centro para as feituras.

Os alto-falantes silenciaram.

Rosa tinha sono, não conseguia ficar de olho aberto. Estava bom ali, gostoso para se ficar a vida inteira (? Os outros, onde estão os outros. ? E José o que veio fazer.). A velha tinha um rosto de pedra-sabão preta. Ela se afastava, rodava, se aproximava, dançava, bebia de uma garrafa, sacudia uma vara de ferro com quatro barras transversais — cheia de correntes — medalhas — cruzes — luas — sóis — estrelas — círculos cheios de pontas — triângulos — folhas de lata — címbalos — pregos — bolas — parafusos — aros de metal — pequenas imagens — porcas cromadas — parafusos — clips — tampas de cerveja — dentes — aros de vidro — saquinhos de plástico cheios de pelo.

Rosa viu que havia outra mesa e ali, amarrada, uma menina nua. O corpo inteiro manchado de sangue, que brotava de pequenos cortes, todos do mesmo tamanho. A velha parou de dançar e trouxe um vidro barrigudo / antigamente, nos bares, cheios de balas /. Perto de Rosa, destampou. Nada, dentro. A velha sacudiu as correntes e se imobilizou. Os que assistiam começaram a gemer e a sussurrar, vozes monótonas:

A orêrê aiê orixá iomam
ia, ochê Egbêji orêrê, aiê

Um ruído surdo, palavras misturadas, letras comidas que se penetravam (? O que eu faço aqui.) Rosa estava entregue, sentia-se um saco de cimento, pesado, solto naquela mesa, sem vontade, só curiosidade.

De um canto, levantou-se um menino moreno / e ela, fascinada com a beleza do menino /. Tinha o cabelo liso e brilhante e os olhos azuis do menino brilhavam na claridade mortiça da sala iluminada por lâmpadas de 40 velas: A orêrê aiê orixá iomam. O menino se aproximou e colocou a mão na barriga de Rosa. Os músculos sofreram contração e ela viu os intestinos se desarranjarem. Teve, vergonha. (Cagar assim, logo agora. Mas foi culpa dele. Queria que ele se deitasse em mim.) O menino continuou com a mão na barriga, enquanto os intestinos expeliam tudo. Ela se sentindo vazia, até que ficou somente a dor dos músculos cansados. A mão desceu e a bexiga de Rosa se esvaziou. Depois, a mão subiu ao estômago e começou o vômito. As ânsias vinham doloridas e ela se sujava toda. A velha se aproximou, beijou o menino na boca. Ele colocou as mãos sobre os pulmões de Rosa e ele percebeu que todo o ar saía para fora. Ficou sufocada. A velha soprou o charuto e a fumaça penetrou em Rosa. Ela desmaiou.

Atetú, cadê olônã.

Voltou a si. O menino tinha a mão em seu coração e o coração batia rápido. Então, ele se afastou e disse:

. Está pronta, preparada, pura, é tua.

. O disco recomeçou, as pessoas dançavam em volta de Rosa, gemendo, rodando, rezando, se batendo, se fustigando umas às outras, arrastando os pés, chorando, silvando, murmurando, sacudindo as cabeças afirmativamente, cuspindo para o lado esquerdo. A menina ensanguentada erguia a cabeça. Tinha os olhos enormes. Era como se tivesse levado um grande susto e morrido em seguida a sua face se imobilizara na expressão angustiada de quem tenta compreender. Era bonita, muito magra e pálida. (? A turma, onde está a turma.)

A velha do charuto trouxe uma garrafa de Coca-Cola tamanho família, cheia de líquido verde e começou a aspergir Rosa. De cheiro enjoativo. As ânsias voltaram. A velha aproximou a garrafa de sua boca. Queria que ela bebesse. Forçava. Rosa virava o rosto / a menina ao lado acompanhava seus gestos, ansiosa /. Recusava. Vieram dois homens de azul, com botões vermelhos e verdes.

Começa o abastecimento do módulo de comando e de serviço

A velha tocou na cabeça de Rosa. A dor atravessou o corpo indo atingir a ponta dos dedos, ali permanecendo. Os homens de azul empurraram sua cabeça e a velha despejou o líquido verde pela sua garganta. Era pastoso, malcheiroso, mas não tinha gosto ruim. Rosa reconheceu o aniz, a losna, o salsão / mas havia também quebra--pedra, arruda, manguava e folhas de gabiroba /.

Os dois homens desapareceram. A vitrola foi desligada. Apagaram as luzes, ficou apenas uma vela dentro de um vidro com papel impermeável vermelho.

Os assistentes sentaram, a velha se aproximou, uma lata na mão. Uma fruta amarela dentro. Ofereceu a Rosa.

? Ofé ogum.

Rosa, só olhando.

. Echô aguá. Bom. Echô ocô.

Era um marmelo amarelo. ? E dentro, o que teria. Rosa começou a sentir a cabeça leve, cada vez mais.

4, 3, 2, 1, 0

Rosa flutuou. Solta, viu a velha em sua forma verdadeira: madeira negra, lisa e brilhante, envernizada: Jacarandá secular da Bahia. Sobre tronco negro e liso, estava sentado o pai de Rosa, à mão direita de Deus padre. E estava José; e José era um sapo azul, igual no dia em que tinha tido o ataque nas Águas. Rosa estava suspensa sobre a mesa e havia um corpo sob o seu. Parecido com ele. Rosa perdera a gravidade e viu que aquela gente tinha se transformado: pedras, animais, flores, ferro, cristais, água, focos de fogo, papel, moedas, ouro, prata, barro, estrelas, lâmpadas elétricas, comidas. A sala tinha se estendido, paredes se afastavam e se perdiam, o teto subia e descia, girando em torno do tronco preto onde estavam José e seu pai.

00 h 02m: os tripulantes iniciam um período de repouso

> Kinin kan nbelódo
> irê irêninjê ô irê

Rosa subia e descia, via as estrelas brilhando, a lua, depois o sol, as lâmpadas acesas, e via a terra girando, cada vez menor, e viu juntos o sol e a lua e terra, e não era noite, nem dia, nem era dia, nem noite.

José, debaixo da luz, atirava no homem e olhava em volta e assoprava o revólver e ia embora e ficava em frente ao espelho se arranhando.

Correção de cursos, verificação de toda aparelhagem

Os cristais, cheios de reflexos e o sapo abria a boca e não saía som. O jacarandá estalava como se fosse partir e ficava cada vez mais liso, Rosa queria descer, escorregando pelo tronco.

Obá-ol-orun: e os assistentes disseram: Deus, rei, senhor, dono do céu

Omulu, Omulu. Omulu, o diabo é treva / Deus /

Umofé, OMULU, Ofé, Obá-ol-orun

As pedras escureciam, o teto era o céu, o céu escurecia eram quatro da tarde e ela foi andando até chegar ao prédio quadrado cheio de grades e as grades estavam cheias de homens pendurados que cuspiam e xingavam e o prédio estavam num descampado sem fim. A sala escurecia. O céu escurecia e numa das grades ele viu o homem olhar para ela, mas Rosa virou as costas.

Agora estava presa ao teto e uma das pedras lá embaixo era quadrada, cheia de marcas, como se fossem janelinhas, mas estava longe demais e ela se sentia pesada para descer e olhar, era tão em cima

Diabo é o Bem
Deus é o Mal
Diabo é o Amor
Deus é o Ódio
Diabo é Bondade
    Deus é Maldade
        Felicidade
        Infelicidade
        Abundância
        Miséria e fome
        Paz
        Guerra

Ela caiu, o sapo abriu a boca, a cara azul do sapo, a luz no rosto do homem, homem que a chamava das grades, José assaltando, o motorista com medo e José apontando o revólver, e José com muito mais medo e o motorista o pé no breque, José jogado para a frente e vendo que ia morrer e apoiando as mãos no para-brisa e medo muito medo mais que medo agora o motorista ia matar e José conseguia atirar antes

Onicá orxagui guannaigê êranexi
Oni cá odolôrã, coningi aracutã
Atetú, cadê olônã

A polícia batia na porta e sua mãe e seu pai tinham vindo visitar a filha no resguardo e o resguardo não tinha havido e enquanto sua mãe abria a polícia ia de quarto em quarto revistando e Rosa dizia que ele não tinha feito nada e o sargento dizia se não foi ele quem foi que fez e por que tem o rosto dele nos cartazes e nem a mãe nem o pai nem Rosa sabiam que tinham o rosto dele nos cartazes e se tem então o que é que ele fez não estou aqui para explicar nada vocês estão é mentindo e não querem colaborar com a polícia porque ele assaltou lojas e matou gente e deflorou uma moça e atirou bombas e matou soldados e roubou dinheiro da igreja e se vestiu de papa e assaltou bancos bancos bancos bancos caixas econômicas companhia de financiamento carros blindados não não mentira ele está viajando e nem que ele vivesse muito tempo dizia o velho que era ponderado teria podido fazer tanta coisa assim estão pondo coisas nas costas dele não não está viajando está é escondido e o sargento levantou o vestido de rosa e de sua mãe.
    . Desce filha.

As flores murchando e ela não queria eram bonitas e perdiam a cor ficando cinzas e brancas e os cristais cresciam, engoliam os animais, as peras cresciam e os animais apareciam no interior dos cristais, solidificados as pedras engoliam os cristais enquanto raios de luz atravessavam a atmosfera como um vendaval que formava redemoinhos que envolveram totalmente Rosa

. Invoco o poder da Pedra de Cevar. O poder completo do casal de Pedra de Cevar.

A velha dirigiu-se a um canto da casa, um armário muito escuro. Dali retirou uma caixa de madeira; outra caixa de dentro; e mais três ainda; até ficar com um estojinho pequeno de madeira. Ali havia um casal de pedras, absolutamente iguais. A velha voltou para Rosa.

Os raios de luz atravessavam o corpo de Rosa e pareciam sair de duas fontes de pedra muito pequenas. As fontes estavam em cima da pedra preta lisa. O sapo tinha sumido. Havia no seu lugar uma enorme mancha amarelada.

. Que seja boa, kinin kan nbelódo, irê irêninjê ô irê, e o demo saia dela e venha para cá e que deixe nossa virgem, para habitar este corpo maculado, de torpezas, sua casa.

Tudo começou a sacudir, as flores murchas pareciam tocadas pelo vento e estavam inclinadas até o chão, as pedras, os cristais, os animais começavam a rodar, impelidos por redemoinho. Começou a escurecer de novo, e Rosa se sentia pesada

A vila inteira olhando para ela parada diante de sua casa enquanto ele se esforçava por tirar da porta aquela marca fatídica e ameaçadora que atraía a polícia José pregava um homem na cruz e quando o homem estava quase morrendo descia o homem da cruz e o envolvia em lençóis levando-o para uma caixa jogava o homem dentro e ouvia os beatles cantando *carry that weight* e ela via a caixa cheia de homens uns vivos outros mortos outros podres e via Malevil se aproximando de José e dando um abraço

Começou um barulho que ela não podia suportar e Rosa tentava fechar os ouvidos com as mãos, as mãos atravessavam sua cabeça e ela ficou encerrada no fundo da pedra, e não podia ver nada sentia que estavam abrindo um buraco no seu cérebro e enfiando uma coisa mole lá dentro e a coisa dissolveu e tomou o seu corpo e ele não era mais seu. E a pedra a expulsou.

Os cavalos corriam as ferraduras batiam nos paralelepípedos e soltavam faíscas pela manhã e pela tarde e pela manhã o pai estava fazendo café e esperando que José fosse à escola

Rosa voltou ao espaço transformada numa película fina mole amarela e José agarrava os gatos pela cauda e jogava contra o muro com uma técnica tão especial que era a cabeça do gato que batia no muro e o gato morria na hora

Voava e o mundo corria para trás e a cidade desapareceu e Rosa voava sobre o campo, acima do sol

Controle (17h23m): "O acoplamento deverá ocorrer daqui a dez minutos, segundo os planos de voo."

. Pelo poder de Satanás, que o habitante se ocupe desta iniciada escolhida pelo Itá de Xangô, de onde sairá pela minha ordem.

Rosa viu o vento. Não sentiu: viu. Conjunto de rolos transparentes, que se impulsionavam automaticamente, moto-contínuo, em cima de uma esteira ilimitada. O ar se deslocava e o vento fazia Rosa correr por aquele espaço que não acabava. Ela se sentiu pesada.

José deitado ao sol numa colina de homens armados

Até que a angústia insuportável tomou conta dela. A tal ponto, que Rosa quis se arrebentar, *carry that weight*, e ela explodiu. Rosa: nuvem amarela, se dilacerou em um milhão de pedaços que voaram pelo espaço afora: Rosa: dividida, e inteira em cada pedaço. Milhares de pingos que caíram na terra

. Os cavalos se erguendo e José caindo sob as patas e a sua cabeça se abrindo. Cavalos nos pastos e os pingos amarelos-rosa sobre eles e os cavalos se manchavam de amarelo e corriam velozes. Rosa dividida no dorso de centenas de cavalos que relinchavam e saltavam Rosa, aos pingos, caindo, tempestades, encharcando a terra. Ela penetrava, sentindo ao seu redor a terra quente, sufocante. Megulhava encontrando pedras, raízes, vermes. Até se diluir. Fundida à terra, outra vez. No interior da terra reinou paz, alegria, silêncio, nenhuma angústia, medo, lembrança. Bem no fundo, o pingo Rosa caiu dentro da semente, e a semente engoliu a gota amarela, se fechou e se preparou para germinar.

A NÃO EXECUÇÃO (II)

Agora eu queria cagar na mão e jogar na cara desses oito homens, para eles verem como é bom comer bosta. Essa bosta que eu / todo mundo / ando comendo na mão deles.

. Encosta ele no barranco, vai logo, tá demorando.

O primeiro passou quente na orelha. Como um espeto. Quando as balas me atingirem ? o que será que eu vou sentir.

Serviram Adum para todos. Os assistentes não tocaram, por causa do tempero de cebola e camarão. A velha Igê-Sha comeu dois.

A NÃO EXECUÇÃO (III)

Se eu tivesse bolinha, ia ser fácil. Tenho que pensar. Tudo que eu puder. Para não ver esses oito.

Um, avança. José leva um soco no braço. Dois, um monte. Está de olhos fechados. Abre. O homem, não avançou. Os oito estão no mesmo lugar, as armas levantadas. Atiram, José vê sangue onde os socos bateram. Nada dói. Vem apenas a moleza. Um novo tiro. Agora, José sente um coice, e cai. Tenta se apoiar, mas encontra o vazio de barranco. O braço parece que vai se descolar. José acho que vai desmaiar.

Cai dentro do córrego. A água faz com que ele desperte. Lá em cima, os homens atiram. Apontam, lanternas. José fica imóvel, sabendo que pode viver. Os homens apagam. Vão descer, para o tiro de misericórdia. É agora! José se arrasta. Quer viver. A luz das lanternas bate em sua cabeça e fica ali, enquanto as balas quebram os galhos e ricocheteiam nas pedras / ah, as fitas de bangue-bangue, os domingos de matinês no Paratodos e no Odeon, as meninas subindo e descendo, os namoros e não namoros, plim, pliiiiiiiiiim, o mocinho escapando /.

José vê o córrego terminar, engolido por um cano de cimento. De gatinhas, entra pelo cano, percebe uma inclinação, sente uma brisa fedorenta, mas que mostra. Nalgum ponto, existe uma saída.

? Existe.

MEMÓRIA AFETIVA

Igê-Sha tinha onze anos quando seu pai levou-a para Lagos e ali deixou-a para o homem que seria seu marido. E o marido de Igê-Sha tinha sido foguista de um navio inglês e depois largou o navio e foi dos primeiros a possuir descaroçador de algodão na aldeia de Abeokuta. Dizem que ele era aparentado, e bem, com Alfa Cyprian Akinosho Tairu, chefe de Abeokuta, possuidor do título de Morope de Aké. O Alfa ensinou-o a mostrar dinheiro para a lua nova, de

modo que nunca faltasse dinheiro em sua casa e devido à lua, Igê-
-Sha sempre viveu vida confortável até que um dia o marido foi
difundir na América o jornal *Wasu*.

COZINHANDO EM FOGO LENTO

Do chefe da POPO / Política / ao chefe da POFE:
"Respondendo à sua CI confidencial de 31 do corrente informo
que nenhum preso foi torturado nas celas deste departamento, desde
o início do novo governo. Todos os detidos têm sido bem tratados.
O único inconveniente é o número diminuto de celas para a grande
quantidade de presos. Atenciosamente"

a)
Detalhe: veja-se a frase "torturado nas celas". Realmente, nas celas
não houve torturas. Havia uma sala para isso.
Do chefe da POFE ao chefe da POSU (Polícia de Supersegurança):
"Fechar os jornais que denunciaram torturas na POPO. Processá-
-los." Pergunta irônica que certamente eu não irei fazer ao chefe da
POFE:
? Para que processá-los.
Do chefe da POPO ao delegado Dores:
"Manera aí um pouco que parece esquisita a situação. Dizem que
tem uma comissão internacional para investigar torturas no país."
O delegado Dores:
"Merda pressa comissão internacional! Na minha delegacia num
entra gringo nenhum."
Do delegado Dores ao Investigador Ternurinha:
"Diminua a pressão do forno. Dê só uma surra por dia no pes-
soal."
Observação: Ternurinha será focalizado proximamente.
Ordem aos carcereiros, interrogadores, tiras, participantes de todas
as operações antiterroristas, anti-Comuns: "Fogo lento".

APOCÍNTIO

Tchem, tchem, TCHEM
pam
Mesmo com o barulho, ela ouvia os gritos.
Xu, xi, fuuuuu
Xu, xi, fuuuuu

E as palmas. Era como se ela estivesse perto de um grande auditório. Palmas e gritos.

Pam, Pam, Pam, PAm, PAM, PAM, PAM

xiquexi, xiquexi, xiquexi, xiquexi

Uivavam. Uivo humano e animal. Em torno da cabana / maloca, barraco, choça / Rosa não podia ver, mas havia:

holofotes gigantescos, faróis, spots, lâmpadas de vapor de mercúrio

Estava claro como o dia.

Pam, PIM, pim, pim, pim, fuuuuuuuu

Truuuuufiiiii, Truuuuufiiii, Xuuuummmmmm

cocôcôcôccocôcocôcôocôcocôcôcocôcocôoc

ah, ah, ah, ah, ah, ah, aaaaaaaaaaaaaaiii

O grito era de gente. De mulher. De dor. Atravessou o ar. Atravessou Rosa e as paredes (? Onde estou.) e foi rebater lá fora nas máquinas. As máquinas amarelas que trabalhavam para lá dos tapumes (? O que faço aqui, amarrada.) Os tapumes tinham placas:

PREF. DO MUNICÍPIO
OBRAS DE CONSTRUÇÃO DO METRÔ
PRAZO DE ENTREGA: 5 ANOS

Bum, bum, bum, bum, bum, bum, bum, bum, bum, bum, bum, bum. Motores ligados; compressores; betoneiras, perfuratrizes; tratores; geradores; carregadeiras; injetores de ar; misturadores; guindastes; pás; serras-elétricas; apitos.

Em volta do buraco se debruçava a vila / malocas, barracos, choças de zinco, madeira, papelão: depois vinha a Vila Branca /. Homens com capacetes de cores diferentes / amarelo, vermelho, azul, verde e branco / carregavam plantas, carrinhos de mão, picaretas, martelos, serravam tábuas, entortavam ferros, conduziam máquinas. O bate--estacas gigantesco fazia tremer a terra

PAM, P A M, P A M

ritmado.

Malocas tremiam, balançavam, o zinco das coberturas, estremecia e sacudia o que estava em cima: pedras, paus, tijolos, vidros, caixotes, ferros, latas

Xuxi, xuxi, xuxi, xuxi, xuxi, xuxi, xuxi, xuxi

CONTAGEM REGRESSIVA

vapor
o bate-estacas batia

Uma escavadeira descomunal, animal pré-histórico, escavava, escavava, escavava

e jogava tonelada de terra em cima de basculantes

Uh, u, u, u, u, uaiaiiiiiiiaiii i i i iaiaiiiii, ai, mão, aiii

O grito, o mesmo grito, o gemido bisturi cortando. Os gritos vinham da outra sala. Rosa não queria abrir os olhos. Tonta, com o incenso e defumadores.

PAm

Xem, xeeeeeeeeeem, xeeeeeeeeeeeeeeeemm

Fu, fu, fu, fu, fu, fu

Junto ao ouvido de Rosa, beré, a velha sussurou:

O útil / a velha baforou / chamado suporta a carga. Há sinais para você ler / a velha baforou outra vez /.

Rosa via através da fumaça o poste, cortado quatro vezes. Os quatro estágios da vida, antes, durante, depois e após o depois.

Zzzzzzzzzzzzzzzzzzzzzzzzz

Ela ouvia também o ressonar, próxima. Mas bem podia ser um barulho de fora, tantos eram os barulhos que viam.

PRELIMINARY CHECK-OUT GET HR MIN SEC 53:54:00

Sentiu que passavam a mão no rosto dela mão calosa. Abriu os olhos, atordoada. Enjoada. Cansada. Amedrontada. A velha: beré, ogofá / dizem que mais ogum, não se sabe /. Muda, charuto na boca, soltando muita fumaça, em ossé, alta, depressa lançou euô sobre os ocoré-adaquadé. Eram dois / um era Paulo, o Watu, iniciante no Ebó /, vestidos de azul, idade messan, preparados para o Ebó do capeta, puros, aguá e odará. Ela, beré ogofá tinha escolhido há anos. Desde que o Xangô de Itá fora descoberto. Os dois ocoré-adequadé, muito pequenos, esperavam, tensos, odjus abertos, bem.

. A orêrê aiê orixá iomam

ia, ochê Egbêji orêrê, aiê

Rosa comia o marmelo do campo cozido duas horas em água de coco de coqueiro de 15 metros. Cozido com água de dimba, parreira e um coração de frango nascido em maio, um pouco de Kava, a planta do oriente que somente três pessoas tinham. O marmelo era cozido duas noites, uma hora por dia. Depois, embrulhado, quente, em folhas de coca que vinham da Bolívia. Estava ficando difícil conseguir a coca, a polícia queria dinheiro dos que traziam. O exército boliviano que controlava a fronteira queria dinheiro. Estava ficando caro, impossível o Ebó do capeta. Não era, como nos tempos de avó da beré, ogofá. Sua avó, meuá messan meuá. E da mãe dela, e da avó da bisavó, todas eru-beré de abá-ol-orun, o deus do céu, da terra, das luas e estrelas, dono do bem.

CORREÇÃO DE CURSOS, VERIFICAÇÃO DE TODA A APARELHAGEM

Acima de tudo, estava acabando o Ebó do Capeta. Os que estavam enquizilados, com o bom demônio dentro preferiram ficar com ele, soltos. Beré-ogofá, Igê-Sha não gostava de andar lá embaixo na cidade, olu-lilá demais para ela. Não pela idade, que ogofá ser nova e suas pernas eram firmes como muito ocoré-adaquadé não tinha. É que a velha tinha uma sensibilidade para capetas enquizilados nos outros, e arrepiava-se toda, sentia tonturas, e aru amargurava quando sentia o demo preto. O mau capeta, que zangava de ruindade, zonzeando a pessoa azaguarando e deixando a pessoa com vontade de maldades também, para se divertir. O mau demo conhecia a velha e perturbava para que ela se fosse, não fizesse ebó para trazer o bom demo, aquele que o mundo precisava.

A velha desgostava da cidade porque estava inteira capetada, milhares deles encasulados nas gentes e nas casas, chochando as pessoas, sem serem destocados. Era um carnaval de belzebus. Ela conseguiu ori: atenta, avisada, calibrada, certa. Eles pulavam pelas calçadas, rastejavam como a adjó, matreiros, acompanhavam as pessoas, saltavam das janelas, iam de um ulé ao outro, fazendo uma festa barulhenta com seus guinchos de cegos, porque eles são como morcegos, cegos, mas cheios de instinto, argúcia, inteligibilidade. Era uma festa infernal, ruidosa, os demos com seus corpos anticorpos sem corpos, voluteando nos ombros, pescoço, cabeças, bolsos, bocas, pés, mãos, grudados nos aparelhos: diabos, diabinhos, concentração de pensamentos e desejos daquela gente que andava, sem se aperceber do que eles estavam fazendo e de como eles (os demos) estavam se aproveitando.

A olu-lilá perdida. Aquela cidade que beré-beré-ogofá não conseguiu compreender. E pensar que ogofá era mais de cem: muitos anos para um comum, não uma beré como ela. Havia na olu-lilá muita fumaça, barulho, gente, automóveis, máquinas, prédios, vitrinas, toda ohukuá brilhante. Tudo dominado. Igê-Sha sentia-se encrencada, esmulambada para tirar o grande mal que a possuía. Era tão forte, desejado pelas gentes que nada o extirparia, nem um Ebó gigantesco. Um Ebó para a cidade precisaria muito sangue, uma cachoeira caindo sobre o olu-lilá; um temporal de sangue fresco, puro, de escolhidos que tivessem a marca no joelho e a pedra de xangô. Oru. Oru-didu. Muito tempo atrás. Oru-didu de meditação. Oba-ol-orun disse: alguém precisa sair em busca de gêmeos com minha marca. Há uma grande quantia, todos se comunicando. A fim de sacrificá-los sobre a cidade. A filha será aconselhada quando estiver na olu-lilá que deve ter o ebó, para ser salva a gente humana e criar outra gente outra vez outro mundo humano.

Seria preciso fazer um círculo ao redor da cidade; e nesse círculo, a 434 metros um do outro seriam crucificados os escolhidos: sem coração, rins, fígado, sem vesícula e suprarrenais. Depois de crucificados, seriam retalhados e seus pedaços jogados aos cachorros que deveriam ser tocados para dentro da cidade, e eles deviam atravessá-la de ponta a ponta, em todos os sentidos, levando aquele sangue pelas ruas. Onde um só pingo caísse, estaria tudo purificado; e bem, por mais dois séculos.

LUNAR ORBIT INSERTION

Oguá lê, oguá lê

Igê-Sha foi ao quintal. Debaixo do pé de arruda estava a jarra: de porcelana antiga, fora da avó de sua avó, viera com ela do país negro, longe. Tinha sido de uma rainha — ? a avó fora escrava dessa rainha negra deslumbrante que tinha uma cidade tão grande como esta olu--lilá — que nela bebera e com ela se lavara. De que lugar, de que país, Igê-Sha não sabe. A jarra viera para a mãe da avó, para a mãe dela. Existia ainda num canto da jarra o sangue seco do avô que morrera varado de farpas nos Palmares — ? ou fora pego fugindo.

Vozes não identificadas: Estou elevando a pressão da cabina.

Agora a jarra estava cheia da boa umi verde, feita com raiz do Pipi, misturada com erva-moira. E tinha ficado quatro noites debaixo das arrudas, recebendo o sereno. Boa umi, disse a velha. Tudo limpo. Igê-Sha trocou a umi da jarra para uma garrafa de Coca-Cola. Não sentiu vento. Se ventasse, seria difícil. O vento traz os omodê-orum, inimigos dos demos, porque foi por causa deles, mais bons que os capetas diante de Deus ? Igê-Sha preferia os capetas, eles tinham se revoltado, e quando se revolta é contra alguma coisa que não está boa, os capetas eram os primeiros rebeldes, primeiros dos primeiros /. Quando venta um demo não sai do corpo em que está para o gêmeo forte e preparado que o espera. Igê-Sha levou a garrafa para sua amanda beber — ? e se não fosse amanda. Mas não tinha anel e posse de homem, era amanda: forte, sadia, rosto gordo e bom, aruô benfeito, oco de preparo para receber qualquer omulu. Receber para disseminar, bem de acordo com a operação. Erun liso. A velha passou a mão pela menina. Aquela amanda era a esperada, boa para plantar a semente no mundo. Vinte anos atrás ela tivera a revelação na sua consulta: que se apresse, os gêmeos nasceram, um para o capeta crescer e desenvolver, o outro para receber e transmitir. Serão seus, no dia, hora e tempo necessários. Gêmeos fortes, de bom campo para ser ogã de caipora. Omulu quer muita carne para seus filhos e comandados. Aparecerão depois de três oiô sem vento. Um dia silencioso, depois barulhento, terrível. Umi debaixo das arrudas; dois dias, três, amanda na cozinha e marca no joelho.

Serviram Adum para todos. Os assistentes não tocaram, por causa do tempero de cebola e camarão. A velha Igê-Sha comeu dois.

E ESTÁ A CHEGAR O TEMPO EM QUE TODO AQUELE QUE VOS
MATAR JULGARÁ QUE NISSO FAZ UM SERVIÇO A DEUS
São João 16, 2

NÃO BATA PREGOS SEM ESTOPA

Carpinteiros pregavam tábuas na carroceria do caminhão. Com pressa. O menino olhava. Prontos, os caminhões pareciam da Subsistência do Exército. Seria fácil entrar no quartel, roubar armas. Ou para usá-lo na desapropriação de bancos.

José voltou da inspeção de segurança. Tinha ido montar os sistemas de alarmes: latas cheias de pedrinhas penduradas em cipós. Ajudara a afiar estacas, para colocar em frente a troncos camuflados com folhas. Um tropeção levava a pessoa de peito na estaca.

Os carpinteiros preparavam a tinta. Pedro, lugar-tenente de Gê, misturava a cor e o pigmento, para conseguir o verde seco usado nas viaturas do Exército. O menino olhava e um homem disse: "Vai-se embora, vai, você pode se machucar". O menino não saiu do lugar.

. Tem muita coisa que você precisa aprender, agora, José.

. Eu sei bastante.

. Sabe nada. O que você fez sozinho, sem objetivo, não vale. Só serviu para uma coisa. Agora, você está queimado. Primeiro, precisamos arranjar documentação e cara nova para você.

Ao sair do cano, José tinha ido para casa. Automaticamente. Foi lá, ao ver Gê e quatro homens que percebeu: também podia ser a polícia a esperá-lo.

. Você só me serve pela sua coragem, pela sua raiva. De resto, é um amador que precisa de um bom treino.

(? E se eu perguntasse a história de sua morte. Dizem que Gê morreu. Não, do outro, que morreu em seu lugar. Das mulheres que foram à noite buscar o corpo envolvido em lençóis.)

Tinham seguido na mesma hora para a chácara. Cansado, ferido, José queria dormir, Gê não deixou. Num Volks roubado, pegaram a estrada. José cochilava, a cabeça caía, ele estava num balão de plástico sobrevoando a Espanha e não queria sair de dentro do balão, lá embaixo havia gente atirando, o plástico furava e o ar saía, com um assobio.

Estava num pátio atijolado, frente a uma casa fechada, plantando bananeira porque tinha perdido as pernas.

Amarrado, em cima de um braseiro, enquanto soldados punham tempero e giravam o espeto. O fogo não era ruim, mas o óleo e a pimenta incomodavam.

Numa barreira, o guarda rodoviário parou, José ficou esperando, quando o guarda se abaixou, José jogou o ácido que tinha na mão. O ácido comeu o rosto do Rodoviário, Gê se arrancou.

Numa barreira, o guarda rodoviário parou o carro, José ficou esperando, quando o guarda se abaixou, José teve vontade de jogar no seu rosto o vidro de iogurte que apertava nervosamente nas mãos. O guarda liberou o carro, Gê se arrancou.

Os caminhões roubados estavam sendo camuflados. Havia um grande pomar e José passou o segundo dia chupando laranjas.

. Vai ser o seu primeiro sequestro, mas você vai apenas vigiar, nada mais. Precisamos de você na observação.

. Eu quero participar.

. Na hora, você participa. Espere chegar a hora.

DIÁLOGO NÃO É COMUNICAÇÃO

Entre dois guerrilheiros de Gê:

. Não confio nesse cara, é estranho, pra mim, é polícia.

? Por que Gê se aproxima dele.

? Quem sabe.

? Viu que Gê não levou o cara pro stand de tiro. ? Viu que o cara não viu nada da chácara.

. Vai ver, tá experimentando o sujeito.

TREINAMENTO

. Não, você não vai treinar com o Camarga. Ele nem pertence a esta célula. Não sei nada dele, só o que os jornais dizem, mas eu não acredito. Há coisas que você vai morrer sem saber, a respeito de guerrilhas, grupos, objetivos. Importante: cumpra o objetivo do seu grupo. Aí está, o seu treinador. O segundo treinador.

O segundo instrutor tem o olhar parado. Parece que o ódio imobilizou seus olhos. Eles brilham e a gente sente que é um homem determinado. Chama-se Carlos Lopes e sabe-se dele apenas que é um em quem se pode confiar. Quando eu disse a Gê que não confiava nas pessoas e que tinha medo de ações em grupo, ele falou: todos têm. Porra, amigo, a gente tem barriga, tem cu, tem estômago, igual aos outros. Só que os outros não têm uma coisa nossa: a ideia. E a ideia, a gente ajuda com uma bolinha.

Caiu no meu conceito na mesma hora. Precisavam de bolas. Eu nunca precisei. Então, me lembrei de que no começo tinha mais coragem. Porque no começo eu tinha mais ódio, era mais cego, me atirava. Para estes homens, se atirar era suicídio. Atirar-se era precipitação. Precipitação e impaciência são a morte. Estava no Minimanual, um livro xerografado que Gê trouxe uma tarde. Eu nunca segui regras e regulamentos, disse José. Não quero saber disso. Se você vai viver em grupo, precisa aprender as regras da sobrevivência. Senão, morre, disse Gê. Acho que prefiro morrer, respondeu José. Se estou onde estou, é porque prefiro morrer. Já vivi muito seguindo minimanuais.

O grupo estava em recesso. Todos os grupos ligados a Gê estavam recolhidos aos aparelhos, em chácaras, apartamentos, casas. Não era boa hora de ações. O Exército, as Milícias Repressivas e todas as organizações espicaçadas, tinham partido para a ofensiva.

Então, reencontrei o Mexicano. Do bar em Santana, onde íamos pela manhã. Ele era técnico de rádio, consertava transistores. Me conheceu por causa de sua memória. Fotografava tudo e deixava no fundo da memória. Tinha memória de computador, dizia Gê. Era quem "fotografava" bancos e ruas para as ações. Sempre perfeito, bem alimentado por Tequilla. Aí o grupo mostrava sua organização. A Tequilla vinha na rede clandestina, descendo do México.

O Mexicano jurava que seu pai e seu avô tinham lutado com Pancho Villa e que havia um tio seu no grupo de Emiliano Zapata / ah, eu vi a fita com o Marlon Brando e a Jean Peters (? ou era a Susan Peters) e gostei muito e fiquei triste quando mataram ele daquele jeito covarde /. Jurava que pertencia a uma família onde só havia revolucionários e que fora por causa disso que tivera de emigrar, senão iam matar ele lá no México. Mas, aqui, se te pegam, vão te matar de qualquer jeito, disse José. E ele não se apertou: ao menos aqui tem movimento, e é disso que eu gosto. Lá em cima anda tudo parado. Aqui por baixo é que está o quente. A última briga boa no México foi naquela fita cretina da Brigitte Bardot / a fita pode ser cretina, mas a Brigitte Bardot não, disse José ?. E o Mexicano concordou e falaram de Brigitte, de Raquel Welch, de Maria Félix e Libertad Lamarque, que Ninon Sevilha e Maria Antonieta Pons, as deusas da rumba e do mambo e do chá-chá-chá, e as pernas grossas das duas, as danças e José contou que ia com o grupo de moleques ao cinema e como faziam concurso para ver quem acabava primeiro /. O Mexicano falou de Trotski /, e como seu pai tinha conhecido ele no México, antes de ser assassinado.

No fim da primeira semana, chegou uma perua. Desceram com um homem de olhos vendados. Três dias depois foram com o homem. José ouviu dizerem, "devolveram o embaixador". José aprendera a não perguntar. Mesmo que fizesse, ninguém responderia. Estavam unidos, mas era como se cada um estivesse sozinho, um não existia para o outro.

Gê sumia um, dois dias, voltava com caminhões, carros, pintavam os carros, trocavam chapas, descarregavam pacotes. Na outra, era a vez do capitão. Até que um dia o capitão, não voltou.

José foi andando junto à cerca alta-fechada, de cedros. E viu a laje de cimento, com um puxador de ferro, disfarçada embaixo de galhos de laranjeiras cortados recentemente.

(Mas eu conheço esta laje, conheço este lugar. Não pode ser, nunca estive aqui. Eu sei que aí é a fossa, eu vi jogarem gente aí dentro.)

Ficou olhando. Devia abrir, mas não devia. Se aproximou (? e se não é para abrir). Forçou, a laje era pesada. Puxou os galhos, enfiou um pedaço de pau numa fresta. Precisava olhar lá dentro.

DEPOIMENTO DE CARLOS LOPES

"Ele estava na mesma cela, e me contava. Contava, só no começo. Depois, comeu um pedaço da língua. Ele me dizia: os choques doem no começo. Eles puxam os músculos do corpo inteiro. Depois, os músculos se acostumam. A gente, só tem que aguentar e não ficar louco, antes que o corpo se habitue. Eu admirava, o cara. Fosse eu, tava morto, enlouquecido, suicidado como aquele padre.[1] Eu nunca podia imaginar que um dia essas coisas acontecessem. Eu tenho esperança de pôr a mão num daqueles caras. O sujeito nunca me disse o nome. Tratavam ele por Crato. Era de lá, um nordestino mirrado, filhodaputa de valente. Da peste. Tiravam ele da cela, à noite, ele voltava de manhã, sem dentes, ensanguentado. Não podia andar, tinha as solas dos pés em carne viva. Picada de agulhas. Não dava o serviço, eu sabia que iam matar ele, mas o cara não dava serviço. Passava o dia na cela, apavorado com o que viria à noite. Cada dia, inventavam uma. Inventavam não. Aplicavam. Eram profissionais. Um dos interrogadores, o pior de todos, dizia: 'Eu deixo meu estômago em casa, porque meu estômago não aguenta comunista e eu posso vomitar. De noite, beijo minha mulher e venho

---

1   Há um engano de Carlos Lopes. O padre só tentou o suicídio, não morreu.

trabalhar. De manhã, quando volto, me lavo muito, lavo a boca, desinfeto, escovo os dentes. Porque falei com comunistas e minha boca ficou contaminada. Eu quero pôr nesse pau da arara todos os filhosdaputa de terroristas, cada subversivo, cada Comum que eu encontrar. Só assim posso olhar meus filhos, minha mulher, meus amigos. Só assim posso comungar no domingo'. Esse interrogador foi o que provocou o suicídio do padre. Aquele que abafaram. Depois saiu. A carta contrabandeada do padre saiu nos jornais estrangeiros. Um dia, levaram o sujeito pro pau de arara. 'Dá o serviço: nomes, aparelhos, planos. Dá, que é tua última chance'. O interrogador tinha as mãos postas, e suplicava. O Crato, quieto, nu, dependurado, os fios elétricos no saco. O saco, o pinto, a bunda, tudo dele era carne viva. Passaram navalha no corpo dele, fizeram cortes finos como fios de cabelo, o sangue brotou. Jogaram salmoura, depois água gelada. O interrogador chorava: 'Pelo amor de Deus, eu tenho dó, não quero fazer isso. Seja bom comigo, não faça uma coisa dessas, você não tem direito'. Trouxeram para a sala, a mulher e os três filhos do sujeito. O mais novo tinha quatro meses. 'Diz, nomes, aparelhos, planos'. Crato, quieto. Nem podia falar, não tinha língua. Tiraram a roupa da mulher dele. Comeram ela, ali. Seis caras marrudos. Enrabaram, gozaram na cara dela, bateram. 'Diz, vai dizer, agora vai'. Crato não disse, ligaram todos os fios possíveis, na orelha, nariz, dentro da boca, dedos, enfiaram no canal da uretra. Estavam encapetados, gritavam, como quem goza numa mulher. Pegaram o menino de quatro meses, deram um choque, o menino chorou. Deram outro, o menino morreu, pretinho. A mulher gritou, enlouqueceu naquela hora mesmo. 'Nós matamos sua família e você não diz nada. É mesmo filhodaputa'. 'Bateram nos outros filhos. Então, ligaram os fios. Eletrocutaram Crato. Nem que tivesse passado num fio de alta tensão. Quase desintegrou. Sumiram com a mulher, com os filhos, com tudo."

NÃO TREMA ASSIM, JOSÉ.
? QUANTO VOCÊ VAI SUPORTAR.
PORQUE AGORA NÃO SE BRINCA MAIS.

O DIÁLOGO É PARTE DA COMUNICAÇÃO

? Mas me diga uma coisa, Gê. ? Você quer o poder.

. Não, José, eu não quero o poder. Já disse isso cem vezes...

? Então, por que tudo isso.

. Olhe aqui, José. Talvez o que eu faça seja uma fórmula de poder. Não sei. Eu existo e eles sabem que fiscalizo eles. Cada apertão que eles dão no torniquete, eu faço explodir uma bomba, mato alguém importante, pratico um assalto.

? E daí.

. Daí, eles pensam duas vezes, antes de fazer o arrocho.

. Mas estão fazendo.

. Mas estão com um pouco de medo.

. Mas fazem, porra. Então, não adianta nada.

. Adianta. Eles andam intranquilos, não estão sossegados. Com o terror, posso exigir coisas.

. Eles vão te pegar.

. Enquanto não pegam, sento a pua. Vamos começar agora a grande escalada.

? Que grande escalada.

CONFIDENCIAL

Presidente:

Que se faça como ordenei. Sequestremos nós os diplomatas. Depois, resistimos ao pedido de troca. Mais tarde, libertamos os diplomatas. Isso enfraquece a imagem dos Comuns, eles perdem pontos. Se for o diplomata de um país pequeno, que não crie problemas, podemos até matá-lo, para mostrar a firmeza das nossas decisões.

Ministros:

? E se a OEA intervier.

Presidente:

Ela não tem forças, não pode fazer nada, ela não existe, eu nem sei o que quer dizer OEA, nem me interessa, aqui não entra ninguém.

Chefe da POPO:

Portanto, esse é o plano. O senhor me garante.

Presidente:

Garanto.

(Garanto nada)

Chefe da POPO:

Então, faça-os em mim segundo a vossa palavra.

> **PENSAMENTO DO DIA**
> *Eu queria ter certeza, que alguém me desse certeza que Gê está certo, o caminho é esse. Deve ser um estágio para se chegar a uma coisa maior: Se tudo explodisse, iria começar de novo.*

ADEUS, ADEUS

Haroldo Limeira partiu para a França, onde deve continuar os trabalhos em torno de radares com visão lateral. O embarque do cientista teve um lado cômico, porque seus amigos tiveram que protegê-lo do seu senhorio que foi cobrar um ano de aluguel, ali no aeroporto / mesmo.

VOLTA

Depois de uma semana, Gê voltou ao acampamento.

ROSA VOLTA À TERRA: ERA A TERRA

Trouxeram a morena cevada, gordinha. Tiraram sua roupa. A velha experimentou, a carne era dura. Veio o Segundo Assistente, o menor, e raspou os pelos da menina, amarrando-a com a corda que tinha permanecido 47 dias no fundo de um poço centenário.

O disco recomeçou, misturado ao som do vento, de animais, de gritos, e coachar de sapos, buzinas de automóveis, apitos de fábricas, sinos, campainhas, bate-estacas, motoniveladoras, britadeiras. O som foi aumentando, aquela gente se lançou no chão, rolando, batendo uns nos outros, se agredindo, se beijando, alguns se encolhendo, tomando a forma de fetos no útero.

Os assistentes trouxeram espelhos grandes, velhos, a prata gasta. Cobriram toda a volta da sala e a sala se ampliou, se multiplicou, a multidão cresceu. A velha manejava as cordas, dizendo palavras: e as cordas levavam Rosa para cima de outra mesa, aquela onde a menina magra se debatia, a boca espumando, o corpo furado, coberta de sangue.

PAM, PAM, PAM, PAM

PAM

crooooooo, crooo, riiiimmmm

Os barulhos do Metrô aumentavam e diminuíam — serras, bate-
-estacas, tratores, betoneiras, caminhões.

Quando a morena estava em cima da outra, a velha manejou as cordas e Rosa desceu até ficar a três palmos do corpo da menina magra. No teto, os assistentes trabalharam rapidamente arrancando uma parte do telhado. O céu leitoso apareceu. A casa estava no alto de um barranco, inclinada. Através da abertura do teto se via a cidade, os luminosos, o relógio gigante, um anúncio gigante da Coca-
-cola despejando refresco, interminável.

grum, grum, grum, grum, grum, grum

deing, deing, deing, deing, deing

xi, xi, xi, xi, xi, xi, xi, xi, xi

A velha soltou as cordas, Rosa desceu até seu corpo encostar no outro, o da moça magra. O disco girava, fora da rotação, os batuques se estendiam, compridos.

oh, oh, oh, oh, oh, oh

ium, ium, ium, ium, ium

. Desencabula, capeta.

ouuuuiuuuuuiuiuiuiiu

P A M

PAM, PAM, PAM, P A M, P A M

IGNÁCIO DE LOYOLA BRANDÃO   273

A velha deixou o charuto, foi a um armário, retirou a caixa de madeira: de dentro da caixa, retirou a outra; e três ainda; até ficar com um estojinho pequeno, de prata. No estojinho havia duas pedras iguais, um casal. Ela voltou para o lado da morena. Giraram as roldanas, Rosa subiu e desceu e deu voltas, tocou na menina magra e subiu. Os assistentes, Maior e Menor, trouxeram os punhais. Paulo Watu foi o escolhido pelo dedo de Igê-Sha. E ele enterrou no pé de Rosa, girou a roldana, enterrou num dos olhos, girou a roldana, enterrou no outro, girou, no umbigo, nas coxas, girou, na testa, cavoucou, nos seios, na barriga, nas nádegas, nas partes, nos joelhos, na canela, nos dedos dos pés, pelo corpo inteiro, fazendo buracos, de onde o sangue corria, caindo sobre a menina magra e o sangue se misturava ao sangue e penetrava pelos buracos do corpo da outra até que Rosa era posta de carne, pendurada de cordas

A velha verificou os olhos mortos, o coração morto, os pulmões mortos.

. Pronto.

Os assistentes tiraram a morena das cordas, colocaram em cima da mesa cirúrgica. A velha cortou um pedaço de coxa, um pedaço pequeno e começou a mastigar. Os que assistiam se aproximaram, o olhar ambicioso, demorado, parado em cima da carne sangrenta que a velha sem gengivas chupava. Os assistentes cortaram pedacinhos dos braços, dos seios, da barriga. Passaram a todos, que comeram vagarosamente, colocando no meio de Adum.

Os assistentes recortaram Rosa inteirinha e agora ela cabia dentro de dois baldes de plástico. Desossada como um frango. A velha pegou um balde, levantou. Era muito forte ainda, tão forte como tinham sido seus avós, escravos de eito. Os auxiliares pegaram o outro balde. Saíram todos. Caminharam pelas ruelas. As obras do Metrô paradas, eram três da manhã.

Caminhavam, desordenados. O coração da menina nas mãos da velha que gemia baixinho. Perto de um trator amarelo, a velha parou. Um dos auxiliares abriu a tampa do tanque de óleo e ela jogou lá dentro o coracão de Rosa. Depois foi mostrando a terra revolvida e os assistentes, com uma pazinha, cavavam, cavavam e deixavam no fundo da terra os pedacinhos de Rosa. Demoraram uma hora enterrando. E jogando nos buracos onde o Metrô estava sendo construído. Voltaram pela madrugada.

Ao voltar, serviram Adum para todos. Os assistentes não tocaram, por causa do tempero de cebola e camarão. A velha Igê-Sha comeu dois.

TRATAMENTO CONDIGNO, COMO TODO CIDADÃO MERECE

Conversa entre carcereiro e interrogador:

"num tem problema véio, qui nois cunhece bem cumu fazê a coisa, sem dexá marcá."

"é, mais tem qui tê cuidado."

"qui cuidado, qui nada, quem manda é nois, o guverno é di nosso lado, os otros qui si fodam."

A técnica número 1 foi cumprida pelos torturadores, ao encerrarem Átila numa cela escura. As paredes laterais, o forro e o chão pretos e não entrava luz nenhuma.

Motivo: o preto fica gravado na retina e leva a total prostração moral e destrói toda a resistência da pessoa que ficar encerrada ali mais de uma semana.

. Conta, agora.

? Conta o quê.

. Tudo, tudo.

. Os planos, onde estão os aparelhos, as armas, quem são seus companheiros.

? Que planos, que armas, que aparelhos.

. Porra, meninão, até agora não apanhou. Daqui para a frente a coisa vai mudar.

. Não sei nada.

? Quem era teu chefe.

? Chefe, que chefe.

. Tinha um chefe que te dava ordens.

. Num sei, eu estava sempre com José.

? José.

Consultaram os cartazes.

? É este.

A foto, quase igual.

. É.

. Vai falando, vai.

? Falando o quê.

Ficaram uma hora porque Ternurinha era paciente. Daí vinha o apelido. Tratava bem quando interrogava, tentava fazer o preso entrar em contradição, falava bonito, fazia jogos de palavras. Ternurinha era intransigente numa coisa: dava prazo para que o detido começasse a falar. Dali para frente, aplicava os Métodos.

Átila nada disse. Não sabia nada, além de ter acompanhado José nos assaltos. Tinha acompanhado, por acompanhar. Estava sem emprego, precisava viver. Ternurinha morria, de rir. Quando o prazo se esgotou, Átila foi conduzido à cela, outra vez. Passou por uma sala, onde música altíssima estava sendo tocada. Nas celas ouviu gemidos. No meio da noite, entrou o carcereiro trazendo um sujeito. Estudante, 21 anos, suspeito de ter participado de um sequestro. No dia seguinte, Átila tentou conversar com o garoto. Ele não falava. Átila insistiu, mas o outro parecia apavorado, tinha os olhos arregalados. No fim da tarde, Átila desistiu. foi para seu canto. Aí o sujeito abriu a boca e mostrou. Tinha comido a língua. Chorou a noite inteira e pela manhã tentou se suicidar com o lençol. Átila não deixou. O carcereiro voltou, levou o estudante.

Diante de Ternurinha. Átila nu, de pé sobre duas latas de cera com os fundos para cima. Mandaram que ele abrisse os braços, colocaram um catálogo telefônico em cada mão. Fazia uns minutos e Átila achou que podia suportar bem.

Oito minutos, Átila abaixou as mãos, os catálogos caíram. Então, Ternurinha ligou dois fios nos dedos dos pés / no dedo maior e no menor, para que a corrente não fosse ao coração / e girou a manivela de um magneto telefônico, Átila urrou. Ternurinha mandou que ele abrisse os braços, colocou os catálogos de novo.

. Cada vez que abaixar o braço, leva um choque. Você morre aí, mas vai contar.

. Morrer, é isso. Que gostoso morrer, pensou Átila no fim da primeira hora / primeira hora, dia, semana, mês, ano, século, putaqueopariu /.

. Vai pra cela, de novo. Não sei por que, ando bonzinho.

Na sala, a música continuava altíssima. A cela, estava vazia. No corredor havia silêncio, até que os carcereiros começaram a trazer os presos e os gemidos, choros, gritos, ecoavam nas pedras (? Onde será que estou).

Conversa entre dois tiras:

"Num tenho certeza, mas pelo que ouvi dizer, o Esquadrão teve esse Zé nas mãos e sumiu com ele. Vai ver mandaram pro Sem Fim."

"Si o chefe da POSU souber disso, manda fuzilar o esquadrão."

"Eles anda de bronca co esquadrão, verdade."

"É qui tudo mundo qué pegá os preso importanti. Dá promoção."

Três companheiros de cela para Átila. Um morreu no meio do dia. Tinha o olho esquerdo arrancado. Átila tinha um dente mole na boca. A mão de Ternurinha era pesada. Carcereiros passaram para

276 ZERO

cá e para lá no corredor. Vigiam, com uma Winchester nas mãos. A cela tem uma janela no alto, mas Átila nunca conseguiu chegar lá em cima. A janela traz uma claridade amarelada. Um fio de água corre sem parar da janela para baixo.

(? Onde está José, a turma.)

Somente de noite vieram buscar o sujeito que morreu. Átila não reagia, não se importava (Coisa estranha acontece comigo). Limpava a privada, comia a água suja com feijão e pão trazido na lata de Toddy e esperava a hora de enfrentar Ternurinha. Morria de medo na hora em que entrava na sala e via o que estava preparado para ele.

(Por que não me matam de uma vez. Se eu soubesse o que querem, contava. Num tem quem num conte. Mas não sei de nada, só saía com o Zé, não tinha outro jeito de viver.)

Penduraram Átila no pau de arara. Envolveram seus pulsos com panos e amarraram as mãos bem juntas uma da outra. Fizeram com que Átila se sentasse e passasse os braços em volta dos joelhos e os pulsos amarrados. Apoiaram o cabo em duas cadeiras. Deixaram uns minutos, tiraram. Ninguém dizia nada. Átila sentia-se sufocar no fim dos primeiros minutos. Faltava ar, o sangue descia para a cabeça.

Puseram e tiraram umas trinta vezes, até que Átila desmaiou. Acordou na cela, no dia seguinte, ainda amarrado. A cela só tinha ele. Lá em cima, a luz amarelada da janela (? Que tempo será que faz lá fora.) Perguntou ao carcereiro. Ele respondeu: tempo quente. Já fuzilaram todos os seus companheiros. Pegaram todos. Fuzilaram hoje de madrugada. Pena que você estivesse dormindo, podia ter assistido. Eles se cagavam, pediam perdão, se mijavam. São todos uns cagões, como você. Na hora do aperto, são uns covardes.

Átila chorou.

Conversa do Presidente com o Chefe da Segurança Nacional:

"Veja, a nossa imagem não é nada boa no exterior. Dizem que somos ditadores, que o regime é de terror. Olhe só a lista de torturas e torturados."

"Presidente, os inimigos do regime são muitos. Essas listas são mentirosas, caluniosas. Ninguém está sendo torturado. Ninguém morreu."

"Esse jornal francês fala que estão abrindo barrigas de mulheres grávidas."

"Mentiras, mentiras em cima de mentiras. Por isso é preciso haver censura, arrocho, vigilância, fiscalização. Para que não aconteçam imagens deturpadas."

"Então, meu caro, aperta a coisa."

O presidente pensa / mas não diz /: Temos mesmo de torturar, massacrar, matar, desaparecer com os nossos inimigos.

O Chefe da Segurança pensa / mas não diz /: Esse presidente é bobo, quem manda no país sou eu, quem não gostar de mim tome cuidado.

Chamado o Ministro da Justiça pelo presidente:

"Faça um comunicado à imprensa desmentindo torturas e assassinatos políticos. Diga que foi aberto um inquérito."

Aiiiiiiiiiiiiiiiiiiiiiiiiiiiiiiiiiiiiiiiiiiiiiiiiiiiiiiiiiiiiiiiiiiiiiiiiiiiiiiiiiiiiiiiiiiiiiiiiiiiiiiiiiiiii

CHURRASQUINHO: técnica de tortura que é ligeira variação em torno do pau-de-arara. O preso é colocado normalmente no pau de arara. Só que embaixo dele queimam folhas de jornal.

Átila voltou à cela com queimaduras de primeiro grau nas costas.

Passaram pelo corredor onze estudantes presos em batidas. Todos os dias novos presos. Todos os dias saem pelos corredores dois, três cadáveres velhos / sonhei que tu estavas tão linda / e cantores novos e cantores ruins e depois sons de tambores e água pingando, pingando, plim, plim, plim, plim, plim, plim, plim, plim.

. Você vai ser solto amanhã.

E amanhã, não era. E cortaram com navalha todo o seu cabelo, fazendo lanhos enormes na cabeça e deixaram o sangue escorrer. Depois, Ternurinha levou uma lata de querosene, cheia de bosta e mijo e dois homens agarraram Átila, colocaram sua cabeça dentro da lata e seguraram.

E puseram e tiraram e puseram e tiraram.

Puseram, tiraram, puseram. Põe, tira, põe, tira, põetira, pontira, pontira, pontira, respira, pontira, ponti, ponti, ponti, ponti, ponti, ti, ti, ti, ti, tich, tich, tich, txitxitxitxitxi, txi xxixixixxxxxxi

Os pulmões cheios de bosta.

Mas Ternurinha acha que não é tempo de Átila morrer. Ele pode saber tudo e ter sido treinado para resistir. Ternurinha aprendeu na Escola de Polícia que há treinos de guerrilhas rurais e urbanas. Átila é duro, não conta mesmo. Se não conta, vai morrer, é a determinação oficial 768 dos capítulos de Repressão dos Códigos e Ordenações.

Então, o cheiro ficou dentro de Átila, no seu nariz, na boca, no estômago e ele vomitou e quando não tinha mais o que vomitar, se lançou contra Ternurinha, se tivesse sorte, poderia matar o homem.

Dois Milicianos entraram e com golpes de karatê derrubaram Átila. Desmaiado, ele foi levado para a cela.

? Até quando pode um homem resistir. Até quando ele queira, foi o que pensou Átila ao ver como enfrentava a dor tremenda. Porque não queria morrer. Mesmo quando não se tem mais forças se tem ainda vontade. Mas ele não queria mais apanhar, não queria sofrer Manicuragem / espinhos debaixo das unhas /, nem espanta cavalo / tiros de revólver dados bem junto à orelha, arrebentando os tímpanos, como os dois que tinham passado na cela ontem.

Conversa de redação:

"Dizem que o número de presos políticos chega ao 15 mil".

"Ouvi falar em 18."

"Me disseram dez."

"Dois mil foram mortos."

"Um líder sindical que conseguiu fugir contou que só na POFE mataram mais de 500. Faça as contas do resto do país."

"Deve ter uns três mil mortos."

Observação: onde tem fumaça, tem fogo.

Ternurinha passou o telefone para Átila.

. Telefone pra você.

Átila apanhou maquinalmente. Podia ser um fone, um canhão, uma locomotiva, ele não distinguia mais. Ternurinha ajudou a colocar o fone junto ao ouvido. Átila só ouviu o sinal de ocupado. Deixou o fone ali, ficou esperando. Ternurinha encostou outro fone ao ouvido do lado de lá. Passou um esparadrapo em torno dos dois, amarrou bem forte em volta da cabeça de Átila. Os fones ficaram grudados aos ouvido, dando o sinal de ocupado, poum, poum, poum, poum, poum, poum, poum, poum, poum, poum, poum, poum, poum

poum,

poum,

poum,

vinte minutos: Átila desmaiou.

? Vai contar.

? Vai ou não vai.

. Então, conta tudo.

. E para de repetir o que eu digo.

Ternurinha foi almoçar. Saiu louco para enfrentar o filé com fritas e farofa de ovos. Quando havia alguém para torturar pela manhã, Ternurinha ficava contente, porque despertava o seu apetite. Mesmo quando não tinha o que fazer antes do almoço, dava uma passada pela delegacia, para dar uma olhada. Fazia muito tempo que o serviço era brutal, necessitavam horas extras, trabalho sem horário. Antigamente era tudo calmo, tranquilo. Ternurinha só tinha de tratar com ladrões, puxadores de carros, passadores de fumo, um e outro assassino. Gente que dava logo o serviço com um Espicha-dedão ou um Racha-peito. Agora, a maioria desse pessoal se mancava, não abria a boca, viviam jogando bombas / Ternurinha tinha medo de levar um tiro, essa gente era inteligente, o governo precisava dar em cima desses tais Comuns, antes que eles acabassem com o governo, com a raça de todo mundo /, assaltando bancos, roubando armas de quartéis (? O que eles querem, porra.).

Operação rescaldo:

Os que podiam andar, andavam; os que não podiam, rastejavam; os que estavam totalmente destruídos, eram arrastados. Pela pista afora até o avião barrigudo, pronto para partir. Átila, rastejava.[1]

A NOCHE, A NOCHE SOÑE CONTIGO
QUE COSA MARAVILHOSA,
AL COSITA LINDA

Gê e José:

. E vamos sequestrando diplomatas e exigindo coisas em troca.

? E quando eles não aceitarem mais as condições.

. Matamos diplomatas, criando casos internacionais.

? Mas eles podem perceber as manobras, ver que isso é tática, e não criarem casos.

. Então, o problema fica sendo de quem aceita ser embaixador, cônsul. Se eles querem outro jogo, jogamos. Por exemplo, o assassinato de diplomatas. Não vai ser muita gente a arriscar o pescoço.

. Vai dar repressão, violenta.

. Há muito tempo eles andam violentos, é bom terem o troco.

. Vai ser uma guerra.

. Já é uma guerra.

. Você tem cem homens contra canhões, metralhadoras, tanques, bombas, dinheiro internacional, exércitos treinados, alimento, apoio de toda parte.

---

1   A reconstituição do que se passou com Átila não pode ser perfeita, porque os depoimentos em torno dos fatos eram confusos, contraditórios, alguns fantasistas. Eliminamos toda fantasia possível, dando uma crueza de narrativas proposital. Cortamos também exageros que pudessem tornar o fato inverídico.

. Nós sabemos quem eles são, eles não sabem quem somos. Sabotamos, jogamos bombas. Tudo no escuro, essa é a nossa vantagem.

? Aonde vai chegar isso.

(Aonde vai, aonde vai. Não sei se é o caminho, talvez eu morra na indecisão, sem saber. E mais do que nunca é preciso ter a cabeça no lugar, conhecer, saber, agir.)

MEMÓRIA AFETIVA

Era um fosso igual com laje de cimento caixa-d'água da vila e José tinha dado a pancada na cabeça do homem e quando abriu a laje veio o cheiro de corpos em decomposição e José não sabia se ele tinha jogado outros e o homem era da polícia um torturador se bem que para José não fizesse diferença tinha sido um pedido dos Comuns e ele atendera porque era preciso atender aquela gente e o fosso era o poço e havia água refletindo o rosto dele e o de Rosa e o rosto dele contemplava ele mesmo como se José entrasse ao mesmo tempo que saía e José pensou se devia jogar Rosa dentro por causa do menino que estava no fundo.

ENGANANDO O MUNDO[1]

O Presidente chamou o Supremo Comandante das Forças Armadas Repressivas:

— Limpe as prisões. Esconda ou mate os presos. Arranje subversivos dispostos a colaborar, assinando declarações a nosso favor. encha os hospitais com gente nossa e diga que são feridos pelos terroristas.

Meses depois a ONU recebeu o seguinte comunicado:

NOSSAS PRISÕES ESTÃO ABERTAS A QUALQUER COMISSÃO INTERNACIONAL PARA QUE SE VERIFIQUE A FALSIDADE DAS NOTÍCIAS QUE DIFAMAM ESTA NAÇÃO NO ESTRANGEIRO. SOMOS UM POVO BOM, PACÍFICO, AVESSO À VIOLÊNCIA E DEMOCRÁTICO.

---

1   Alcides, meu amigo, diz: Só se engana o mundo quando o mundo quer ser enganado.

GÊ PARA JOSÉ:

. Nesta época a gente tem é que ser de aço.[1]

SAGRADAS DETERMINAÇÕES

"A partir de hoje, todo veículo deverá levar uma bandeira e um dístico de plástico com dizeres de elogios ao governo ou ao país. Cada carro sem slogan será apreendido e o dono detido por seis meses."[2]

/ folheto clandestino: cuidado na distribuição, certifique-se: o outro deve ser de confiança. Atenção aos dedoduros /

DEPOIMENTO

/ tomado a lápis, apressadamente /
"Puseram um fio em minha língua e minha boca explodiu e se encheu de uma coisa de gosto muito ruim e essa coisa queria descer pela minha garganta e me sufocar e era um fogo só e cinza e merda e sangue e terra e dentes partidos tudo de uma vez. Você vai conhecer o inferno, me disse o tenente, sargento, capitão, não sei o quê. E não pense que sai vivo, porque nós vamos te arrebentar, não vai ficar um osso inteiro, pode se preparar. Era de noite, me deixaram numa cela fria, de tijolos, cheia de baratas e formigas, não sei de onde vinham aquelas formigas. Dormi no chão, quer dizer, não dormi, porque fiquei pensando no que ia me acontecer no dia seguinte. O cheiro da cela, úmida, sem luz, era de mofomerdavelhaporrasangue-medo. Não sei que horas eram, vieram me buscar, andei por corredores iluminados com fluorescentes, sem ter ideia se era dia ou noite. E me puseram na sala de mesa, cadeira e o pau de arara ali na frente e seis caras muito tranquilos me deram socos no estômago e telefones no ouvido, fiquei sem escutar nada, só via eles movendo os lábios, movendo e nada e então apanhava mais. Pararam de repente, fiquei sozinho, sentei, andei, dormi, estava só, não sabia quantas horas ou dias tinham se passado. Até que eles voltaram, me

---

1   Esta é uma frase de *Revolta*, velho filme de Errol Flynn que mostra a luta dos noruegueses contra a ditadura nazista.
2   Um coronel fabricava as bandeiras e dísticos: ficou milionário.

colocaram no pau de arara, puseram fios nos meus pés, nas mãos, me deram choques de pilha seca. O homenzinho girava com fúria a manivela do magneto, fala, fala, fala, conta, comunista filhodaputa, conta dos aparelhos, me dá os endereços, e os endereços dos padres, aqueles padres de merda, bichas, sabia que os padrecos não gostam de mulheres ?. Os fios no meu saco, nas plantas dos pés, fale, conta merdinhadebosta, e eu, frgsthfhtrygrufjutih jur itid narerad mertardstr frsgrtuiokjlo. E agora você vai saber por que me chamam de João Bonzinho disse o coronel enquanto enfiava um fio no canal de minha uretra e ligava o fio direto na tomada e eu sumia no mundo, com tanta dor que nem sentia dor, parece que meu pau tinha sido arrancado e eu não sentia mais ele, pensei que nunca mais ia meter, nem que tivesse mil babacas na minha frente. E o João Bonzinho enfiou um bastão no meu rabo e ligou o fio no magneto e girou a manivela e me caguei todo, a bosta escorreu pelas minhas pernas, eles morreram de rir e disseram que eu devia comer a bosta no chão porque tinha sujado a sala toda e o general comandante não gostava de sala suja. Eu estava cagando pra ter cagado, a dor dos choques, os músculos todos tremendo é que me enchia, ukjitgfyjgtyaaoirsgrt groitsgruio gruoatr areasresreaa defers dgrefregstrfncgui cracrecrecreicrocru, lambe o chão merda de comunista, bandido do caralho, lambe com a língua, limpe a bosta pro general não ver e até que bosta não é tão ruim assim, porque não tinha gosto, nem cheiro, parecia sopinha de criança e um sargento sugeriu que me dessem mijo como bebida pra acompanhar o almoço. Guardei bem a cara desse sargentinho, porque tinha o nariz torto e uma puta cicatriz no queixo. Eu comia aquela comida que estava no chão e que já tinha passado dentro de mim e prenderam uns ganchos dentados nas minhas orelhas e apertavam apertaram até que a orelha direita foi cortada e eles jogaram a orelha no meio da bosta e do mijo e mandaram eu comer feijoada e o mundo sumiu de novo e quando o mundo veio, havia ratos e baratas em cima de mim, os ratos lambiam, ou comiam a ferida da minha orelha e fiquei brigando com eles e o corpo inteiro doía, e as baratas assustadas voavam e havia besouros come-bosta andando e as formigas (? porra, de onde vêm estas formigas que ficam me picando), e a luz do teto acesa, sono, dormindo, acorda, hei, acorda aí que o interrogatório vai recomeçar, latas de água fria em cima, não, não vai haver interrogatório, vão é te fuzilar quando o dia amanhecer, olhando a janelinha, olhando, esperando o dia amanhecer (seu filhodaputa não amanhece, não). E o dia amanhecendo e eu dormingo, dormindo, esquecendo-esquecido, até que eles batiam firme nas minhas costas, batiam de chicote, montavam a cavalo e teve um que quis comer minha bunda, porra, bunda de macho não, então vai um fio elétrico, vai a peninha, e punham a peninha no meu rabo e movimentavam / peninha / bastão com agulhas na ponta / e me arrebentaram todo, que o médico do acampamento está tentando consertar até hoje, fala, confessa, os aparelhos, nomes, quem foi na casa de quem, listas telefones, reuniões, dê todo o serviço, creeeeeee, regstruij, grfareeueieol mjhuyirofget gfuietruio, frreererrerere, aaiiiiiiii, caralho, não fala palavrão. Beije a bandeira, ajoelhe-se e reza, confesse ao padre, você vai ser fuzilado, grite, traí a minha pátria, estou arrependido, vamos matar seu pai, todos os seus parentes, olhe o fuzil, apontar, fogooooo, dormi, acordei, dormi, acordei, pau de arara, desmaiei, choque, solitária, a luz que não me deixa dormir, rasguei a camisa, fiz uma venda para os olhos, dorme dez minutos, acorda, dorme-acorda-dorme. Você é um filhodaputadocaralho mas não podemos fazer nada, vai tomar banho, roupa limpa, cara boa, coma bastante, seu nome na lista, você deve ser importante e não deu o serviço, se ficasse mais, ia dar, ah, se ia, não fosse esse puto desse cônsul, de merda que eu deixava que matassem, você ficaria na cadeia, ia apodrecer, não ia sair osso inteiro, ia sair pó, farinha de terrorista, comuna de merda. Sua mãe."

CUIDADO, CRIANÇAS

O menino olhava e o homem disse, outra vez: "Vai-se embora, vai." O menino, não foi. E o homem, empurrou o menino. O menino gritou. O homem, deu-lhe uns tapas e o menino correu. Para contar à mãe dele. E dona Osvaldina: "Agora, chega, passaram das contas. Esse pessoal da chácara me amola há anos. Bateram no menino, essa não!" Dona Osvaldina foi com o filho e o marido ajustar contas. Quando chegaram perto da cerca, viram aquela gente que pintava os caminhões. E os homens armados. E dona Osvaldina e o marido correram. Correram ao cabo Omar, contaram, e o cabo foi com eles. Viu. E o cabo ligou para o Destacamento, e veio um capitão, veio um caminhão, e soldados. Deram voz de prisão e viram os homens reagirem. Os soldados dispararam suas armas.

O SOM E A FÚRIA

Pare / Olhe / Escute: do seu imposto de renda, desconte 30 por cento / em letras imobiliárias / Atenção: é proibido ser pobre / Esta é a época do dinheiro se reproduzindo, produzindo / Pobre / cobre/ sobre / dobre / Veja: o BIB não deixa você se perder no mercado financeiro: ele conhece bem esse mercado / E se quiser / Tem a Integral, Crédito, Financiamento e Investimento / Com suas novas Letras de Câmbio com Renda Mensal / Aplique nelas / É mais fácil / É mais fácil / Um Camelo passar / Repassar / Sair / Pelo fundo / fundo de Financiamento / Fundo de Uma Agulha / Do que um Rico / Rico/Fico/Pico/Mico/ Entrar no Reino dos Céus / Junta-te Aos Milionários e Serás um Deles: você tem algum guardado, mas não sabe onde, como nem quando investir: o Fundo dos Vales reúne esse dinheiro e / opera com ele em pé / fé de igualdade com os milionários / Milhões / rios / Ah, eu quero entrar no reino dos / céus / Céus / então você Investe no Banco Ahah / Às Margens plácidas do grupo Financeiro: Letras de Câmbio ao portador, com renda mensal / Ao som Aquele Abraço / A você: ao sr. João da Silva Gomes e ao Sr. Anônimo: ambos aplicam / aplica / aplica / pica / pli / pli / pli / plim / plim/ plim / Aplicam em Letras Imobiliárias / 3 vezes garantidas / Bolsas / Bolsa de Valores: o governo paga para você comprar ações: aproveite / Investir para Progredir / E vê se aprende / Aprende que / Dinheiro que / não cresce / só pode encolher / Ein / En / Entre num / clube de / clube de ganhar dinheiro Escritório Pires Germano: aumenta suas economias / Dinheiro no colchão / ? Para quê / Dinheiro em ações / Ação / Um homem de ação / Deve saber que / A partir de amanhã você pode ter 18 milhões de pessoas (capacidade de trabalho do país) trabalhando para você: Fundo Biafra: Tradição secular de segurança: fundo de Investimento e Participação / Suba na Vida / subindo a Sobreloja da Av. XV, 67 com a Corretora ILLB/

NÃO ATRAVESSE UM CORTEJO FÚNEBRE — DÁ AZAR

Até que cessou o fogo. A chácara ficou em silêncio e os soldados entraram, prenderam. Feridos. Mortos. Encontraram José / drogado / numa dispensa. Com uma faca de cozinha na mão. Quando prenderam José, ele dizia: ela matou a criança. Matou.

? Por que Rosa, matou mesmo, ou (?) não.

E se arranhava.

A VIAGEM PARA O BERÇO ESPLÊNDIDO

As mãos às costas, algemas. O corpo doído de pancadas. O olhar parado. O medo. Três vezes Átila esteve frente ao pelotão de fuzilamento. Três vezes atiraram com festim.

Em fila, entram no avião. São duzentos. É uma viagem para o coração da América.

Eles vão amontoados. Átila não aguenta o cheiro do suor, corpos sujos, sangue pisado e cagaço.

UMA ESTÁTUA PARA EL MATADOR

Como foi um caso curioso / e pitoresco, não fosse a morte de um homem /, os jornais e as televisões e as rádios e as revistas e o cinema foram ver e fotografar e filmar e registrar e assim contaram:

Um homem não identificado deve ter bebido demais e resolveu passar a noite num terreno de Vila Branca, junto à nova avenida radial que vai passar por ali. Escolheu para se deitar justamente num monte de piche depositado no lugar, sem notar que o material ainda estava mole.

O piche cedeu e acabou por encobrir o desconhecido. Mas, por estar bêbado ou drogado / existem muitos maconheiros na Vila /, o homem não acordou. Ontem de manhã, pessoas que passavam pelo local viram uma coisa estranha: o homem quase sentado, com a perna direita repousada sobre o joelho esquerdo, cotovelo direito enterrado no piche. O seu braço dobrado indicava que ele, talvez ao sentir o sono, havia apoiado o queixo sobre a mão direita.

Bombeiros e polícia compareceram com talhadeiras e picaretas. Entraram em ação para abrir o piche que endurecera a ponto de transformar o desconhecido numa estátua. E não foi possível livrar o homem do bloco de material que se grudara ao seu corpo.

OS OVOS DO PÁSSARO PRATEADO (Lenda)

Deitado de bruços as mãos amarradas às costas. Dificuldade de respirar. Tenta virar o rosto. Sente o vento frio no corpo inteiro.

Bruuuuuuuuuuuuuuuuuuuuuuummmmmmmmmmmmmmmmmmm

O ruído, acima de sua cabeça, é igual. Monótono.

O vento esquenta um pouco. Há uma parede de vidro. Além dela nuvens apenas.

A parede desce, ele vê copas de árvores. Ficam parados no ar.

Xan, xan, xan, xan, xan, xan, xan, xan, xan, xan, xan, xan,

As grandes pás, acima do teto de vidro, movimentavam-se lentamente. Vira a cabeça para o lado. No chão, há pessoas deitadas. Soldados estão desamaiando um homem de barba, uniforme de prisão. O homem desce por uma escada, desaparece no ar.

O vento é frio outra vez.

Param de novo. Outro homem desce pela escadinha de corda.

Param de novo.

Vinte e uma vezes.

Sobrou José.

. Dá prele uma pílula contra a tristeza.

Uma caixinha amarela.

. Se vira, velhão. Coloniza aí. Presta um serviço. Ó só quanta terra o governo ti dá.

/ Pílulas descobertas por poloneses: afastam a tristeza, por diminuírem a crise nervosa, agindo em seguida como estimulante e evitando a sonolência e a preguiça. Cientistas: Lesbek Krowcsynski, Ryseard Grylewski e Zoffia Shiffer /.

José desce as escadas de corda.

As pás, xanxanxanxanxanxanxanxanxanxanxan. Rápidas.

José fica parado. Andar, ou ficar parado: é a mesma coisa. Ele olha e não vê nada. É como se estivesse em cima de uma folha de papel que cobrisse o mundo. Aqui nada se move. Às vezes, raras vezes nos últimos mil anos, alguma coisa se movimentou. Milímetos, décimos de milímetros. O pó se move imperceptivelmente, conduzido pelo calor, ou pelo frio intenso. Um pó fino, quase poeira, mais fino que talco refinado, em camadas. José anda e seus pés marcam fundo. Este pó está em cima de rochas. Quilômetros e mais quilômetros vazio. Nenhum som chega, vindo das maciças florestas do norte ou dos campos do sul ou dos pântanos do centro. É uma desolação, ligeiramente azulada. No centro desta desolação (José) o silêncio é completo.

SUBIU AOS CÉUS. AO TERCEIRO DIA, RESSURGIU DOS MORTOS

A massa amarela se deslocava, levada pelo vento norte. Vento seco, que ameaçava dissolver a gelatina. A massa rolou, milhares de quilômetros, cada vez mais fina, quase celofane, enquanto a terra era uma bola azul, como os astronautas viram. Uma bola envolta em nuvens brancas, glacê suave, bom de se comer ("O mundo ficou pequeno e em suas mãos virou veneno"). A massa baixou, baixou, se preparou para entrar na atmosfera onde penetraria de lado, para não explodir de encontro a ela. E mesmo entrando de lado, havia o perigo de fricção que poderia incendiar o plástico gelatinoso. Ela penetrou ternamente e desceu até cobrir o grande deserto amarelo. Cobriu tudo, transformando a areia, as pedras, os cactos num amarelo mais forte ainda. Milhares de quilômetros a massa caminhou, sem ver nada vivo. Aí, no meio da imensidão, surgiu uma árvore verde de copa e a massa se concentrou em cima dela. Debaixo da árvore havia um cachorro do mato que uivava.

O CHEIRO

Átila concebeu a morte. Enterrado, era a permanência. Conservava os sentidos: tato, olfato, visão, audição, paladar. Morte, impossança diante dos bichinhos que corriam pelo seu corpo e boca já cheios de terra. Era perceber-se comido. Morte, mesmo, era o cheiro, terrível, acerbo, atroz, excessivo, incômodo, invencível, inafastável. Um cheiro espantoso, torvo, que ia ao fundo dele e vinha dele. Parecia que ele tinha nascido naquele momento, dentro do cheiro. Átila apodrecia. Estava se decompondo e sentia o cheiro terrulento da própria decomposição. Picante, feroz, exorbitante. O cheiro cortava como tesoura em pano, bisturi em operação, roda de trem passando pelo corpo, serras circulares na madeira, castores roendo árvores, sua carne debastada por uma enxó, decepada, estraçalhada, retalhada, de tal modo insuportável que Átila queria gritar. Sua voz, não existia.

Morte, era aquilo, o próprio destino, sozinho, no escuro, sem socorro, amparo, dependência. Morte, é a insegurança, a individualidade. Ele queria voar, queria que a decomposição acabasse. E à medida que ela, a decomposição, era mais forte, ele, mais fraco. Quando o cheiro atingiu um limite inimaginável, pavoroso, violento, medonho, além de qualquer órbita admissível, tendo subido como um foguete com a força de 500 mil locomotivas, Átila tinha, um mínino de consciência. Muitos dias, semanas, meses tinham corrido. Com aquele cheiro podre e dissolvido, cada milésimo de segundo tinha se constituído de mil anos, cada segundo, minutos, hora, dia, mês era um tempo imensurável. Átila desapareceu e o cheiro (Átila) permaneceu.

FRAÇÕES DO DRAMA COTIDIANO

Comum preso, pancada PANcaDA. BordoADA. DadadadadaDa. Plaft, pleft, porra, bate na boca, tira todos os dentes, as unhas, queima, fura o olho, enfia um rato na boca, soda cáustica no olho, riscas de navalha e passa salmoura em cima, enfia arames no rabo, dá choques, abre o cu dele, rasga tudo, esmaga os dedos, o cacete, bate no estômago, dá litros de sal amargo, faz ele comer a bosta, corta a língua, choques na língua, dá uma picada na veia, dá uma injeção na cabeça

estraçalha, arrebenta em

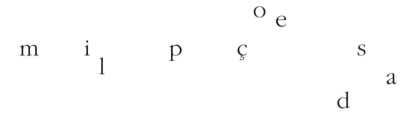

quebra perna, braço, cabeça, pescoço, dedos, ossos, nariz, orelha coração, olhas as tripas do corpo comunista filhodaputacornocagão-covardeterroristacachorrocanalha,
? Diz, meu filho, você quer comungar antes de morrer.
. Comunga.
. Pau nele, gente.
. Comunga, porra.
Segundo terrorista preso.
. Eu dou o serviço, não me batam, eu dou o serviço.
Deixaram o segundo terrorista na cela de paredes amarelas. Ele, caído em cima dos destroços do primeiro terrorista / DEMOLIÇÕES: vende-se entulho / : sangue, mijo, bosta, tripas, bucho, coração, ossos, pernas, braços, dedos, olhos, nariz, dentes, tudo esparramado.
Mostraram uma foto para o segundo terrorista.
? Conhece este.[1]
. Não.
? É do seu grupo.
. Não.

---
1   Era José.

? Mas é comum.[1]

. Não.

? Como não.

A gente já tinha comentado isso antes. Essa foto, esse cara. Ninguém conhecia ele.[2]

? Ninguém conhece onde.

. Na célula.

? Não.

. Não.

. Então, apanha, pra não mentir.[3]

GRRRRRRRRR

Naquela noite, o Herói correu. Ele e Malevil tomaram um vidro de bolinhas, para entrar em comunicação. E partiram. Roubaram um carro, um posto de gasolina, três passantes. Atiraram nos guardas, roubaram armas, atacaram sentinelas de um quartel, levaram as metralhadoras.

. Que o mundo sifo, gritava Malevil.

. Quero acabar com esta merda toda, gritava o Herói.

Silvana Mangano, de meias pretas em Arroz Amargo: mondadeiras, balcão do Paratodos

Porque queriam, não morriam. Atacavam e partiam, tranquilos. Encheram o carro com galões de gasolina.

. Era bom se a gente tivesse a gelatinosa. Aquela sim põe fogo em tudo.

. Gelatinosa, o exército deve ter. O jeito é atacar um quartel.

Os jornais aumentaram a circulação com os suplementos científicos.

. Topo.

. Vamos incendiar a cidade, prédio por prédio.

O maior incêndio do mundo, depois de Roma e São Francisco.

. Aaaaaaaaahaahahahahah, uiuiuiuiuuiuiuiu ooooooaaaaoooooaaa-aiiiieeiaaa.

. Vamos botá pra quebrá. Vamos atacar esse quartel aí.

QUARTEL A 500 METROS
DIMINUA A VELOCIDADE

---

1   As leis proíbem que se escreva comum com C maiúsculo.
2   Os componentes de uma célula não conhecem os de outra. Cada facção, grupo, setor, câmara, age isolado.
3   O segundo terrorista não estava mentindo.

. Mete o pé

QUARTEL A 200 METROS
DIMINUA A VELOCIDADE
. Manda, firme.

QUARTEL
PARE
SERÃO METR

praparaparaparaparaparaparaparaparaparaparaparaparaparapa

ALHADOS OS CARROS EM ALTA VELOCIDADE

(Determinação de Segurança do Exército nº 1874653426789 JI98a)
? Te pegô
. Sei lá, poooorrrraa
. Acho que me pegô
. Olha um polícia aí
Pla, pla, pla
. Tá vivo. Volta
O Herói com o revólver. O guarda cambaleando enfiava a mão
dentro do coldre. O Herói deu um tiro na testa, o polícia caiu, ele
descarregou a arma. Deu dois chutes, pegou o revólver do guarda,
tinha um sujeito olhando, mandou bala.
. Vamos encher a cara, comemorar
? Será que a polícia já procura a gente
. Vamos mudar de carro
Volks, DKW de praça.
. Merda de merda, até agora não fizemos nada. Que valesse a
pena.
Corcel, Kharman Ghia.
. Tá envenenado. Olha como puxa.
Malevil guiava mal, cambiava mal, não tinha golpe de vista.
. Não estou gostando de mim, esta noite.
. Nunca gostei, foda-se.
. O fogo, pô, a gente não pode se esquecer.
. Um puta incêndio, quero um puta incêndio.
Opala, com um casaco de peles dentro. Malevil tirou todos os
acessórios do carro. Jogou fora. Passaram num posto, compraram
gasolina, pararam numa pracinha, puseram fogo no carro, ficaram
olhando. Malevil tinha vestido o casaco de peles. Sirene da polícia.

Eles correram. Pularam um muro. Um quintal estreito, calçado. Galinhas fizeram barulho. O Herói tentou pular o muro de cacos. Cortou a mão.

. Filhodaputa, desgraçado.

As galinhas cacarejavam. Da janela veio uma carga de chumbo. Malevil se agachou viu o homem preparar outro tiro. O Herói sangrava. O tiro tinha acertado na cabeça, o chumbo estilhaçou os ossos, voou carne e pele, grudou à parede. O homem saiu da janela e Malevil pulou o muro. Rasgou as mãos. Correu. Fez sinal para um táxi. O efeito das bolinhas tinha passado. O porteiro da *Le Masque* arranjaria mais. Arranjou.

No banheiro tinha um vidro de álcool, ele passou no rosto. O conjunto Blue Devils tocava. Malevil jogou o álcool debaixo da mesa, riscou o fósforo. Todo mundo correu. Malevil foi para o palco, enquanto o fogo se espalhava. Ele pegou a guitarra elétrica e tentou tirar *Reach Out*, a música que ouvia Marille Rush cantar.

o helicóptero voa através dos campos e montanhas e lagos e matos cerrados e pântanos. homens de binóculo observam

os batalhões literários fecharam a rua. entraram no primeiro prédio. foram ao primeiro andar e entraram no primeiro apartamento do primeiro andar. bateram e entraram. olharam a sala. levaram uma folhinha com mulher de maiô. abriram as revistas: todas que tinham publicidade com mulher despida, semidespida, fotografias com seios, coxas, decotes, tudo apreendido, retiraram um quadro a óleo onde havia uma mulher com a saia acima dos joelhos. depois, foram aos livros. retiraram das estantes os já conhecidos por terem palavrões, cenas fortes, referências a sexo, doenças venéreas, a situações escabrosas, apanharam os que tinham títulos suspeitos. folhearam outros para ver se não estavam com as capas trocadas. multaram os donos do apartamento em doze salários mínimos, na segunda batida, seriam presos e o apartamento confiscado pelo governo. na terceira, prisão perpétua. passaram ao segundo apartamento do primeiro andar.

A PRESENÇA DO RÁDIO

Se ele estivesse aqui, encostado ao meu ouvido, seria como naquelas noites gostosas do Depósito, eu cheio de amigos e companheiros falando para mim, contando coisas e contando músicas, eu não sozinho. O helicóptero rondou ontem, muito alto, e quando começou a descer, xum, xum, xum, xum, xum, xumvrumvrum, vrum, xumxum, as pás batendo o vento, foi um ruído agradável.

CONCEITUAÇÃO DE GUERRILHEIRO

"Guerrilheiro estrangeiro, se cai em poder do Estado onde está atuando, fica sujeito a todo rigor das leis repressivas", conforme dispõe o *Ditame sobre a Conceituação Jurídica do Guerrilheiro Estrangeiro*, de autoria do embaixador colombiano Caicedo Castilla, que será submetido ainda este ano à aprovação dos delegados da Comissão Jurídica Interamericana.

SILÊNCIO

> ATENÇÃO,
> ESTAMOS GRAVANDO

— Meu senhor. O senhor era o pai de José Gonçalves, assassino, terrorista, assaltante. ? O que me diz sobre seu filho. (?)

A casa estava fechada. O repórter bateu de novo. O vizinho informou.

. Ele se mandou. Faz tempo. Foi para Aquarara.

? Quanto tempo

. Logo depois da revolta dos padres. Ele defendeu os padres. Contra o bispo. Teve que sair. Expulsaram ele.

? Expulsaram mesmo.

. Foram as mulheres, as devotas. Não só as beatas mas todo o católico daqui. Fizeram passeata, em frente a casa dele. Telefonavam. Mandavam cartas. Vinham fazer barulho, xingar, apedrejar a casa. Olha as janelas. Tudo quebrada, né. Foram elas. O homem do armazém não vendia mais. Se ele vendesse, as outras famílias não compravam mais lá. Nem o açougueiro, o leiteiro, o padeiro. A vida dele ficou difícil, teve que se mandar.

O repórter foi para Aquarara. Cidade morta, lojas vazias, caixeiros sonolentos, sol danado, ruas compridas com troncos de árvores serrados ao meio.

(ATENÇÃO, GRAVAÇÃO)

. Nada tenho a dizer. Meu filho, era meu filho. A vida dele, era dele. Fez o que quis.

? O senhor aprova, então.

. Nem aprovo, nem desaprovo. Nem acredito. Se ele queria fazer, fez.

? Estava certo roubar, matar, torturar.

? O senhor veio entrevistar ou julgar.

. Vim entrevistar, mas seu filho era assassino e eu quero saber o que o senhor pensa disso.

. Já disse.

? O senhor sabe que ele negou sua existência. Disse que o senhor tinha morrido.

? Sabia disso.

. Sabia. Ele me matou, há muito e muitos anos. Ele sim, sempre desaprovou a minha vida.[1] Era muito apegado à mãe. Teve um choque quando ela morreu. Do jeito que ela morreu.

? Como foi.

. Câncer, no intestino. Morreu defecando. Encheu a cama de excrementos. Até hoje tenho no nariz, aquele cheiro. Aquele quarto. José achou que eu era o culpado. Que eu não gostava dela. E, não gostava mesmo. Não se pode gostar de alguém que morre cagando. Ela cagou a vida inteira, em cima de mim. De José. Era autoritária. Moralista. Religiosa. Não sei se José admirava sua mãe, ou se odiava Ela era forte. Ele, queria ser forte. Forte por dentro, como a mãe. De repente, viu que por dentro a mãe era só bosta.

. Ouvindo o senhor, desumano, cruel, se pode entender por que seu filho saiu dando tiros no mundo.

. Depois, José começou a ter ataques estranhos. Espumava, caía na rua. Se machucava. Depois, não se lembrava de nada. José nunca quis matar ninguém, só quis se suicidar. Queria se matar, era sensível, religioso.

---

1   ? Verdade. Estranho isso de parte de José.

. Religioso.

. Acreditava em Deus, em bondade e maldade, em céu e inferno. Nunca disse uma palavra, mas eu sei que acreditava.[1] Lia muitos livros. Sabia a Imitação de Cristo, inteira, de cor. Verdade. Ele ia à igreja. Comungava. Fazia páscoa. Fazia penitência.

? Quando ele saiu de casa.

. Aos dezoito. Foi para a capital estudar advocacia. Depois, largou. Me escreveu dizendo que não tinha vocação. E não tinha vocação para trabalhar. Achava uma violência contra a pessoa humana. Dizia: não vou trabalhar para fazer esta porcaria de terra progredir. Achava que era melhor ser bêbado, vagabundo. Como eu.

. O senhor era.

. Ele achava. Mas eu trabalhava, muito. De verdade. Trabalhava e sacaneava. Isso José herdou de mim. Sabe que a gente herda coisa dos pais. Não sabe...

. Hereditariedade, coisa mais antiga.

. Acreditei. Passei pro meu filho, toda sacanagem. Ele tinha razão, numa coisa. Queria que este mundo se fodesse. Fez bem. Eu queria, a mesma coisa. Então, sacaneava na minha profissão. Enganava, deturpava casos, prejudicava processos, atrapalhava ricos e pobres, governantes e governados,

? O senhor é anarquista.

. Eu, não. Não sei. Sou um puto, com a vida. Meu filho, também. Olha, eu me orgulhei muito dele, um dia.

. Conta. Conta da infância dele, da juventude.

/ FIM DA FITA, O REPÓRTER, NÃO PERCEBEU, NÃO GRAVOU/

EUA, EUA, LAMA SABACTANI

CLAMO EN LA NOCHE EN LA CAMARA DE TORTURA: SALMO 129

más que cómo se cuentan en la prision las horas nocturnas
Mientras nosotros estamos presos están en fiesta (Cardenal)

Pela manhã, os 500 mil hippies e não hippies tinham ido embora. Sobravam na praia os restos dos cinco dias: garrafas vazias, latas, tampas, papéis, plásticos, copos, colchões, pedaços de guitarras,

---

1   O pai de José era dado a fantasias. Ou então, estava gozando o repórter. Ele gostava de enganar os outros, projetar imagens falsas de si mesmo e do filho.

cordas, preventivos, paus, sapatos, vestidos, meias, calcinhas, cuecas, cabelos, colares, anéis, dinheiro, restos de frutas, de comidas, discos, dentes, unhas, rolhas, canetas, óculos, cintos, brincos, cordões, soutiens, pocket-books, cassetetes, facas, punhais, palha, canos, modess, caixas, vibradores, trincos de portas, peças de carro, revistas, relógios, ponds, jornais, botões, filmes, o cheiro da maresia, vômitos, mijo e bosta, restos de bebidas fermentando ao sol e cigarros. E o sol da liberdade / em raios fúlgidos / brilhou / José com a boca cheia de areia úmida. Sem camisa, o peito queimado. Queria ficar ali / deitado eternamente / mas se ergueu, começou a andar. Sem querer, sem saber por quê. Andando / pela planície onde não há som, nem vento, nem movimento /. Bolsos vazios, nenhuma bola / e o deserto em volta /. Ziguezagueando na areia quente / o helicóptero em cima /. Caiu de boca / terra adorada / e a água foi e voltou em cima dele / muitas vezes / havia rios, cachoeiras, mosquitos, vegetação densa, bandeiras flutuando, clarins, cavalaria, tanques avançando /. Bebeu a água salgada / binóculos observando / e viu o Ford preto-branco parado. Dele saíram dois gigantes de azul / gigantes pela própria natureza /. Patrol. Caminharam em direção a José, Joe, Joseph / José caminhava e tinha percorrido o país inteiro, visto céus risonhos e límpidos, toda a terra garrida, mares e florestas, nenhum país como este/. Os gigantes azuis pegaram José /Police: Beach Patrol / como um saco de batatas / levando pelos ares no helicóptero, varonil, a águia gigantesca a levá-lo para seu ninho, na cabeça da América /. Os gigantes colocaram Joseph, Joe, no Ford e saíram de sirene aberta pela ruas de Miami e jogaram José numa cela limpa, clara, higienizada, esterilizada. Cela branca, brilhando, cheirando desinfetante, detergente, roupas limpas / a democracia / e José desmaiando, bolsos vazios nenhuma bola / havia uma /. Acordando e desmaiando: e tudo ficou claro com a cela branca sem pensamento brilhando esterilizado higienizado desinfetado.

Era, a conversão: entendo aquela noite no Depósito. Não desmaiou, nem fome. Revelação. O corpo entorpecido, o barulho infernal, mil carros dando trombadas em frente ao cabaré. A rua deserta e a luz verdeamarela do luminoso enchia o Depósito, transformando numa gelatina amareloesverdeada e eu ouvia o canto soturno e ritmado de mil vozes "Senhor, esta é a hora três vezes santa, pela venturosa presença de Jesus junto as nossas almas miseráveis. A ferida do seu peito, sempre aberta, lembra-lhe a terra e suavemente o obrigava a atender as súplicas e gemidos que sobem do desterro". Súplicas e gemidos que sobem dos subterrâneos das prisões, das salas de tortura, das covas frescas, do povo amedrontado e a ferida do peito de Gê, Artigas, Che, Simon Bolívar, Sucre, Tiradentes, Peredo, José Martí, venturosas presenças junto às nossas almas miseráveis, feridas abertas, procurando atender, nós, latíndio-americanos, saídos de dentro dos africanos. Senti, e isso me deu forças, que eu era um latíndio-americano, que não era nada diante do mundo, e que para nós estava destinado o estigma que perseguiu os judeus, milênios. O transplante da perseguição e segregação e opressão. Percebi que haveria nova raça humilhada, ofendida, cuspida, resto humano, dejeto, carne inexistente em cima de osso inexistente, explorada, usada. Acabava naquele momento verdeamarelado um ciclo, o judaico, para se iniciar outro, o latíndio-americano. Passavam para nós as dores e o desespero do mundo. Nós, pior: subdesenvolvidos, subnutridos, miseráveis, doentes. Talvez dentro de mil anos curtidos, sejamos como eles, uma coisa difícil de se destruir, e em mil anos sejamos substituídos por um novo ciclo. Enquanto isso, estendemos as mãos, latíndio-americanos, africanos, asiáticos. Não para chorar-gemer, mas compreender-organizar. Irmãos, sangue, pele-pele, negros, — não negros, brancos, — não brancos, quem tiver uma pedra no intestino.

Os gigantes azuis, diante do chefe / chief of police /.

— And what about that guy?

— In the cell.

— Does he have any papers? Identification?

— Nothing. Must have entered illegally. He looks like a foreigner.

— Cuban? Puertorican? Panamanian?

— Search me! They're all skinny, dark, black hair, sick guys.

— The Government should do something about those hidden organization which bring in refugees. An I mean the sooner the better.

— And what about that guy, what are we gonna do with him?

— Leave him there. He looks drugged.

aaaaaaaaammmmmmmmmmmareloooooooooooooooooooo baaaaaaarrrrrrrrraaaaaacccccccaaaaa brrrrrraaaaaaancado oooooooHoooooooooommmmmmmmmeeeeeemmmmm dezzzzzzzzz diiiiiiiiiiiiaaaaaaaaaaaasssssssss com
ELEEEEEEEEEEEEEE

       José eeeeeeeeesssssssquuuuuuueeeeeecerrrraaaaoooo-
oooH0000000000000000000000mem
tiiiiiinhaaaaaaaaaaa   morrrrriiiiiiiiiiiiiidoooooooocruficicado,
fuzilado, crucificado, esbooooordoaadooooooooooo
     charlatanismo (? verdade, o homem)
     naaaaaa praaaaaça puuuuuu bbbbbbblllllllliiiiiiiiiicccccaaaaa
entre doooois
terroristas
teeeeeeeeoooooobumbumbumbambambambambamiiitaaaaaa
e o Home grittttttttava
    o útil será chamado / e o grito ecoava na cela / e agooooooo-
oooooooora naaaaaa ceeeeela o hooooooooomem Hmm
    clamava

HÁ SINAIS PARA VOCÊ

    cela asssssssspticaaaaaaaaaaa, clara, limpa, branca
caaaaaaaaaaaa de frrrrrrrrrrro esmaltadooooooo o sinal

    josé procura: acha:
    : quatro cortes, quatro vidas, antes durante durante depois e atra-
vés do triângulo que se aproximava enquanto girava, ele viu: Rosa,
uniforme branco, na cozinha. Sem rosto.
    pedaços de Rosa.
    Zzzzzzzzzzzzzzzzzz: didu-berê.
    chaves, acordou, viu o sinal dos Comuns: há sinais para você.
    Abriram a cela:
    — Cam'in felllow (falavam como os caubóis nas fitas de matinê:
Paratodos).
    Levaram José para outra cela / josé /. Um corredor, uma porta,

outro corredor dando para dois corredores. O corredor da direita formando um quadrado e saindo num corredor.

Correndo em zigue-zague — um dentro de outro — celas dentro do corredor-branco e José caminhou

Grand-finale

até o ponto em que se acabaram as grandezas de sua terra em que nasceste-sem rios caudalosos-torrentes-montanhas altaneiras verdejantes-cachoeiras, nem planícies-chapadões-caatingas.

diante dele, o espaço: a América terminava na ilha, onde nascia a criança, deitada em berço de palha de arroz, papoula, peyote e erva miora / e ao lado, o boi e o burro olhavam, sem entender. E para a frente era o mundo de foguetes-satélites-computadores homens congelados esperando para reviver--civilizações submarinas-o oceano conquistado para a terra-ressuscitando-homens dentro de outros homens: transplantados-reconstituições de células e órgãos com plástico-a terra como alimento-a água combustível-homens com guelra-bichos falantes / o máximo em comunicação: macluhanluhan III / -nenhuma distância entre dois pontos e uma nova concepção de liberdade: terra de amor & verdes mares & florestas & lindos campos & abertos em flor & berço amigo & da bonanza & da esperança & o altar

? MAS A CABEÇA ONDE ESTÁ A CABEÇA DA AMÉRICA QUE EU NÃO VEJO

E José, Joe, Josepho, José viu (ouviu): o céu coberto.

Trancado.

Uma placa, incandescente. Fechado (irremediavelmente).

Por uma tampa.

A placa formou uma bola.

E o mundo, encerrado dentro.

A placa: milhões de projéteis: balas de canhão-revólver-fuzil-metralhadora-espingarda-foguete-bazuca. E ele ouviu o ruído (ensurdecedor) e o eco do ruído por dentro da bola de fogo: motores, aviões, carros blindados, caminhões, tanques, explosões, ordens de comando, ordem unida

/ apontar-fogo-fuzilamento /

gritos de dor, e alegria e gargalhadas e botas.

BURN, BABY BURN

E José, Joe, Josepho, José viu refletido no ferro incandescente (tela, vídeo, tv, vidro) a nova ordem, os grilhões, a nudez (finalmente, todas as palavras proibidas), a imobilidade (finalmente, todos os gestos interditados), os comuns fuzilados.

BURN, BABY BURN

Gê crucificado (mas Gê, eu me lembro, tinha fugido, escondido, criava galinhas numa granja, vendia ovos, estercos, pintos de um dia).

? Será que pegaram Gê (de novo), pegaram todos, vão continuar a pegar até que possa descobrir um modo de lutar e organizar.

E então, inverter.

E reinverter.

Quem está certo estará errado.

Quem está errado estará certo.

Quem depois — estiver errado hoje-certo-incerto e quem estiver certo-errado.

Depois certo ou errado.

E a placa mais quente, a bola de fogo.

A terra fechada dentro e a bola disparada.

&

ouve-se uma prece

desta gente audaz

que não teme as

 guerras

mas deseja a paz

Deus, salve a América

Biografia

Ignácio de Loyola Brandão nasceu em Araraquara em 1936. Jornalista e escritor, passou pelas redações de *Última Hora*, *Claudia*, *Realidade*, *Planeta*, *Lui*, *Ciência e Vida* e *Vogue*. Tem 45 livros publicados, entre romances, contos, crônicas e infantojuvenis. Entre seus romances mais conhecidos, estão *Não verás país nenhum* e *Zero*. Seus livros estão traduzidos para o inglês, alemão, italiano, espanhol, húngaro, tcheco e coreano. Com o infantil *O menino que vendia palavras*, ganhou o Prêmio Jabuti de Melhor Livro de Ficção de 2008. Seu livro *Os olhos cegos dos cavalos loucos* também venceu o Prêmio Jabuti 2015 na categoria Melhor Livro Juvenil. Em 2016, recebeu, pelo conjunto da obra, o Prêmio Machado de Assis, da Academia Brasileira de Letras.